王　序

　　人類知識經過文字記載、錄影、錄音而成各項圖書資料，得以保存和傳播，圖書館負擔了傳播知識的任務。爲了達成這項任務，圖書館除了保存以外，還要運用技術及方法將圖書資料加以採集選擇，分類編目，陳列典藏。透過圖書館員專業的服務，供讀者利用，並提供完整而充分的協助，這些作業即所謂圖書館作業。我們若依性質可分爲技術服務和讀者服務兩部分：技術服務包括圖書資料的採訪選擇，分類編目及陳列典藏，屬於圖書館的內部作業；讀者服務包括讀者的圖書閱覽及參考輔導。前者是手段，後者則是目的。

　　分類編目工作是技術服務的重要一環，其績效的良莠，是決定讀者服務成敗的因素之一。這項工作在我國具有悠久的歷史，早在西元前六年，就有漢代的國家圖書館目錄：班固的漢書藝文志，漢志中記載的七略，是我國最早的分類目錄，它奠定了圖書著錄法，同時也是詳盡的解題目錄。經歷代的演進，如西晉的中經新簿，唐初的隋書經籍志，南宋的遂初堂書目，明代的文淵閣書目，及清初的四庫全書總目，都有良好的實績。至於中文圖書分類編目的理論書籍，最早當推南宋鄭樵所著通志中的「校讎學」，這本書中絕大部分討論了圖書分類法和編目法，可惜後代，並未有多大的發揚。

　　自從清末以來，西學東漸，現代的中國圖書館事業才受西洋圖書館事業的影響，逐漸發展。在此西潮沖擊下，中文編目法也

產生了極大的改變，最顯著的，如卡片目錄的採用，編目規則的制定，目錄種類增多，圖書分類法的改進，編目學著述增加，在理論與實務上都有顯著的進展。其中編目學著述方面，如民國十二年查修的「編製中文目錄的幾個方法」一文開始，至民國十六年杜定友著「圖書目錄學」，才有第一部中文編目法專著。其他如裘開明的「中國圖書編目法」，何多源的「圖書編目學」，黃星輝的「普通圖書館編目法」，于鏡宇的「善本圖書編目法」，金敏甫的「圖書編目學」。政府遷臺後，這方面的專書亦不多見，僅有倪寶坤的「圖書分類法」，鄭清奇的「中國圖書分類史上四分法的演變」，熊逸民的「中文圖書分類編目實務」，王省吾的「圖書分類法導論」，張樹三的「圖書目錄概論」，梁津南的「實用中文編目法」，黃端儀的「圖書分類編目的研究」。近五年來，中文編目的自動化作業，急速發展，國內圖書館的中文編目紛紛採用了中國編目規則，並利用中國機讀編目格式，使中文編目作業越趨於國際標準化，也使合作編目更易實現。

　　黃淵泉先生所著「中文圖書分類編目學」，是中國編目規則問世以來，第一本採用這種規則的中文編目著述。黃先生畢業於國立臺灣大學圖書館學系，服務國立中央圖書館編目組十餘年，經驗豐富，今以其多年工作經驗，並參考最新資料，著成本書，相信對於從事圖書館中文編目作業者，必有可供參考之處，爰爲之序。

民國七十五年七月七日序於南海學園

自　序

　　有一天，和幾位一起唸書的朋友，走進鼓仔亭大學前一家素食館，看到一則如下的壁題，這一頓飯吃得很滿足，這一則壁題是：

　　　　度盡一切飢

　　　　　煮盡一切菜

　　　　　　若無一切飢

　　　　　　　何煮一切菜

　是爲序。

黃　淵　泉

民國七十五年七月二十四日於南海學園

謝　　辭

　　本書得以完稿，首先要感謝慈母和內人使我安心的著述，也要謝謝劉兆祐敎授，前國立中央圖書館編目組林愛芳主任和閱覽組張錦郎主任，經常的鼓勵，以及協助繕稿的同事徐惠敏小姐，俞寶華小姐，繆慈玲小姐，與幾位提供資料的同事朋友。

　　更要感謝王館長振鵠師的題序，爲本書增輝不少；和臺灣學生書局給本書出版的機會。

中文圖書分類編目學

目　次

王　序 ……………………………………………… I

自　序 ……………………………………………… III

第一章　導　論 ……………………………………… 1

　第一節　前　言 …………………………………… 1

　第二節　名　詞 …………………………………… 3

　第三節　圖書資料種類與型態 ……………………12

　第四節　目錄種類與功能 …………………………26

　第五節　編目與目錄學 ……………………………39

　第六節　編目應備參考資料 ………………………41

第二章　編目法 ………………………………………45

　第一節　中文圖書編目的發展 ……………………45

　第二節　中國編目規則 ……………………………51

　第三節　基本著錄緒論 ……………………………55

　第四節　基本項目的著錄法 ………………………73

　一、書名著錄法 ……………………………………74

二、　著者敍述項著錄法⋯⋯⋯⋯⋯⋯⋯⋯⋯⋯⋯⋯90

三、　版本項著錄法⋯⋯⋯⋯⋯⋯⋯⋯⋯⋯⋯ 102

四、　出版項著錄法⋯⋯⋯⋯⋯⋯⋯⋯⋯⋯ 106

五、　稽核項著錄法⋯⋯⋯⋯⋯⋯⋯⋯⋯⋯⋯ 121

六、　叢書項著錄法⋯⋯⋯⋯⋯⋯⋯⋯⋯⋯⋯ 131

七、　附註項著錄法⋯⋯⋯⋯⋯⋯⋯⋯⋯⋯⋯ 136

八、　標準號碼及其他必要記載項著錄法⋯⋯⋯⋯ 146

九、　追尋項著錄法⋯⋯⋯⋯⋯⋯⋯⋯⋯⋯⋯ 148

第五節　基本記述標目的決定：選擇與形式⋯⋯⋯⋯ 149

第六節　目片格式⋯⋯⋯⋯⋯⋯⋯⋯⋯⋯⋯⋯ 172

第七節　分析編目⋯⋯⋯⋯⋯⋯⋯⋯⋯⋯⋯⋯ 179

第八節　編製書標、書卡、書袋⋯⋯⋯⋯⋯⋯⋯ 187

第九節　機讀編目⋯⋯⋯⋯⋯⋯⋯⋯⋯⋯⋯⋯ 192

第三章　分類法⋯⋯⋯⋯⋯⋯⋯⋯⋯⋯⋯⋯⋯ 225

第一節　緒　論⋯⋯⋯⋯⋯⋯⋯⋯⋯⋯⋯⋯⋯ 225

第二節　圖書分類法的基本條件⋯⋯⋯⋯⋯⋯⋯ 230

第三節　常用中文圖書分類法介紹⋯⋯⋯⋯⋯⋯ 234

第四節　中國圖書分類法⋯⋯⋯⋯⋯⋯⋯⋯⋯ 269

第五節　分類作業與分類規則⋯⋯⋯⋯⋯⋯⋯⋯ 296

第六節　書號的配置⋯⋯⋯⋯⋯⋯⋯⋯⋯⋯⋯ 308

第四章　目錄排列法⋯⋯⋯⋯⋯⋯⋯⋯⋯⋯⋯ 321

第一節　中文檢字法⋯⋯⋯⋯⋯⋯⋯⋯⋯⋯⋯ 322

第二節　書名、著者、標題目錄排列法……………… 325

第三節　分類目錄排列法……………………………… 332

第四節　中外文目錄排列問題………………………… 335

第五節　參照片寫法…………………………………… 337

第六節　導片製法……………………………………… 341

第七節　目錄使用說明………………………………… 344

第八節　目錄的檢查與維護…………………………… 348

第五章　特種資料編目法 …………………………… 351

第一節　連續性出版品著錄法………………………… 351

第二節　善本圖書著錄法……………………………… 368

第三節　圖片與地圖資料著錄法……………………… 371

第四節　縮影資料著錄法……………………………… 378

第五節　錄音資料著錄法……………………………… 381

第六節　電影片及錄影資料著錄法…………………… 384

第七節　樂譜著錄法…………………………………… 386

第八節　拓片著錄法…………………………………… 388

第九節　立體資料著錄法……………………………… 390

第十節　機讀資料檔著錄法…………………………… 392

第六章　中文圖書分類編目的將來：代結論… 395

第一節　編目機械化問題……………………………… 395

第二節　合作編目……………………………………… 399

第三節　編目標準化…………………………………… 400

附　錄：

一、國際標準書目著錄規則（單行本），第一標準版
　　之中譯文……………………………………………… 403

二、中文圖書編目簡則………………………………… 463

三、中文圖書分類簡表………………………………… 475

四、編目用品與傢俱…………………………………… 491

五、主要參考資料……………………………………… 497

六、索　引……………………………………………… 503

第一章　導　論

第一節　前　言

　　知識是人類進步的原動力，人類從原始社會進化到文明昌盛，科技發達的現代，遺留下來無數豐富寶貴的知識，大都藉著文字記載在書籍內，得以保存下來。人類發明文字，記敍史事，產生圖畫，圖書館就是形形色色圖書資料的保藏所。為了達成傳播知識的任務，除設立圖書館加以保存以外，尚必需運用技術及方法，將圖書資料採集，分類編目，陳列典藏，並且藉助圖書館專業館員的協助輔導，提供讀者完整充分的利用。

　　上述圖書館內圖書資料的採集，分類編目、陳列典藏、協助輔導等工作，即稱為圖書館作業，因這些作業都是旨在提供知識服務。就其性質，通常分為技術服務及讀者服務，前者包括圖書資料的採集、分類編目及陳列典藏，是屬於圖書館內部作業，後者包括讀者的圖書閱覽與協助輔導。我們可以說，技術服務是圖書作業的手段，而讀者閱覽及協助輔導才是目的。

　　本書所討論的範圍，主要在於中文圖書資料的分類與編目，共分六章，第一章導論，共分六節，第一節前言，介紹本書內容。第二節名詞，將分類編目有關的名詞加以簡單解釋，一方面讓讀者對於編目時所用的術語有所認識，一方面也方便本書的閱讀。第三節圖書資料種類與型態，也是基於同樣的目的。第四節目錄的

種類與功能，討論圖書館編製的目錄的種類及其作用，並探討比較其優劣。第五節編目與目錄學，說明編目與目錄學的關係。第六節編目應備參考資料，概括列舉編目時，所應具備的參考資料。

第二章編目法，分九節，實際討論記述編目的技術方法，第一節中文圖書編目的發展。第二節中國編目規則，介紹中國編目法的沿革，及「中國編目規則」編訂的經過與評價。第三節基本著錄緒論。第四節基本項目的著錄法，參酌中國編目規則及實際情形，介紹圖書編目的原則方法，就記述項目分項討論。第五節基本記述標目的決定：選擇與形式，則討論檢索標目的決定，以便讀者檢閱之用。第六節目片格式，將前面記絞編目所得資料記錄在目片上的位置與格式。第七節分析編目，討論圖書內部分資料詳細的編目方法，以達到詳細的揭示圖書內容。第八節編製書標、書卡、書袋，則為圖書的閱覽流通作必要的準備工作。第九節機讀編目，根據國立中央圖書館發展的「中國機讀編目格式」，編製中文目錄。

第三章分類法，分六節，第一節緒論，介紹分類的意義與目的，圖書分類的標準，圖書分類的界限。第二節圖書分類法的基本條件，討論理想的圖書分類法，所應具備的基本條件，以為選擇分類法的參考。第三節常用中文圖書分類法，介紹中國古代圖書分類法，我國近代常用分類法。包括改良的四庫法，杜威十進分類法，美國國會圖書分類法，中外統一分類法，中國圖書十進分類法及劉氏中國圖書分類法。第四節中國圖書分類法，專篇介紹目前國內最常用的賴永祥氏中國圖書分類法。第五節分類作業與分類規則，介紹分類的工作意義與目標，圖書分類前的準備

工作，圖書分類的工作程序，及一般分類規則。第六節書號的配置，介紹索書號編法，亦卽著者號及典藏符號，冊次號等編法，和排架順序。

第四章目錄排列法，分八節，第一節中文檢字法，討論音韻檢字法、部首檢字法、筆畫筆順法等。第二節書名著者標題目錄排列法，以筆畫筆順法介紹書名、著者及標題目錄的排列規則。第三節分類目錄排列法，介紹分類目錄的排列法。第四節中外文目錄排列問題，探討中外文目錄合併排列的問題。第五節參照片寫法，第六節導片的製法，介紹參照片及導片的編製。第七節目錄使用法說明，介紹目錄使用法說明的寫法，以便讀者的利用。第八節目錄的檢查與維護，介紹目錄卡片的維護及品質控制。

第五章特種資料編目法，共分十節，介紹除圖書類資料以外的特種資料編目法，依序是連續性出版品、善本圖書、圖片與地圖資料、縮影資料、錄音資料、電影片及錄影資料、樂譜、拓片、立體資料，以及機讀資料檔。

第六章中文圖書分類編目的將來：代結論，展望中文分類編目的將來發展以爲本書的結論，探討了中文編目的機械化作業問題、合作編目、國際標準化問題。

書末的附錄，包括六種，前四種分別爲國際標準書目著錄規則（單行本）第一標準版之中譯文，中文圖書編目簡則，中文圖書分類簡表，編目用品與傢俱，供本書讀者的參考；後二種，則爲本書的主要參考資料及索引。

第二節 名 詞

　　圖書編目工作是圖書館作業中，技術服務的一環，在本書討論的過程中，常會遇到一些術語，爲了讓讀者預先有一個清楚的概念，特將常用的名詞列舉於後，並附英文對照，然後略加說明。此處所列名詞按英文字母排列：

　　1.檢索點（Access point）：用以檢索和識別每一個記錄中的著錄項目，如書名、標題、國際標準書號等。

　　2.登錄號碼（Accession number）：每一本圖書依到館先後的順序，登記所編的號碼，每冊一號。

　　3.附件（Accompany matrial）：必需和出版品一起使用的隨書附帶的材料。

　　4.改編書(Adaptation)：將已刊行的文學作品或文集，重行改寫刊行，以修正原書未予列入之意旨或效用者，謂之改編書籍。

　　5.複本(Added copy)：圖書館入藏與原有書同名同版的圖書。

　　6.副款目（Added entry）：或次要款目，除主要款目外，其他所有款目之複製。

　　7.副書名頁（Added title page）：除著錄主要款目時用的書名頁外，其他有關書名頁，均稱爲副書名頁。

　　8.副書名頁題名(Added title page title)：通常是指正式書名頁的後面一頁上所記載的書名，稱副書名頁題名。

　　9.續卷（Added volume）：圖書館所登錄的叢刊或是叢書的續卷、分冊，不同於複本及附冊本。

　　10.全部出版(Allpublished)：在目錄款中所加的注釋，表明一種出版物，雖未出完，但不再出版，或表明一種期刊已停刊。

　　11.字順目錄（Alphabetical catalog）：按字母順序排列的

主題目錄。

12.別書名（Alternative title）：由兩書名組成的正書名，通常由「又名」一字相連，在「又名」之後的書名稱別書名，又稱交替書名。

13.分析款目（Analytical entry）：將一部書或叢書（叢刊）中的各篇章或各書，加以分析，單獨著錄成爲分析款目。

14.英美編目規則（Anglo-American Cataloging Rules）：由美國與英國圖書館協會聯合制定的編目規則，爲英美各國圖書館採用，國內也常用以爲西文之編目規則。現爲第二版，簡稱AACRⅡ。

15.匿名經典（Anonymous classic）：未記載著者姓名，但已出版多次，許多譯本等之文學作品，編目時常以書名爲準。

16.附錄(Archival document)：附在一書正文後之附加材料。

17.視聽資料（Audio-visual materials）：指非書資料如影片、圖畫、唱片、錄音帶等。

18.增補書名（Augmented title）：因書名不詳或無書名之作品，編目時編目員自行加上的書名。

19.著者款目（Author entry）：一本作品在目錄中的款目，以著者名稱爲標目，它可以爲個人，或團體名稱，或筆名。

20.公務目錄（Authority list）：專載目錄中所選用之著者標目，匿名經典，以及不同名稱，和全部館藏記錄者。

21.著者號（Author mark）：用字母，數字或其他符號作爲著者名稱標記，用以區別同類號書籍的順序。

22.權威記錄（Authority record）：存入權威性文件中的記

錄，一般載有法定或正式用法及其他不同名稱的參照互見項，並加以註釋說明名稱改變過程、出處等事項。

23.圖書分類（Bibliographic classification）：根據圖書內容，按分類表將圖書資料歸類。

24.書目控制（Bibliographic control）：對圖書館藏書資料作有系統的、有組織的記錄工作，以便有效的檢索。

25.書目資料（Bibliographic information）：指書目資料的著錄訊息。

26.書目記述（Bibliographical description）：對某作品所作的正確的描述。

27.書目單元（Bibliographical unit）：在目錄中一具體的項目，即編目時所著錄之一個主要款目。

28.書本目錄（Book catalog）：圖書館的藏書目錄或書目索引，而印刷成冊的目錄。

29.發行者（Book distributor）：專為出售或經銷書籍的個人或商號。

30.書號（Book number）：由字母或數字組成，用以排比同類號的資料。

31.書袋（Book pocket）：貼在書底或封底裏，用以盛放書卡。

32.小冊子（Booklet）：五十面以下小本的書籍。

33.合訂本（Bound with）：兩種不同出版品合訂一起，成為一冊。

34.說明書（Brochure）：僅有數頁的小冊或單張，以說明出版品的一些資料。

35.索書號（Call number）：通常是分類號與書號的總稱，用以鑑別一本圖書的標記，也表明一書與其他書在學科上或排架位置上的關係，索書號記在書背和目片的左上角。

36.卷端書名（Caption）：印在卷首或章節前面的書名，當缺書名頁時，可以之代替爲正書名。

37.卡片目錄（Card catalog）：以卡片編製成的目錄，分別排列於卡片抽屜內

38.目錄（Catalog）：依據權威性的編目規則，著錄成爲一套書目記錄，爲作圖書館檢索圖書資料的工具。

39.在版編目（Cataloging in publication）：由出版社將樣版或正文前項供圖書館先行編目後，再送回出版社印行，編目資料印在書名頁（或版權頁）的背面。亦稱新書預編。

40.編目規則（Cataloging rules）：爲了編目員可以依據統一一致的方法和格式來著錄圖書而制定的一系列規則。

41.集中編目制（Centralized cataloging）：由一中心機構進行編目製片，或由一總館爲其分館進行集中編目，以求格式一致，節省經費的辦法。

42.主要著錄來源（Chief source of information）：在編目工作中，著錄事項的第一來源，一般是書名頁。

43.分類法（Classification system）：根據一定方法而制定的圖書分類體系，如杜威十進分類法，中國圖書分類法。

44.完全著錄（Closed entry）：叢刊或多冊書，全部到齊後，在目片上填入最後一冊之卷期，出版日期和冊數，或稱爲停刊處理。

45.稽核項（Collation）：目錄中說明資料的型態，包括冊

數（面數）、插圖、大小及附件等。

46.總書名 (Collective title)：代表各部分作品之總名稱，可稱正書名或叢書名，亦可稱合訂書名。

47.書末頁 (Colophon)：書末的記事，一般載有書名、著者、出版社、出版日期等，中文書常稱爲版權頁。

48.輯者 (Compiler)：將他人作品滙編成書者，謂之輯者。

49.連續性出版品 (Continuation)：連續出版的叢書，期刊或補編。

50.續片 (Continuation card)：一張卡片容納不下全部記錄，而連續記在另一張卡片上，此稱續片。

51.劃一書名 (Conventional title)：又稱統一書名(uniform title)，對有幾個不同書名的同一作品，在編目時著錄讀者所熟悉的書名，如紅樓夢，又名金玉緣、石頭記，著錄紅樓夢爲劃一書名。

52.合作編目 (Cooperative cataloging)：由一些圖書館協同工作，分擔編目所需的人力和經費，避免重複作業。

53.複本號碼 (Copy number)：同一種書有完全相同的幾冊，在各複本上所加的區分號碼。

54.機關團體款目 (Corporate entry)：以學術團體、研究機構、政府機關等名稱作爲著者款目。

55.版權年 (Copyright date)：一書經政府核准版權登記時期，通常刊於書名頁的背面，中文書常見於書末頁。

56.封面題名 (Cover title)：印在原封面的書名，在編目時必需和印在書名頁上的書名加以區分。

57.參見互照（Cross reference）：在索引或目錄中指引讀者從幾個不同的方面去查考資料的參照項。

58.字典式目錄（Dictionary catalog）：卡片目錄中所有標目（包括著者、書名、標題、參照）均依字順混合排列，一如字典排列一樣。

59.版次（Edition）：一書的出版敍述中，以數字或其他詞句，表示該書出版次序者，謂之版次。

60.編者（Editor）：負責編輯出版非本人的著作、文集或論文，謂之編者。

61.款目（Entry）：1.目錄中關於一書的記錄。2.此項著錄所選用的標目。

62.接續片（Extension card）：接續記錄前一張目錄卡片未記完的款目。

63.第一縮格（First indention）：卡片上兩條直線的位置，左面第一直線，距卡片左邊二公分，亦卽西文打字機八個字的空格地位，中文著錄的書名線，書名項卽自其右面開始，西文則為主要款目開始處。

64.形式複分（Form division）：一類書籍可以依照形式複分，如書目、期刊、綱要等。

65.導片（Guide card）：卡片在上端有凸出剷形部份，排入卡片目錄中用以指示目錄卡片的標目位置。

66.簡略書名（Half title）：簡略書名是刊印於書名頁的前一頁，此種書名頁常不刊載該書的著者姓名與出版處等，但有時引薦一書的節次。

67.標目（Heading）：以單字、人名或片語置於各款目之首，用來表示一書的含義（如著者之身分、主題之內容、叢書、書名等），以便將關聯或類似的資料彙集一處。

68.出版項（Imprint）：書籍的出版地、出版年、出版者、以及印刷者等等，謂之出版項。出版項通常刊印於書名頁之下面。

69.插圖 （Illustration）：書中的圖畫及其他繪圖等等，是附於書籍或其他出版物之內，謂之插圖。插圖是用以解釋正文的，狹義言之，插圖就是正文的圖解。

70.出版日期 （Imprint date）：出版日期即書名頁上所印的年次。

71.合著者 （Joint Author）：一人以上合著一書，對所著全書的貢獻，彼此相等，而無區別。

72.單行本 （Monograph）：一種非叢刊之單獨圖書。

73.標記 （Notation）：圖書分類中的類目，一般是使用字母與數字混合或分別來代表類目的符號。

74.部分書名 （Partial title）：書名項上正式書名所附的次要部分，可能是引見書名、副書名或別書名。

75.期刊 （Periodical） 叢刊之分冊出版而非專刊者，通常包括若干投稿人的專論，按一定時期的間隔繼續出版，大概有一明顯的刊名者，謂之期刊。

76.序言日期 （Preface date）：序言開始或結束處所記的日期。

77.假名 （ Pseudonym ）：著者使用其他名字發表著作，以

使別人不能發覺其身份，謂之假名，也稱筆名。

78.出版者 (Publisher)：負責印行圖書或其他印刷品的個人，公司或團體。

79.參照 (Reference)：指引讀者從目錄中一個標目去見另一個標目。

80.第二縮格 (Second indention)：距卡片左邊沿3.2公分處的直線位置。

81.參見法 (See also reference)：在目錄中從一個名詞或名稱，查尋其附加或相關名詞或名稱的目片。

82.見法 (See reference)：在目錄中從一未被採用名詞或人名，引見一採用的名詞或人名。

83.叢刊 (Serial)：在一定時間內陸續印行的出版品，而且繼續不斷出版，如雜誌、年刊（報告、年鑑）、學報、議事錄，以及社團刊物等等。又稱連續性出版品。

84.叢書 (Series)：有三種含義 (1) 彙集幾種主題相同的單行本，而以同一出版者，繼續刊行，其集合之書名（叢書名）通常刊印於書名頁與簡略書名頁或封面上。(2)性質相近的小品文、演說詞、論文等在二冊以上，繼續印行者。(3) 一種叢書或叢刊分別編號繼續刊行者。

85.叢書款目 (Series entry)：以叢書名稱著錄的款目。

86.排架目錄 (Shelf list)：圖書館的藏書記錄，其排列次序一如圖書在架上排列的次序。

87.標題片 (Subject card)：著錄標題款目的目錄卡。

88.標題 (Subject heading)：一個詞或一組字用以表示資

料討論的主題。

89.副書名 (Subtitle)：正書名之後附加解釋的書名。

90.第三縮格 (Third indention)：距卡片左邊沿3.7公分第二縮格後空一字的直線位置。

91.書名 (Title)：(1) 廣義的泛指任何著作書名頁上所載事項，除出版項外，其他如著者版次等皆包括在書名之內。(2) 狹義的僅指書籍的名稱，不包括著者等。(3) 若指非書資料的名稱，則泛稱題名。

92.書名款目 (Title entry)：以書名為主記入目錄之款目，謂之書名款目。

93.書名頁 (Title page)：書籍正文前一頁，刊有完全的書名、著者，以及出版項等，為編目時的主要著錄來源。

94.追尋項 (Tracing)：在目錄基本卡片上，將一書所有附加及檢索款目記入，此項可記於目片的背面，也可記於卡片下方，圓孔之上，以為填製副片的依據。

95.單元卡制 (Unit card)：以基本目錄卡片，複製時將適當的標目記入，即成為其他各種款目的格式，利用複印機複製的卡片即為單元卡。

第三節　圖書資料種類與型態

圖書一詞，固然泛指一切書本，但從字面上它包括「圖」與「書」，此乃因我國自古以來，即圖與書並重，如河圖洛書，有所謂左圖右書，其意即在以繪圖印證文字，也使文字更能達成傳

播知識的目的，因此，看圖與唸書同樣是我們人類獲取知識的兩大途徑。

　　而且，由於人類文明的演進，知識內容不斷擴張，於是記錄或傳播知識的工具，不再以圖書為限，漸漸趨於多元化，特別是二十世紀以後，更產生了各種視聽覺的資料，雖然這些可供人學習的資料，與傳統的圖書形式有別，然其功用卻是一致的。但現大都仍沿用舊稱，而泛稱為「圖書資料」。所以圖書資料包括舉凡整理、保存或記述文化遺產以及傳播現代知識的一切產物。

　　由於今日圖書資料的數量太多，知識領域頗廣，個人決無能力收容齊備，於是便有各種圖書館的設立，加以保存並負起傳播知識的責任。圖書館的收藏，也隨時代進步，擴大收集的數量及型態，也改進傳播的技術以達成傳播知識的使命。

　　圖書館為方便整理與利用，將所有圖書資料分為圖書類資料科非書資料二種，凡是印刷品裝訂成册而以書籍形式出現，並且用處理圖書的方式來分類編目者，稱為圖書資料；其他，不以書籍形式出現，或雖以書籍形式出現，但不依照書籍處理的方式來分類編目者，稱為非書資料。非書資料又可分為印刷資料（如連續性出版品、小册子、圖片、樂譜等等），及非印刷資料（如縮影資料、機讀資料、唱片、錄音帶、透明圖片、幻燈片、影片、錄影帶等，又稱視聽資料），本書第二章卽以討論圖書類資料的編目為主，第五章則討論非書資料的編目。

　　現先就資料類型略為介紹於後：

一、圖　書

　　圖書是圖書館館藏中最主要的部分，就用途可分爲兩種，一種是供人檢查某事實和資料的，一種是供人閱讀瀏覽的。前者稱爲參考書，而後者又包括一般圖書、教科書、研究用書和珍善本圖書。茲分別介紹如後：

　　(一)參考書：凡依某種方式排列編纂，以方便讀者檢尋問題答案，而不必閱覽全書的書籍稱爲「參考書」。參考書內容的排列是依照筆劃、部首、號碼、韻目、類別、時代、地域等各種不同的方式。又稱爲「工具書」。最常見的參考書有：書目、索引、摘要、字典與辭典、類書與百科全書、年鑑與表譜、輿圖、名錄指南、手册便覽等類。

　　(二)閱覽瀏覽用書：是供人閱讀瀏覽的圖書，因使用目的的不同又可區分爲以下幾種。有關課程教學方面的圖書資料稱爲教科書，通常專供學生作特定目的的閱覽，或專供高深學術研究的圖書，爲研究用書。

二、連續性出版品

　　又稱爲叢刊（Serials），分次陸續印行的出版品，通常有一定的出版間隔，而無限期的繼續印行，故又稱連續性刊物。它包括有期刊、報紙、年刊、紀錄、會議和機關團體的報告。期刊依刊期間隔的長短又可分爲周刊、旬刊、半月刊、月刊、雙月刊、季刊，及半年刊等等。期刊又稱雜誌。報紙俗稱新聞紙，定期出版來報導時事及評論時事。此外，叢刊根據出版間隔及內容性質的不同而有年刊、記錄、會議錄、機關團體報告種種不同的名稱。

三、小册子

凡不滿五十頁，沒有講究的封面，而不採正式裝訂的出版物稱爲小册子。一般收藏是放在小册盒，或先存入立式卷夾，再儲存於檔案櫃裏，不予登錄號僅予簡略編目，應隨時檢查小册子的時效，汰舊換新，以保持資料的新穎和實用。

四、圖　片

用圖畫或照片的形式來報導，說明事實或動態的資料，稱爲圖片。而剪輯就是自報章雜誌或其他印刷品上所剪下具有參考資料的文字報導或論述。零星的圖片，可剪輯分類存於立式案卷中，再依次直立在檔案櫃內，處理方式與小册子同。

五、縮影資料

縮影（Micro graphics）就是利用顯微攝影的方法，將文獻經過高倍縮小攝製在軟片材料上。常見的縮影化資料有縮影捲片（Microfilm）、縮影單片（Microfiche）、孔卡縮影（Micro aperture card)……等多種。

六、機讀資料

電子計算機（俗稱電腦）的大量應用以處理資料，產生了許多新的資料記錄和儲存的媒體，例如磁帶(Magnetic tape)、磁碟（Disc）、磁鼓（Drum)等等，統稱爲機讀資料。磁帶是表面塗有金屬氧化物的塑膠帶，磁碟是像唱片一般大小的塑膠碟，磁鼓

像一個大的金屬圓筒，裏面塗滿磁料。

七、視聽資料

傳播方式的演進產生許多新的傳播媒體，包括錄音資料，需要用聽覺來接受，如唱片、錄音帶等；和錄影資料，利用視和聽來接受，如電影片、錄影帶；和靜畫資料，需藉助放映器材才能閱讀的，如透明圖片、幻燈片等三大類。總之，它們都是利用視覺、聽覺來接受，而且必需配合特別器材才能利用，統稱爲視聽資料。

(一)唱片、錄音帶：都是記錄原始的聲音，供人經由聽覺來欣賞學習，所以又稱錄音資料或收聽資料。唱片以它在電唱機上的轉速而分七十八轉、四十五轉及三十三又三分之一轉等多種。錄音是利用錄音帶面上的藥膜（氧化鐵、或氧化鉻）因磁性感應而重新排列或散亂的原理來記錄及消去聲音。

(二)幻燈片、透明圖片：幻燈圖片、幻燈捲片、透明圖片及可供實物投影機（Overhead projector）所使用的資料都是靜態型放映資料。利用光學器材，將資料的影象擴大放映到銀幕上，以供多人同時利用視覺、聽覺去欣賞學習。

(三)電影片、錄影帶：電影片、錄影帶都是利用「視覺暫留」的原理攝製而成，一連串的靜止畫面以一定速率放映出來，使閱者產生動作的幻覺，故稱動態型放映資料。

中國圖書最早形制，當推上古的竹木簡册，春秋時有縑帛卷軸，至東漢造紙後始有紙質卷軸，再經紙質經摺裝、旋風裝才開

始具備現代圖書形狀，五代以後，則隨雕版印刷的興起，再出現蝴蝶裝、包背裝，演進到明末的線裝，至清朝中末葉，西法印刷書冊的裝訂方式傳入我國，於是才有目前通行的平裝與精裝。由於竹木簡冊以及卷軸形式的圖書大都已列入古物級，喪失實際用於記錄知識的圖書功能，不在本書討論範圍之內。現在僅就中國古書及現代西法印刷書冊，介紹其結構及各部名稱。

　　中國的紙質古書，首推卷軸，其各部名稱如圖1，其餘如經摺裝、旋風裝其樣式如圖2-3，蝴蝶裝、包背裝、線裝如圖4-7，其版式也大致相同，如圖8。茲簡介如下：

　　版式就是一塊書版的格式，包括一書的高低寬廣、邊欄和版口等特徵。書版的四周叫「版框」，勾成版框的墨線界欄叫「邊欄」，簡稱「邊」或「欄」。邊欄畫一道墨線的是「單欄」，畫兩道墨線的是雙欄，因而又有「左右雙欄」、「四周雙欄」的名稱。欄上面空白處叫「天頭」或「書眉」，下面空白處叫「地腳」。欄的中間所包括的面積稱「版面」，在版面上一行一行的直線稱「界」。版面的中心留有一行較窄的是「版心」或稱「版口」，蝴蝶裝的書葉向內對摺是「版心」，改成包背裝後，書葉反向對摺，就成為「版口」。版心的上下各有一條橫線，橫線至上下邊間所形成的兩個空格叫「象鼻」。書口的變化往往顯示出一個時代刻書的特徵，版心上下橫線之間刻有⌒形的符號，取其形狀而稱「魚尾」，魚尾不但有白黑之分，也因數量的多寡而有單魚尾、雙魚尾、三魚尾甚至四魚尾之名。上下魚尾分叉處是版面的中心，多刻有書名、卷數及葉次，若作為裝訂對摺的標準，則稱「中縫」或「中線」，如在上下魚尾到上下邊欄，也就是上下象

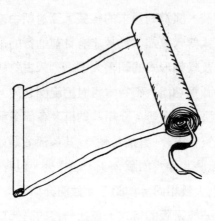

圖 1　卷　軸

圖 2　經摺裝　　　　　圖 3　旋風裝

圖 4　蝴蝶裝(一)

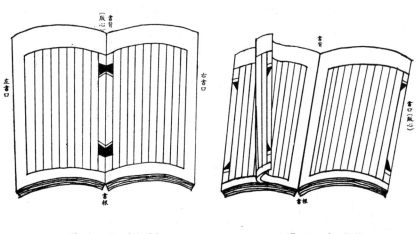

圖 5　蝴蝶裝(二)　　　　　圖 6　包背裝

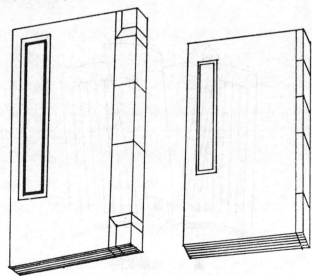

圖 7　線　　裝

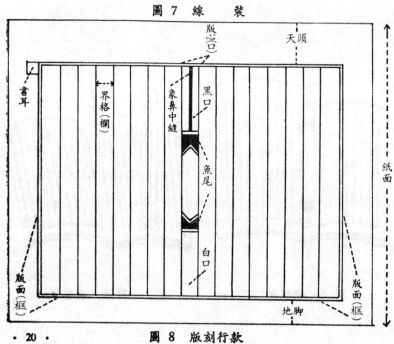

　　　　圖 8　版刻行款

鼻中間刻有黑線的叫「黑口」（因在包背裝的書口處），又因黑
線的粗細更有「大黑口」（或稱「寬黑口」、「粗黑口」、「濶
黑口」）及「小黑口」（或稱「細黑口」、「窄黑口」）之分，中
間無線的叫「白口」，上面的象鼻間刻有書名的是「花口」。有
些書用橫線將版面橫分爲兩欄或三欄，叫「兩截版」「三截版」。
版框的尺寸就是高廣，過去版本學家習慣用營造尺來計算，現多
改用公分。

　　現代出版圖書，多半吸收了西洋高度機械化的印刷技術，快
速便捷，生產量大，品類也多。圖書的裝訂，除去仿古式的線裝
書，仍保留若干傳統的方式之外，多採用平裝和精裝的方式。組
成圖書的主體部分也與過去有很大的不同。通常在書名頁背面有
關於出版事項的記載，如出版處所、年月、版次以及價目、印行
册數等，書名頁的背面有時印着作者和編輯的姓名，書名頁以後
便是序文、凡例、目錄、正文、附錄、索引、跋或後記，這些編
製體例和古書大致相同。最後，常常還附有版權頁，記載各種出
版的事項。圖書館的編目作業便是根據這些記載，來描述該書的
內容、格式及形態。因此，在歐美先進國家的圖書館，對於出
版圖書的形態結構非常講究。以下據參考美國圖書館協會所編的
「圖書館術語集 （A. L. A. glossory of library terms)」介紹一
本圖書的各部形態。現代圖書的結構大致可分爲內部形態及外部
形態兩部分，內部形態又由以下前置部分、正文，及後置部分等
三部分所組成：

(一)前置部分 (Front matter)

或稱扉頁部分 (Preliminary section)，俗稱卷首或卷頭，在正文前的部分， 裝訂在圖書本文的前面數頁，它所包含的各部分，都是協助讀者在閱讀本文之前，先有一個概略的了解，也是編目時，重要著錄來源，包括有：

1.簡略書名頁：又稱扉頁，簡略書名頁的正面印有該書的簡單書名與解釋書名，背面印有著者的頭銜、稱謂、所屬團體名稱及其他著作一覽表，以供讀者和圖書編目的參考。

2.冠圖：冠圖多用質地精美而較厚的紙印刷，正面印有肖像圖畫等圖版，反面多爲空白或解說文字。

3.書名頁： 通常是書籍的第一張文字印刷頁， 上面印有書名、並列書名（兩種語文以上的書名）、副書名、著者姓名及有他次要著者敍述如：編者、譯者、繪圖者、序跋者……等等及冊版地、出版者、出版年或印製地、印製者、印製年。這些都是後識一本書的最基本資料。

4.版權頁：根據版權登記法將版本及版權事項印在書名頁的背面，稱版權頁，中文書籍常將版權頁印於書末。

5.獻辭頁：印有著者爲紀念性而將本書獻給長輩親人等的文字，又稱「紀念頁」，此頁背面空白。

6.謝辭頁：記載著者感謝協助該書印行的銘謝文字，謝辭頁也可以在序言合併敍述。

7.題辭頁：題辭是著者向前輩、知交、名賢、時人等要求推薦本書的序文，我國出版圖書喜將名人題字當作推薦印在書前。

8.序言：序言 (Préface) 又稱前言 (Foreward)，可分「自

序」與「他序」兩種，自序是記載作者著書的動機、研究的範圍、目的及感想，或介紹本書的內容及寫書的經過，並藉此書表達對各方協助的謝意。他序多是專家、師長對本書內容的介紹推薦和讚譽。

9.目次：目次是記載一書的章節、頁數，按先後次序排列的一覽表。目次除印載本文各章節的起訖頁碼外，還要包括正文前的附圖一覽表、附表一覽表、序言（或謝辭）、引言等及正文後的附錄、參考書目……等等之頁數，所以能作爲全書的大綱來看。中文圖書中不宜將目錄與目次混淆使用，應統一稱爲目次。

10.插圖（表）目次：或稱附圖（表）一覽表，依序列出書中各冠圖、圖片、附圖或附表的編號、名稱及頁數。

11.縮寫對照表：將書中所使用的特殊簡稱，列出全名，以便讀者查對認識，通常按照各簡稱詞彙的字母或筆畫順序排列，在字典、辭典及百科全書中最爲常見。

12.導言：或稱「引言」或「緒言」，與「序言」不同，記載讀者在翻閱本文以前所應該注意的參考事項或全書的主題，讓其先得到一個概念。

13.凡例：將本書的有關事項分條書寫，以方便讀者閱讀或利用參考的文字。在參考工具書中大都有這類使用說明介紹文字。

(二)正　文

正文是構成一書的主體部分，也是圖書的精華所在，通常用阿拉伯或中國數字標明頁數，有的頁碼從頭標到尾，也有的頁碼

分成各段落自成首尾，書的邊題能幫助讀者翻閱，最理想的標題方式是將頁碼標在書下端中央或兩側（中西文圖書不同），有的書在正文中夾有「篇名頁」，也稱「半書名頁」。

（三）後附部分

正文後的部份是圖書內容的補充或參考資料，它包括以下數項：

1.補遺：書中正文的補充部分，是對正文增加或添附的材料而不能及時加入，有的與原書分開印行，如百科全書及年鑑的補遺。

2.附錄：附錄提示讀者一些與內容有關而不便載於正文裏的資料，可以收在附錄裏的材料包括圖表、附註、影印資料、個案研究或其他的附圖及數字資料等。

3.參考書目：按一定排列方式印載著者在寫作時所參考的圖書文獻之書單，可以幫助指引讀者作更進一步的研究。

4.專用詞彙：解釋書中所使用的專門術語的彙集一覽表。

5.索引：將正文中的重要詞彙、概念，按一定順序排列並註明它所出現的頁次。索引有指示的作用，可以方便讀者檢索原文，不但顯示書中的精華，並且節省閱讀時間。

6.跋：跋文就是書末後記，性質相當於序文，只不過位置有別。

7.書末頁：這是日本和我國圖書所特有的形態，通常在末頁上印有圖章方欄，可以將著者的蓋章小紙貼上去。我國近代的出版業倣效日本，將著作的名稱、著者資料、印刷出版的版權事項

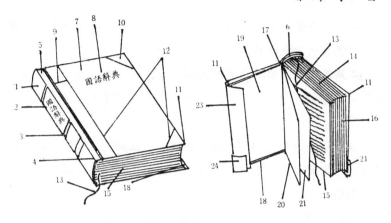

1.書　　背　back
2.書背的書名 back title
3.背　　帶　band
4.書　　耳　back edge
5.書 耳 凹 溝 groove
6.背布(花布) head band
7.封　　面　cover
8.封面標題，封面的書名 cover title
9.封面的繼接部 out side
10.書 角 包 皮 corner cover
11.書　　角　corner
12.書角包皮與封面繼接部
13.夾　書　帶 tassel
14.書　　頭　head
15.書　　根　tail
16.開　書　邊 fore edge
17.封面與書身銜接部，內折縫 gutter
18.封裡餘白，封面比書身脹出部份 square margin
19.封裡紙，封裡蝶蝴頁 end paper
20.封 裡 餘 頁 fly leaf
21.書　　扉　title page
23.書　套　紙 book jacket.
24.書　套　帶 book band

圖 9　圖書外部名稱

及書價……等等集中印在末頁上 。 跋和末頁只是圖書形態的變體，故也有稱爲版權頁。

8.其他資料：有的著者或出版社喜歡將個人的著作一覽表或出版品目錄印在書後，相當於廣告，有介紹的作用。有的書並附有勘誤表。

以上所介紹各項細部，雖然是構成一部圖書的重要部份，但並非每一本圖書都是照這樣的編排，也不是每一本圖書都包括以上各部份。

至於圖書外部各組成部份名稱如圖 9

第四節　目錄種類與功能

圖書館的藏書越多，提供讀者使用越廣，圖書館就要製作各種不同種類不同形式的目錄，以適應各種不同讀者和圖書館各部門工作人員的需要。製作各種目錄，換句話說，也就是要從各種不同角度來揭示藏書，以配合其他業務共同達成圖書館的任務。按各種角度和標準，我們可以將目錄分成下面幾種：

(一)按使用對象不同區分

1.公務目錄：又稱工作目錄，主要是供圖書館員從事採訪、編目及閱覽等業務時參考使用。如採訪部門的登錄記錄，依照圖書收到先後順序登錄，一方面作爲圖書館收到圖書的總賬，一方面也可作爲複本控制的重要工具。編目部門校對編目正確與否，索書號是否重號等，都經常要檢閱各種目錄，例如：分類目錄、

書名目錄、著者目錄。另外典藏部門的排架目錄，係依照圖書的典藏位置，也就是書架上排架順序編錄，爲便於檢查架上書籍有無失落或誤置，是典藏及清點圖書的依據。

另外公務目錄還具有在讀者目錄所沒有的檢索功能，如現代機讀目錄檔中，一些執行代碼的檢索統計功能。

公務目錄一般都放置在各業務工作部門，但規模較小的圖書館只有與讀者合用，則公務目錄亦卽讀者目錄。

2.讀者目錄：又稱公共目錄、公用目錄，主要供讀者借閱圖書時檢索之用。圖書館目錄的任務在於依靠讀者利用目錄來達成，因此公共目錄的品質，直接影響讀者服務的成效。

公務目錄的種類與編製方法，基本上與各種讀者目錄相同，二者所不同的地方在於：

（1）公務目錄包括全部館藏，含限閱圖書或貴重善本圖書。讀者目錄則僅限於流通閱覽的圖書。

（2）公務目錄必須記明追尋項各種標目，且可以僅記於主要目錄的各款目上。

（3）公務目錄必須記明複本；讀者目錄可以不記。

（4）公務目錄中典藏部門的排架目錄，必須於登錄號旁註明儲藏地點，如圖書館的分館、特藏室、專科閱覽室，或其他固定藏書部門等。

(二)按檢查方式不同區分

1.書名目錄：凡純粹按書名的字順組成的目錄，稱爲書名目錄。其功能是專爲由書名來檢查特定圖書的。一方面可以答覆圖

書館內有無此一特定書名的圖書，一方面也集中同一書名或類似書名的不同版本圖書，提供該圖書的目錄學知識。若某書有其他書名，還可利用書名款目，增加檢閱的線索。

2.著者目錄：凡由著者款目及其變形的字順組成的目錄，稱為著者目錄。可供從著者或註釋、翻譯等人姓名檢索特定圖書，也可查出本館所有某著者的作品，以及關於評論該著者各種圖書，可見著者目錄參考功能比書名目錄更廣泛一點。

3.分類目錄：凡將書名款目或著者款目依圖書館所採用的分類法系統排列而成的目錄，稱為分類目錄。它可供研究某種學科而盡查該學科的圖書，並且由於分類體系的關係，顯示相近學科的圖書，可能有「觸類旁通」的效果。對於學術研究，收集專題資料最能發揮功能。

4.標題目錄：又稱主題目錄，凡依標題款目的字順排列而成的目錄，稱為標題目錄。它可以從標題的字順檢索某種主題的圖書。圖書館的藏書，由於標題目錄使從不同學科角度研究的同一主題的圖書集中在一起。

按檢查的方式而編製成功的這四種目錄，各有各的功能，而且是互相補充。換言之，每種目錄提供不同的檢索途徑，共同達成完整的檢索功能。一般而言，讀者主要根據分類目錄或標題目錄，檢索研究學科的圖書，所以這兩種目錄是讀者目錄中的主要目錄。而公務目錄中採編部門則倚賴書名目錄較重，典藏部門則以排架目錄（大部分按分類排）為主要目錄。

若是書名、著者和標題各款目混合起來，按字順排列，通常稱為字典式目錄，也稱為檢字目錄。這種目錄的特點有二：第

一，它兼有上述幾種單純目錄的長處，同一種書在字典式目錄中，至少有三種以上的款目可供檢索，只要知道書名、著者或標題三種中的任何一種，即可在此目錄中檢索到所需要的圖書；第二，檢查方便，只要會查字典，就會查這種目錄，不若分類目錄，需有學術根柢，了解分類體系，才能使用。因此在近代的公共圖書館，尤其是歐美國家的公共圖書館風行此種字典式目錄，這可能也是促進圖書館事業發達的因素之一，可惜這種簡便的目錄排列方式，在國內中文圖書目錄並不多見。

若將書名、著者款目混合排列，而將標題目錄單獨編排，稱為分列式目錄，其功能界於字典式目錄與分類目錄之間。

若以讀者使用分類目錄、書名目錄、著者目錄和標題目錄四者而論，分類目錄較適合於專門學術圖書館的讀者使用，後三者或二者混合的字典式目錄較適合於公共圖書館的讀者使用。

(三)按資料語言區分

由於藏書語言的種類不同，可區分為中文圖書目錄、西文圖書目錄、日文圖書目錄等。因為各種語言文字的字順不同，無法將目錄依字順排列在一起，而且國內圖書館大部分也將中外圖書分別採用不同的分類法，自然也分開排架，但當然也有少數圖書館將中西文圖書採用同一分類法，則其分類目錄及排架目錄，就可將中西文圖書集中，不分中西文的分類目錄了。

(四)按資料類型區分

如按圖書資料類型的不同，可以區分為圖書目錄、兒童目

錄、期刊目錄、特種目錄和視聽資料目錄，在典藏及使用時比較
方便。

但如果圖書館所有資料採用同一分類法，又屬於相同語言
時，往往仍然混合在一起，組織成書名、著者、分類等各種目
錄。如果圖書館按資料類型分開典藏，才需要單獨編排不同資料
類型的目錄。有些專門圖書館常將收藏的特殊類型資料，單獨編
排成目錄。

(五)按閱覽區範圍區分

1.總目錄：集合圖書館全部資料，包括各部門、各種文字、
各種類型資料組成一完整的目錄，這種完整目錄稱爲總目錄，它
能完整的提供全館的館藏資料，也能解答本館是否收藏某一特定
圖書的問題。在大型圖書館，由於其所轄部門較多，或其分館較
多，編製此種總目錄，可以控制館藏發展和透過集中編目的方式
簡化編目作業，降低編目成本。例如各大學圖書館在總館大都編
製一套包括總館和各院系圖書室的聯合目錄。一般圖書館的總目
錄，大都是以書名目錄編製總目錄，至少各部門目錄也應多製一
套集中放置一處。

如果一個圖書館前後使用不同分類法，就無法編製一套完整
的總目錄。如臺大圖書館的中文圖書，在臺灣光復前使用國際十
進分類法，光復後新編中文圖書採用中國圖書分類法，由於使用
不同二種分類法，因此圖書卽分成二個段落典藏，使該館的總目
錄也分成二個段落，而非完整的一套總目錄，若再加上期刊復與
圖書分開典藏，因此期刊目錄亦未與圖書目錄合編爲總目錄。

2.部門目錄：和總目錄相對的，只將圖書館某一部門典藏資料編製一套目錄，稱爲部門目錄。如：分館目錄、各閱覽室目錄、大專院校的院系圖書室目錄。其功能以適應該部門的典藏閱覽工作爲主。

3.特種目錄：館藏中若有特殊資料需單獨典藏，而另外單獨編製的目錄。如善本書目錄，供該特種圖書使用者爲限，如國立中央圖書館編有善本書目，羅剛文庫目錄。

(六)依目錄的形式區分

1.卡片目錄：將一本書的書目消息，依照一定規則記錄在卡片上，然後依照一定的排列次序，編排組成爲目錄，分別排列於卡片櫃抽屜內，以便檢閱，即爲卡片目錄。此種卡片的標準規格爲 7.5×12.5 公分，爲目前現代圖書館普徧採用的形式，其優點有下列幾點：

(1) 可以隨時增加新編目片，必要時可以隨時撤銷。

(2) 可以隨時修改資料，維持目錄的時效及品質。

(3) 卡片放置於許多抽屜內，一套目錄可供許多人同時使用。

(4) 可爲編製書本目錄之基礎。

其缺點則有下列幾點：

(1) 不能攜出館外以供閱覽，以廣招徠。

(2) 每卡一書，讀者不能一目涉閱數張。

(3) 佔空間過大，管理與維護費用偏高。

(4) 如稍欠檢點，易於紛亂或遺失而不易查覺。

(5) 不能與其他圖書館交換。

2.書本目錄：將各種圖書的書目消息，依照一定規則記錄在書冊上，然後編印出版，此卽爲書本目錄。

其優點有下列幾點：

(1) 佔據空間小，易於攜出，可印製複本多份，館內館外均可使用，傳布廣大。

(2) 使用時，不受空間和時間的限制，促進館際合作。

(3) 翻閱時，可以一目十行，方便查閱，節省時間。

(4) 製作費用比較低廉，由於複本多，幾乎不必維護費及設備。

(5) 編印完成後，不易刪改，可做爲財產清册。

其缺點有下列幾點：

(1) 圖書館藏書隨時增加，不能隨時加入新增記錄，缺少目錄的時效性及完整性。

(2) 卽使不斷補印續編，費用不少，而檢閱數冊亦費時間。

(3) 不能隨時修改錯誤。

(4) 編印費用龐大，手續繁多，時間較長。

一般圖書館在編製卡片目錄一段期間以後，累積相當數量時，常將之彙編成冊，提供館內外及圖書館界學術界之利用，因此也同時擁有卡片目錄和書本目錄，大大的提高目錄服務的功能。利用已編成的卡片目錄爲基礎，以編製各種年度書本目錄或專題書本目錄，一方面可以彌補卡片目錄的缺點，一方面也可以降低編輯書本目錄所花費的時間與費用。這種方式近年來已漸漸爲國內圖書館普徧採用。這種根據已編卡片目錄來編製書本目錄的方式有二種結果，一種是根據已編卡片重新排版，如：國立中

央圖書館在民國五十九年以前編印的中華民國出版圖書目錄，臺
南市立圖書館圖書目錄，臺灣省立臺中圖書館圖書目錄一輯至九
輯，臺北市立圖書館圖書目錄（第一輯至第四輯），其中國立中
央圖書館所編之中華民國出版圖書目錄，雖然仍然維持目片格
式，但是根據目片重新排版（見書影1），另外編製書名及著者
索引，至於其他三館，雖然根據已編目片，但排版時改爲條列式
（見書影2）。前者嚴守該館自行編訂的國立中央圖書館中文圖
書編目規則，以爲其他圖書館編目的典範，不失當代國家書目風
範，後者改以條列式排印，且未編其他輔助索引，想必是基於淸
晰易檢，且節省篇幅與費用的考慮。

　　另一種方式則利用已編目片，加以編排粘貼，直接照相製版
印刷，如：民國六十年以後，國立中央圖書館編印的中華民國出
版圖書目錄系列（月刊本，年刊本及彙編本）（見書影3），除
依目片編印外，亦將書號印出來，更可爲各圖書館分類圖書之參
考，而且簡化編印程序及印刷費用。

　　3.活頁目錄：將書目款目著錄在單張活頁上，隨時增列，稱
爲活頁目錄。大部分只編製分類目錄，各類下依圖書入館先後排
列，例如明見式目錄卽屬此種形式，此種目錄僅適用於小型圖書
館，或限於某一小部分藏書，如期刊未裝訂以前編製臨時的刊名
目錄，在大型圖書館，因藏書數量龐大，甚少編製這種目錄。

　　4.縮影目錄：將目錄內容縮小攝製在縮影單片或縮影捲片
上，檢閱時需利用閱讀機放大才能閱讀。這種縮影目錄可說是書
本目錄的變形，最大的優點在於體積小，輕便，因此易於攜帶，
儲存空間少，傳佈快捷，攝製與複製方便而費用低廉，適合於累

應 用 科 學 類

總　　論

校正天工開物　十八卷
（明）宋應星撰　董文校
民國五十一年　臺北市　世界
書局印行　影印本
5,323,9面　有圖　19.5公分
精裝
（中國學術名著第五輯科學
名著第二集第二冊，楊家駱主
編）

天工開物　三卷
（明）宋應星撰　民國五
十六年　臺北市　臺灣商務印
書館印行　臺一版
2,308面　有圖　17.5公分
平裝
（人人文庫之三四五——三
四六，王雲五主編）
N.T.$16.00

日用科學
方以正編　民國五十三年
臺北市　廣文書局印行
121面　有圖表　17公分
平裝

大衆科學
李仁國編　民國五十三年
臺北市　廣文書局印行
113面　有圖　17公分　平裝

未來的科學世界
格來斯（　　　　　）
撰　袁牧平編譯　民國五十
四年　臺北市　廣文書局印行
2冊　有圖　17公分　平裝
（新知識叢書第一集）

科學與生活
陳元祥編譯　民國五十二
年　臺北市　教育部國民教育
司印行
133面　有圖及摺圖　21公分
平裝
（教育部國民學校科學教育
叢書葉楚生主編）

發明指南
豐澤豐雄撰　蔡竹根譯
民國五十六年　臺北市　水牛
出版社印行
8,215面　有圖　18公分
平裝
（水牛文庫之二十二）
英文書名：Directory for
gadget-inventors.
N.T.$15.00

醫　　藥

最新綜合醫學概要
李維崧編　民國五十三年
宜蘭縣冬山鄉　編者印行
2,167面　有表　20.5公分
平裝
N.T.$30.00

百家名醫談百病
邢劍深編　民國五十六年
臺北市　衛生教育社印行
176面　冠像有像　18公分
平裝
（衛生教育叢書之一）
T.N.$12.00

偉大醫藥發現的故事
狄茲（　　　　　）
撰　湉玉生譯　民國五十五
年　高雄市　拾穗月刊社印行
2,67面　19公分　平裝
（拾穗譯叢　大衆自然科學
叢書）

醫學新境界
英格渥巴特(Englebardt,
Stanley,)撰　董嘉禾譯　民
國五十六年　臺北市　廣文書
局印行
2,258面　有圖　19公分
平裝
（漢譯當代世界名著，廣文
編譯所主編）
N.T.$79.00

醫學的境界
斐士朋（　　　　　）
撰　顧學箕譯　民國五十七
年　臺北市　臺灣商務印書館
印行　臺一版
〔5〕,159面　17.5公分　平裝
（人人文庫之五四七，王雲
五主編）

百病百醫——中西療法
熊天平，杜偉斯同編　民
國五十六年　臺南市　綜合出
版社印行
17,201面　19公分　平裝
醫藥常識家庭必備

中西醫學速成法
謝瑞編　民國五十六年
臺中市　創譯出版社印行
134面　有圖　18.5公分
包背裝
特N.T.$22.00

書影 1　中華民國出版圖書目錄彙編續輯

400　應用科學類

400　應用科學總論

書　　碼	書　　名	著(譯)者	出版年	出版　　處	冊數	收藏館別	館存部數
402.2／0802	技能檢定須知	許文生撰	民63	許碧花	1	ABDF	4
403／1334	如何發掘創意創造財富與榮譽	政次滿幸撰	民57	水牛出版社	1	A	1
407／5044	科技的噩夢	泰　勒撰	民63	將軍出版社	1	AD	2
407／0021	日用科學	方以正撰	民53	廣文書局	'1	ABCD	4
407／4382	台灣之新興產業	台灣銀行經研室	民58	台灣銀行經研室	1	B	1
407／7513	科學與生活	陳元祥撰	民52	教育部國民教育局	1	A	1
408／2324	發明指南	豐澤豐雄	民56	水牛出版社	1	A	1
409.2／0006	校正天工開物	(明)宋應星撰	民51	世界書局	1	A	1

410

410　醫　藥

410／1464	人與醫學	西格里斯編	民54	文星書局	4	A	1
410／7440	醫藥南針	陸士諤撰	民	醫藥研究社	2	A	1
410.22／1736	現代醫學解答	邵宗暄撰	民47	東海書局	1	A	1
410.22／1736.2	現代醫學解答	邵宗暄撰	民48	啓文出版社	1	A	1
410.22／1277	醫事人員試題解答	現代醫學社	民47	現代醫學社	1	C	1
410.23／4135	藥事法規	考政處書編輯部	民63	復興函授學校	1	ABCDEF CH	8
410.26／1141	臨診應用藥物手冊	張均一撰	民62	眞言出版社	1	ABCDEF G	7
410.4／2191.1	醫學名詞辭典	何尚武撰	民56	五洲出版社	1	ABCDE	5
410.4／2191	最新醫藥大辭典	何尚武譯	民54	五洲出版社	1	ABCD	4
410.4／4009	華欣醫學大辭典	李煥桑撰	民62	華欣文化事業中心	1	ABCDEF GH	8
410.7／0168	百科名醫談百病	譚貽善撰	民58	拓展雜誌社	1	ABCDE	5
410.7／4009	醫藥論叢	李煥桑撰	民49	國立中國醫藥研究所	1	G	1
410.71／7232	今日醫藥	劉濟生撰	民49	文星書局	1	ABCD	4
410.8／1162	台灣醫藥	張路德撰	民54	今日醫藥新聞社	1	ABCD	4
410.8／6054	生理醫藥講座	易君左撰	民51	啓明書局	1	C	1
411／2124	衛生學	經利彬、張文彬	民59	李　潔	1	ABCDE	5
411／4013	現代生活與健康	杉靖三郎撰	民64	協志工業出版社	1		

書影 2　臺北市立圖書館圖書目錄（第一輯）

| 中華民國六十二年 六月號 | 圖書目錄 | 一九七三年 六月號 |

總　類

建立三民主義心物合一辯證法之新構想
王乃遽撰　　民國61年(1972) 臺南市 撰者印行
2. 46面　19公分
I.王乃遽撰
Chien li san min shu i hsin wu ho i pien sheng fa chih hsin kou hsiang.
Wang, Nai-chien.
005.121　　　　　　　　NT$10.00　　　　63-0381
8467　　　　　　　　　　　國立中央圖書館

國父遺教精要250題(含三民主義)
不著撰者　　民國60年(1971) 臺北市 榮文出版社印行
214面　29.5公分
(榮文超霸考試叢書2)
職位分類考、高普特種考、留學考試通用
附錄：歷屆公自覺留學考其試題等
Kuo fu i chiao ching yao 250 t'i.
005.18022　　　　　　NT$30.00　　　　62-0522
8663　　　　　　　　　　　國立中央圖書館

風雲集
姚朋撰　　民國62年(1973) 臺北市 菁聲文物供應公司印行
223面　18.5公分
(菁聲文藝叢書4)
I.姚朋撰 (菁聲文藝叢書4)
Feng yün li.
Yao, P'eng.
072.8　　　　　　　　　NT$22.00　　　　62-0587
856　　　　　　　　　　　國立中央圖書館

敦煌筆耕集
黃渡惠撰　　民國62年(1973) 臺北市 臺灣商務印書館印行
(3) 203面　冠像 17.5公分
(人人文庫特234)
I.黃渡惠撰 (人人文庫特234)
Chiao t'ao pi keng chi.
Huang, Shu-hui.
078　　　　　　　　　　NT$20.00　　　　62-0604
8363　　　　　　　　　　　國立中央圖書館

壽羅香林教授論文集
壽羅香林教授論文集編輯委員會編輯　　民國59年(1970) 香港 萬有圖書公司印行
14. 380面　有圖表及像 26公分
英文書名：Essays in Chinese studies presented to professor Lo-Hsiang Lin.
I.壽羅香林教授論文集編輯委員會編
Shou Lo Hsiang-lin chiao shou lun wen chi.
Shou Lo Hsiang lin chiao shou lun wen chi pien chi wei yüan-hui, ed.
078　　　　　　　　　　　　　　　　　62-0447
8475　　　　　　　　　　　國立中央圖書館

哲　學　類

梁任公語粹
梁啟超撰　　民國61年(1972) 高雄市 三信出版社印行
241面　18.5公分
(新敘聲文庫10)
I.梁啟超撰 (新敘聲文庫10)
Liang Jen-kung yü ts'ui.
Liang, Ch'i-ch'ao.
128　　　　　　　　　　NT$15.00　　　　62-0382
8864　　　　　　　　　　　國立中央圖書館

柏拉圖的哲學
曾仰如撰　　民國61年(1972) 臺北市 臺灣商務印書館印行
(5) 249面　17.5公分
(人人文庫特226)
附錄：1.多瑪斯的法律；2.多瑪斯的財富觀
I.曾仰如撰 (人人文庫特226)
Po-la-tu te che hsüeh.
Tseng, Yang-ju.
141.4　　　　　　　　　NT$20.00　　　　62-0432
8376　　　　　　　　　　　國立中央圖書館

— 1 —

書影 3　中華民國出版圖書目錄（照相製版）

積彙編，可以保持目錄的時效性及完整性，具有比書本目錄更大的優點。然其最大缺點是不能用肉眼直接閱讀，只能利用閱讀機。

例如近年來，歐美各國發展出一種「電子計算機輸出縮影捲片」（Computer output microfilm，簡稱 COM，音譯孔姆），係用電子計算機以縮影輸出方式直接來印製目錄，一張孔姆單片大小僅14.5×10.5公分，即可攝製三千多葉書目資料，亦即可以代替三千多張卡片，等於三百面的書本目錄。若以另一種超縮影單片，一張更可以攝錄數萬葉書目資料，其記錄儲藏目錄的功能相當可觀，尤利於累積彙編式目錄的編製。

5.機讀目錄（磁帶目錄）：民國六十三年以來，歐美各國又發展出機讀式目錄，它是以編碼形式和按照機讀編目格式，將書目資料輸入儲存在電子計算機內，由電子計算機程式控制自動處理，並編排輸出目錄資訊，經由終端機螢光幕顯示出文字資料，或印製報表供人類閱讀利用，其儲存在電子計算機的目錄資料，錄製在磁帶，即稱為機讀磁帶目錄，簡稱機讀目錄或磁帶目錄。此種機讀目錄的磁帶可以像書本目錄一樣傳佈交換，它的優點在於檢索速度快而準確，一次輸入而具多項檢索功能，便於編目自動化，提高目錄品質，傳佈交換磁帶可以減少各自編目的工作，如果連線作業，更可建立完整的資訊網，推展各項館際合作，其缺點是費用過高。

目前國內只有國立中央圖書館經數年的籌劃及測試，於民國七十三年初，正式實施中文圖書編目自動化，將中文圖書編目資料輸入電腦，開始印製卡片。並訂有「國立中央圖書館電腦產品

中日關係史料. 民國四年至五年.二十一條交涉
／中央研究院近代史研究所編. -- 初版. --
臺北市：編者,民74[1985]
2冊；26公分. --（中國近代史資料彙編）
新臺幣900元(平裝)
.1.中國-外交關係-日本 2.日本-外交關係-中
國 I.中央研究院 近代史研究所編
643.142/8659 v.5　　　　　　NCL85012410

00849
國史史料學／崧高書社編輯部編. -- 臺北市：
崧高,民74[1985]
2冊([9],621面)；21公分
新臺幣350元(平裝)
1.中國-歷史-資料 I.崧高書社 編輯部編
650/8434　　　　　　　　　　NCL85012473

00850
宮中檔乾隆期奏摺. 第三十五輯,三十九年三月
至三十九年七月／國立故宮博物院編. -- 臺
北市：編者,民74[1985]
29,862面；27公分
英文題名：Secret palace memorials of the
Ch'ien-lung period
新臺幣900元(精裝)
1.中國-歷史-清高宗(1736-1795)-資料 I.國
立故宮博物院編
652.74/8733 71 v.35　　　　　NCL85014271

00851
宮中檔乾隆朝奏摺. 第三十六輯,三十九年七月
至三十九年九月／國立故宮博物院編. -- 臺
北市：編者,民74[1985]
29,878面；29公分
英文題名：Secret palace memorials of the
Ch'ien-lung period
新臺幣900元(精裝)
1.中國-歷史-清高宗(1736-1795)-資料 I.國
立故宮博物院編
652.74/8733 71 v.36　　　　　NCL85014273

00852
宮中檔乾隆朝奏摺. 第三十七輯,三十九年九月
至四十二年三月／國立故宮博物院編. -- 臺
北市：編者,民74[1985]
29,966面；27公分
英文題名：Secret palace memorials of the
Ch'ien-lung period
新臺幣900元(精裝)
1.中國-歷史-清高宗(1736-1795)-資料 I.國
立故宮博物院編
652.74/8733 71 v.37　　　　　NCL85014274

00853
老君廟的故事／劉黙著. -- 初版. -- 臺北市
：華僑文化,民68[1979]
[27],266面：圖,像；19公分
附錄：1.背影／劉聖源著；2.生日思母／劉森
源著
新臺幣80元(平裝)
1.老君廟 I.劉黙著
671.69/513.5//874　　　　　NCL85003722

00854
富陽縣志 二十四卷／（清）汪文炳等修纂. --
影印本：臺一版. -- 臺北市：成文,民72[
1983]
7冊：圖；27公分. --（中國方志叢書. 華
中地方,浙江省 ；583）
據清光緒32富陽學署經閣刊本影印
(精裝)
1.富陽縣-方志 I.（清）汪文炳修纂
672.39/107.1//7362 72　　　　NCL85011413

00855
川籍抗戰忠烈錄／臺北市四川同鄉會四川叢書
編輯委員會編輯. -- 再版. -- 高雄縣鳳山市
：高雄四川同鄉會,民74[1985]
120面；19公分. --（四川叢書；第9種）
(平裝)
1.四川-傳記 2.中國-歷史-中日戰爭(1937-
1945) I.臺北市四川同鄉會 四川叢書編輯委員
會編輯
672.708/8578 74 v.9　　　　　NCL85011566

00856
臺灣光復四十年專輯. 索引篇／臺灣省政府新
聞處編. -- 臺北市：編者,民74[1985]
[13],405面；21公分
(平裝)
1.索引 2.臺灣 I.臺灣省 新聞處編
673.2/8445 v.1　　　　　　　NCL85013740

00857
臺灣光復四十年專輯. 政治建設篇：民主憲政
的理想與實踐／臺灣省政府新聞處編. -- 臺
中市：編者,民74[1985]
7,382面；21公分
(平裝)
1.地方自治-臺灣 2.臺灣 I.臺灣省 新聞處編
II.題名：民主憲政的理想與實踐
673.2/8445 v.2　　　　　　　NCL85013736

00858

書影 4　中華民國出版圖書目錄（電腦排版）

推廣辦法」，其中也有磁帶定價發行辦法，但至今似僅停留在訂購電腦印製的卡片階段，而尚未有利用該館發行之磁帶目錄的記錄。該館發行的中華民國出版圖書目錄月刊本，也自民國七十三年二月號起，開始以電腦編排，製版印刷，供國內各圖書館的技術服務參考。（見書影4）

第五節　編目與目錄學

目錄一詞，起源於漢成帝年間（西元前26年），劉向校書於秘閣。根據漢書記載，劉向校書時，對每一部書「輒條其篇目，撮其旨意，錄而奏之」，且最後「爰著目錄，略紋洪烈」。後世學者更主張目錄應當能表明學術發達的次第，尤其是學術派別的異同。章學誠在校讎通義卷一云：「古人著錄，不徒為甲乙部次計，如徒為甲乙部次計，則一掌故令史足矣，何用父子世業，閱年二紀，僅乃卒業乎！蓋部次流別，申明大道，紋列九流、百氏之學，使之繩貫珠聯，無少缺逸，欲人即類求書，因書究學。」紋又云：「校讎之義，蓋自劉向父子，部次條別，將以辨章學術，考鏡源流，非深明於道術精微，羣言得失之故者，不足與此！後世部次甲乙，紀錄經史者，代有其人，而求能推闡大義，條別學術異同，使人由委溯源，以想見於墳籍之初者，千百之中，不十一焉。」

由此可見，以章氏為代表之目錄學者，極言目錄當以辨章學術，條別源流，而圖書館中之編目正是章氏所說「徒為甲乙部次計」的紀錄，是其所不屑做的事情，但吾人認為目錄學的研究範

圍及圖書館目錄的功能是有所區別的，現分別說明於下：

一、研究圖書實質，卽研究圖書的形式、製作、原料等等，又可分成三方面：

(一)研究圖書制度發展經過，研究圖書形制的演進：圖書如何演變爲今日的形式，這方面可稱爲圖書史。

(二)研究圖書製成的方法：亦卽研究印刷術和裝訂術，可惜這方面的研究，古代的人並沒有繼續研究，反而使西洋的印刷術和裝訂術後來居上，形成專門的學問。

(三)研究圖書的原料：卽研究圖書的紙、墨、顏料等，國人的研究同樣停滯不前，也讓西洋的科技超越。

中國歷代目錄學對於圖書史的研究，成績比較顯著，對於印刷術、裝訂術和圖書原料的製造較爲忽略。

二、研究圖書的一般內容，卽研究圖書的記載文字，又可分爲三方面：

(一)研究圖書的版刻源流：亦卽根據版本來考究圖書出版年代或眞僞，稱爲版本學。

(二)研究圖書的傳本異同：會合許多不同傳本，而比較其文字異同，稱爲校勘學。

(三)研究圖書的學術源流：紬繹圖書的宗旨，辨別其思想源流派別，比較與其他派別的異同，以及考訂著者的眞僞，此屬狹義的目錄學。

從前的學者都將這三種學問，混合稱爲目錄學，而在中國的圖書館未興起以前，這種目錄學幾乎是佔了圖書館學的全部。

三、研究圖書的收藏歷史，研究圖書藏書制度的歷史，以及

研究某一特定圖書流傳收藏的歷史。這種研究可以讓我們瞭解古代藏書的聚散與流傳，因漢代的七略，隋書經籍志，都是以藏書目錄的形態出現，因此以前的目錄學也常包括這一方面的知識。而在圖書館發展史上，由於中國的藏書只在典藏，沒有建立嚴謹的圖書館學的理論、技術及讀者服務的制度，因此被評為中國沒有圖書館史，僅能稱為藏書史。

近代的圖書館學可分為目錄、行政及技術三方面，其中目錄包括上述目錄學的範圍；行政包括各種圖書館的組織、經費、建築設備及人員教育任用等；技術則包括採訪、登錄、分類、編目、典藏、流通、參考等技術事務。其中分類與編目介於目錄學與典藏、流通、參考之間，編目可說是根據目錄學的知識，將圖書資料的特點著錄下來，並組織成各種目錄的製作過程，以供典藏、流通參考之用。

具體而言，章氏目錄學以書籍所表現的思想為記載對象，重點在學術，想用學術系統來編次書籍，而圖書館的目錄以記載書籍本身特點為對象，不但重視學術也兼顧圖書本身，這就是圖書目錄與學術目錄不同所在。而且圖書固然是學術思想所寄託，但有其本身的特點，故其書名、著者的考訂，版本流傳，體裁形制的詮釋，都需有特別記載，由這些記載，我們才能確實認明一部書，才能進一步研究其內容與思想。

第六節　編目應備參考資料

為求編目能正確揭示圖書資料，提供讀者檢閱，必須維持目

錄的品質，因此編目工作要達到正確、迅速、精細、週全等四個標準。

一、正確：經過編目後產生的目錄，要著錄正確、分類恰當，才能提供讀者正確的目錄資料。

二、迅速：由於目錄正確，因此方便讀者檢索並節省檢索的時間。另外編目工作也要求迅速，儘快將新書目錄供讀者利用。

三、精細：讀者透過目錄，所檢索出來的圖書資料，應該是最好的圖書資料，而著錄精細可使讀者輕易的比較，然後挑選出最佳的版本和最需要的資料。

四、週全：目錄所提供的圖書資料應該齊全，讀者檢閱即能查到所需要的各方面有關資料，這點對於學術研究的讀者尤為重要。

為達到上述這四個要求，在編製圖書館目錄時，就需要從方便讀者的基礎上考慮，依照一定的規則辦法編製。這種編製目錄的方法，我們可以稱為編目法，它是一種相當嚴密的技術性工作。同時也是一種長期累積規律性的工作，因此，它具有長期性、穩定性、一致性等特點。為確保這些特性，除了編目工作人員本身要具備豐富的知識，加上循序漸進長期累積的工作經驗之外，在編目工作進行時，還要靠一些必備的規章和參考資料，這些規章和參考資料包括下面幾種：

一、編目工作手册：記載本館的編目政策與工作範圍，採用的編目規則及層次標準，分類法及分類原則和標題表名稱，編製目錄的種類及排片規則，最後是工作程序。這種工作手册應依圖書館的規模、類型和服務對象加以制定，工作人員，尤其是新進

人員，宜人手一冊，隨時參考遵行。

二、編目規則：根據所採用編目規則來著錄各種目錄款目，各個圖書館採用同一個編目規則，可使目錄標準化，方便資料的交換，推動圖書館界的各種合作。如以前採用的國立中央圖書館中文圖書編目規則，以及目前國內所採用的中國編目規則。此種規則，在編目工作時是隨時參考的必備資料。

三、圖書分類法與分類規則：分類法是圖書分類的依據，既經選定採用以後，都須隨時翻檢使用，並且應將根據本館分類政策所決定而增刪的類目，記錄在分類表上，以確保分類的正確及一致。此外，如能制定分類規則及分類法使用細則，可幫助新進編目員很快的進入情況。

四、檢字表：由於中文檢字不易，因此在字順目錄排片或取著者號碼時，都要有檢字表，以供隨時參考。

五、標題表：如果編製標題目錄，則標題表是擇取標題的依據，也是隨時要參考的資料。

六、權威檔：在編目時，對於書名（劃一書名）標目，或著者標目的選定，都需要隨時建立並時常參考權威檔，這樣才能確保目錄的正確性和一致性。

七、其他書目：編目時，也可以參考其他規模較大圖書館所編的藏書目錄，尤其是國家目錄更應儘量參考，這樣不但可以減輕各圖書館自行編目的麻煩，而且使目錄趨於標準化，如國立中央圖書館出版的中華民國出版圖書目錄。其他也可參考美國國會圖書館出版的國家聯合目錄（National Union Catalog，簡稱NUC），查出翻譯書的英文原書名與原著者等，有時也可參考其

分類號及標題，以幫助自己的分類和選定標題。

　　八、基本工具書：編目時，除普通字典、辭典外，其他如地名、人名與各學科辭典等都可能需要參考，如能在編目部門存有一冊備用，最為理想。

第二章 編 目 法

第一節 中文圖書編目的發展

圖書編目在我國具有悠久的歷史，據古書記載，遠在上古**時**期，卽編有了圖書目錄，並且一開始卽以國家藏書目錄形態**出**現，可惜都已失傳，現存最早的目錄，應推西元前六年漢代國家圖書目錄，卽班固的漢書藝文志（簡稱漢志）。在漢志中，記載劉歆所編的七略，七略原書雖在唐朝以後散失，但從漢志仍可窺其大概面貌。

七略著錄的圖書有603家，13,219卷，它奠定我國圖書目錄基礎，對後世圖書編目的影響很大，我們可從下面數點加以說明：

一、最早的分類目錄：七略創編了我國最早的圖書分類法，比西洋最早的正式分類法，德國紀士納的「萬象圖書分類法」（1545）要早一千五百年以上，它將全部圖書分為七部分，每部稱為略，卽輯略，六藝略，諸子略，詩賦略，兵書略，數術略，方技略，惟漢志只錄六略而缺輯略，據考證，輯略是總紋而不是類目，所以實際上只有六類。略下面分種，種下面分家，同類下面則依著述年代排列。所以基本上它是屬於學術分類的目錄，非依體裁等來分類的圖書分類的目錄。

　　二、奠定圖書著錄法：七略確立了圖書著錄的方法，即確定了圖書著錄項目及格式，同時還應用了互見（重複互著）和分析（裁篇別出）的方法，也應用了附註的方法，以補充或說明著錄項目的意義，其體例首為總序，次書名、著者、篇數、小註，後有小序，這些著錄方法，至今仍為圖書著錄的基本方式。

　　三、最詳細的解題目錄：七略對於每一部圖書都編有精粹的內容提要——敍錄，介紹全書的內容，著者事跡，以及對這書的比較研究，即所謂「每一書已，向輒條其篇目，撮其旨意，錄而奏之」。而且每略前面都有一篇類敍，介紹這門學術的源流及派別，對讀者來說，可做為良好的閱讀指導。

　　由此可見，七略是我國圖書目錄的優良典範。及至班固編撰漢志，繼承七略的方法，「刪其要，以備篇籍」，加以增補改編，收集當時新出現的著述而成為漢書藝文志，七略亡佚後，漢志即成為我國現存最早的圖書目錄。

　　西晉武帝時，秘書監荀勗根據三國時魏國鄭默所編國家藏書目錄——中經，編成了「新簿」，稱為「中經新簿」，同樣的，荀勗也是「依劉向別錄，整理記籍」，又仿劉向對新出圖書編寫提要。我們也可提出它的特點說明於下：

　　一、創立四分法：荀勗將圖書分為甲、乙、丙、丁四部，甲部記經籍，相當於七略的六藝略（經）；乙部記諸子、兵書、術數、方技四略（子）；丙部為歷史（史），為新增的類；丁部包括詩賦略（集）及圖贊、汲冢書。雖僅標甲乙丙丁四部而無類目名稱，但它開創了四部分類法的新途徑。

　　二、增加史書的收錄：自漢以後，史地方面的著作特多，因

此中經新簿不得不在七略之外，另闢一類丙部加以容納。這是學術發展影響目錄編輯的一個顯著例證。

三、分類目錄的主觀性：自漢以來，佛道二教的興起，佛教翻譯經典至西晉時已達相當大數目，但新簿僅在書後附編圖贊及汲家書兩卷，列爲丁部，與全書分類體系，顯有乖舛，顯示出儒家思想的主觀性。

由於新學術的發展，顯露分類目錄的主觀性，這種不合理的現象造成分類法的改革，認爲四部法已不能表示學術源流派別，乃有劉宋時代的王儉「七志」，和阮孝緒的「七錄」，七錄將圖書分爲經典錄，紀傳錄，子兵錄，文集錄，術技錄，佛法錄，仙道錄，於是儒釋道三派的典籍，在分類上才得到統一。

及至唐初所編隋書經籍志（舊題魏徵編）爲現存第二部最早的圖書目錄，它大體根據隋代和梁代國家藏書目錄編輯而成，隋書經籍志也有三個特點：

一、正式確定四部分類的類目：隋志沿用四部分類法，但將乙、丙兩部順序對調，並給予經、史、子、集類目名稱，成爲後世分類法的標準。

二、改變著錄規則：隋志的著錄方式改以書名爲首，然後以小字註出著者，成爲後世中文圖書著錄時，先書名後著者的定例，與近年來，國際標準著錄規則（ISBD）的著錄順序，不謀而合。

三、開始著錄稽核事項：隋志除現存書籍外，對於眞僞，亡佚，殘缺的圖書也分別注明，成爲後世稽核事項的起源。

隋志除經史子集之外，尚附有佛經和道經兩類，所以還不算是徹底的四部分類法，及至北宋國家藏書目錄「崇文總目」，才

將佛經和道經納入子部之內 ， 如此 ， 四部分類法才完全確定下來。南宋初年尤袤的「遂初堂書目」是現存宋代的私家藏書目錄之一，同時也是現存著錄圖書版本的第一部目錄。南宋鄭樵所著「通志」中的「校讎略」，其中很大部份是討論圖書分類法和編目法，爲我國第一部關於中文圖書分類編目理論書籍，通志中的藝文略，改四部分類法，而另創十二大類的分類法，也是重要的貢獻。

明代國家藏書目錄有「文淵閣書目」和「內閣書目」。在編目法方面雖沒有新貢獻，但有些新發展，也值得注意。由於著述出版物數量大增，無法像七略那樣撰寫敍錄，而只編寫提要和解題，而且寫得非常簡練。另外，這個時期私家藏書目錄也有很大發展，如祁承㸁的「淡生堂書目」、晁琛的「寶文堂書目」和葉盛的「菉竹堂書目」較爲著名。淡目分類更細，寶目和菉目增錄小說與戲曲，爲其他藏書家所不敢爲。至周弘祖的「古今書刻」按地域編製目錄，則爲超出成規，獨創一格之作。

清代爲我國目錄學的顚峯時期，所編製的圖書目錄無論在質和量都遠超越以前各朝代。藝文志類如：盧文弨的「補遼金元藝文志」， 金門詔的「補三史藝文志」，錢大昕的「補元史藝文志」，張廷玉的「明史藝文志」，姚振宗的「三國藝文志」等，國家藏書目錄如：「天祿琳瑯書目」、「續天祿琳瑯書目」和「四庫全書總目提要」等 ， 私家藏書目錄有 ： 曹溶靜的「愓堂書目」，錢謙益的「絳雲樓書目」，錢曾的「述古堂書目」，黃丕烈的「百宋一廛書錄」，張金吾「愛日精廬藏書志」，丁丙的「善本書室藏書志」，丁日昌的「持靜齋書目」，陸心源的「皕宋

樓藏書志」，孫星衍的「祠堂書目」，張之洞的「書目答問」，
繆荃蓀的「藝風堂藏書記」。其中天祿琳瑯書目和續天祿琳瑯書
目專注重版本。四庫總目則為清代目錄中的巨著，它完成於清乾
隆四十六年（1781 年），著錄圖書3,461種，79,309卷，以及存
目 6,793 種，93,550 卷，它的分類係按經史子集四部四十四類
編排，類有大小序。此四庫分類法成為以後全國圖書分類的標
準，甚至至今許多圖書館的古籍仍沿用四庫法。總目提要為讀書
人的指南，但在編目方法說來，由於它不採用互見和分析，反不
如七略與漢志。因此，清朝章學誠著「校讎通義」，提出「宗
劉」，恢復七略編目法的主張，而其編目思想，頗多合乎現代圖
書館編目法的要求。

　　民國以來，西學東漸，現代圖書館紛紛在各地成立，五四運
動以後，圖書館界也發生了革新運動，對目錄方面也提出改革要
求，西方國家，尤其是美國的圖書館理論和技術方法，陸續輸入
中國。在此沖擊下，中文編目也產生了極大的改變，現分數點，
敍述於下：

　　一、卡片目錄的流行：原只有書本目錄的圖書館，紛紛改用
卡片目錄。

　　二、目錄種類的增多：原只有書本式的分類目錄，均增編書
名目錄，著者目錄。

　　三、編目規則的編訂：由於目錄種類和出版物類型日益增
多，因而引起編目法的改進，以應新的變化。於是採用或模仿英
文圖書編目規則，民國十八年金陵大學劉國鈞發表了「中文圖書
編目條例草案」，開始有成文的編目規則。民國三十五年國立中

央圖書館編訂「國立中央圖書館中文圖書編目規則」，成為中文
編目的準繩。

四、圖書分類法的改進：受杜威十進分類法影響，紛紛出現
仿照十進分類法達三十多種，如劉國鈞的中國圖書分類法，王雲
五的中外圖書統一分類法。

五、編目學著述增加：受西洋圖書館學影響，將西洋的編目
方法介紹給國人，如民國十二年查修發表「編製中文書籍目錄的
幾個方法」，十三年的「中文書籍編目問題」，黃維廉的「中文書
籍編目法」，至民國十六年杜定友著「圖書目錄學」出版，可謂
第一部中文的編目法專著。其他如裘開明的「中國圖書編目法」，
何多源的「圖書編目學」，黃星輝的「普通圖書館編目法」，于
鏡宇的「善本圖書編目法」，金敏甫的「圖書編目學」，樓雲林
的「中文圖書編目法」等，這些編目學著述的出版，對於編目學
的發展自然有顯著影響。

民國二十四年國立中央圖書館因本身工作需要，草擬中文圖
書編目規則，刊於其館刊學觚月刊，經修訂後於民國三十五年交
上海商務印書館出版，全書甲乙兩篇，甲篇為普通圖書編目規
則，乙篇為善本圖書、輿圖、金石拓片、期刊等之編目規則。民
國四十八年再予修訂，全文甲編：中文圖書編目規則八章 195
條；乙編之一：善本圖書編目規則三章 90 條；乙編之二：期刊
編目規則八章 62 條；乙編之三：地圖編目規則七章 37 條；乙
編之四：拓片編目規則八章 75 條。

此外，民國二十五年國立北平圖書館和國立中央圖書館分別
發行印刷的新式目錄卡片，供應全國各圖書館採用，這種印刷卡

片，不僅能收集中編目的作用，也可協助推動各地方圖書館的編目工作和提高目錄的品質，可惜都因抗日戰爭先後停止此項工作。

政府遷臺初期，臺灣地區的圖書館發展遲緩，在編目方面只有民國四十八年國立中央圖書館修訂出版「國立中央圖書館中文圖書編目規則」；分類方面則有四十七年熊逸民出版「中國圖書分類法增補索引本」、五十三年賴永祥編印「中國圖書分類法」增訂版及索引、四十五年何日章重印「中國圖書十進分類法」二版，五十三年出版第三版。由於國立中央圖書館的採用和中國圖書館學會的配合推動，使全國圖書館採用的編目規則和分類法較趨一致。目前編目絕大部份採用國立中央圖書館中文圖書編目規則，分類也大部分採用中國圖書分類法。及至民國六十二年國際圖書館協會聯盟（IFLA）出版一系列國際標準著錄規則（IS-BD），各國紛紛據以重編其編目規則，我國也於民國七十二年末根據英美編目規則第二版（Anglo-American Cataloging Rules II 簡稱 AACR II）編譯出版「中國編目規則」，各圖書館逐陸續改用。民國七十一年出版了「中國機讀編目格式」（Chinese MARC Format 簡稱 Chinese MARC），開創了機讀編目的新辦法，同時配合中華民國出版圖書目錄和印刷卡片的發行，使中文編目改進不少。民國七十三年三月又出版中文圖書標題總目初稿。至此編目業務的三項主要標準乃告齊備，相信對於中文編目業務將有長遠的貢獻。

第二節　中國編目規則

民國六十二年國立中央圖書館、中國圖書館學會，及中央

研究院等三機構，因旅美之圖書館學者前美國哈佛大學燕京圖書館副館長于鏡宇返華度假之便，聯合邀其主持修訂有關編目規則事宜，歷一年而成中國編目規則草案通則，卽返美而致中斷，該草案後經發表於中國圖書館學會會報二十六期。民國六十八年AACR II 出版後，中國圖書館學會分類編目委員會曾參考AACR II，逐條修改國立中央圖書館中文圖書編目規則，後因感困難太多，無法順事，乃主改弦易轍，另謀他法❶。民國六十九年國立中央圖書館為推動「圖書館自動化作業計劃」，與中國圖書館學會合作組成圖書館自動化作業規劃委員會，先後成立了三個工作小組，集合國內圖書資訊界學者專家分別就圖書資訊作業標準規範加以研究，經三、四年的努力，先後出版中國機讀編目格式（中國機讀編目格式編訂小組.--臺北：國立中央圖書館，民國71年9月出版，民國73年7月二版）、中國編目規則（中國編目規則研訂小組編訂.--臺北：國立中央圖書館，民國72年）、中文圖書標題總目初稿（中文圖書標題總目研訂小組編訂.--臺北：國立中央圖書館，民國73年3月）。

其中的中國編目規則據該書序言云：「係根據『國立中央圖書館中文圖書編目規則』及『英美編目規則第二版』作爲參考之藍本，並依實際需要而研訂，務期符合國際之標準及國內之需求。編訂工作自民國六十九年五月開始，直至民國七十二年八月完成了全部規則。計分甲編基本著錄，含總則、圖書、連續性出版品、善本圖書、地圖資料、樂譜、錄音資料、電影片及錄影資

---

❶ 見中國圖書編目規則草案前言。

料、靜畫資料、立體資料、拓片、縮影資料、機讀資料檔、分析等十四章，乙編標目，含檢索款目之擇定、人名標目、地名、團體標目、劃一題名，參照等六章。該規則中總則及圖書二章草案，曾於民國七十年二月提出『中文圖書資料自動化國際研討會』中報告，部分規則並於中國圖書館學會舉辦之編目人員研討會中加以討論修訂。」於是在民國七十二年九月付印，十一月出版，國內各圖書館陸續採用，其中以國立中央圖書館在民國七十三年二月停止使用自己的「國立中央圖書館中文圖書編目規則」，改採中國編目規則，最引人注目，影響也最大。

中國編目規則（以下簡稱中國規則）全書序言 2 面，目次 8 面，正文 199 面，二十五開橫排本平裝。綜觀全書，此規則與國立中央圖書館中文圖書編目規則（以下簡稱中圖規則）比較，中國規則有下面幾點特色：

一、中國規則適用範圍包括各資料類型，如圖書、連續性出版品、善本圖書資料、樂譜、錄音資料、電影片錄影資料、靜畫資料、立體資料、拓片、縮影資料、機讀資料檔，比中圖規則多。

二、中國規則乙編規定標目的著錄，舉凡人名標目、地名、團體標目、劃一題名，以及參照等，均有詳細規定，使編製而成的各項目錄便於檢索。

三、在著錄結構上，中國規則仿英美編目規則第二版（AA-CR II）採用了國際標準著錄規則（ISBD）所規定的十二種標點符號❷，以利機械編目作業。

---

❷ 中國編目規則，面 213。

　　四、中國規則有簡略、標準及詳細三種不同的著錄層次，供各館視館藏需要選用其中一種層次❸。

　　五、將書名、著者兩項合併爲題名及著者敍述項，並在題名之後著錄並列題名，或副題名，而不著錄在附註項。

　　六、由於適用範圍擴增，故增列資料類型標示，於正題名之後加方括弧，惟圖書及連續性出版品省略之。

　　七、將版本敍述自出版項中提出另成版本項，以著錄版本敍述及有關版本之著者敍述。用以明白該資料出版印製情形及版本之歷史。

　　八、出版項中，出版年改置於後，並增著錄經銷者、印製者，增加讀者更多獲取資料的線索。

　　九、稽核項中，不包含裝訂（按國立中央圖書館早於民國六十年起將裝訂敍述自稽核項移至定價處），但增加附件敍述。

　　十、叢書項目附註項移至稽核項之後，另成一項。

　　十一、增列國際標準書號與獲得方式於附註項之後，亦可增加讀者檢索及更多獲取資料的線索。

　　但該書至目前仍有部分工作尚未完成，如使用手冊、編目用語解說❹及各類型資料之劃一題名規則❺均付之缺如，而且「不可諱言的，新規則（按指中國規則）爲達到國際標準化，不論在外形上，內容上均跟著 AACR II 在走」❻。另外，在編訂過程

---

❸　中國編目規則，1.0.4條，面4。

❹　見中國編目規則，1.2.1條，修訂版則不再提此二者。

❺　見中國編目規則，25.2.3條，修訂版則在25.2－25.5各條予以規範。

❻　引自中文圖書編目概述／鄭美珠.--知新集.--第16期.--面39。

上，本應俟編目規則編訂完成後，中國機讀編目格式才據以設計
編訂，而實際情形卻是中國機讀編目格式完成在先，中國編目規
則編訂在後，而且，二者所根據藍本的系統不一致，機讀編目格
式源自國際機讀編目格式（UNIMARC），中國規則源自英美編
目規則及中圖規則，因此造成二者有數處矛盾，例如機讀編目格
式中200段的正題名可以重複，而在中國規則中，正題名卻不能
重複。其他尚有多處，茲不贅述。民國84年6月中國圖書館學會
出版中國規則修訂版，雖然改正了大部分的缺失，惜仍存有若干
錯誤。

　　當然，一種制度的建立是經年累月的經驗堆砌而成，一項條
文規則的制定，則須經過漫長歲月的檢討與測試，而非翻譯或拼
湊削履所能速成的。中國規則應由中國圖書館學會委由國立中央
圖書館就新規則的編目實務負責規劃可行的方案，收集各圖書館
的反應意見，以及更多的有關資料，定期確實加以檢討修訂，期
使中文編目達到標準化、合理化的理想目標。

第三節　基本著錄緒論

　　圖書館爲了滿足讀者檢索圖書資料的要求，幫助讀者能從各
個不同角度迅速地檢索到所需要的圖書資料，就需要用各種目錄
把藏書揭示出來，這種記載在目錄卡片上的資料項目，稱爲款目
（Entry）。而將每一種書內容和形式的主要特徵，按一定的規
則記錄在卡片上，這種記述的工作稱爲著錄（Description），著
錄的目的，使讀者和圖書館員，可以由這張卡片了解和識別圖
書，進而去利用和管理圖書。將編好的卡片，以起首的款目，做
爲排檢的標準，這種款目稱爲標目（Heading），根據各種標目

排列組成各種不同的系統，卽成目錄（Catalog）。若專爲圖書的目錄，稱爲書目（Bibliography）。著錄在目錄上，這些關於圖書內容、價值及形式等主要特徵稱爲著錄項目，著錄項目就是著錄工作的內容，可分爲基本著錄項目、特殊著錄項目和圖書館業務註記等三種。

著錄時所遵循的一定規則，一般稱爲編目規則（Cataloging rules），因爲只有編目規則，才能著錄一致，使編目標準化。因此全國使用統一的編目規則是相當迫切需要的，因爲只有使用統一的編目規則，才能使目錄標準化，方便讀者的利用，並且有利於合作編目，書目資源的分享。

自從七略確定我國的圖書編目方法以來，經歷各朝代的演變，早已有一定的規則可循，直到近代，受歐美圖書館編目規則的影響，才使中文編目產生極大的變化，中圖規則及中國規則卽屬受這種影響的產物，尤其中國規則所受影響更爲明顯，也更爲直接（已詳如上述本章第一節），此規則雖不甚完備，有待修正，但它已經被國內大多數圖書館所採用。因此，以下各節的著錄方法，卽主要根據中國規則加以說明。

一、著錄項目

每一種圖書館資料在卡片目錄上的著錄項目，可分成三大類：卽基本著錄項目，特殊著錄項目和圖書館業務註記三種。現分述於下：

（一）基本著錄項目

1.書名項——也可稱爲題名項，以概括各類型資料的名稱（本書爲行文方便，大部分以書名稱之，遇其他資料類型時，才以題名稱之）。書名是一部圖書的名稱，一般都能說明圖書的內容，並且可以區別於其他的圖書，是讀者在檢索圖書資料時，最重要的項目，尤其是中文圖書，書名項的重要性更爲明顯，它是認識圖書的起點。除了書名以外，有時還有書名後面的解釋文字，對於書名加以補充和解釋，這時書名可專稱爲正書名，而後面的解釋文字稱爲副書名，若除正書名外，還有其他書名，如別書名，篇次名稱，以及其他語文的並列書名等等，都屬於書名項的範圍。

2.著者項——卽爲著作或編輯圖書的個人或團體，前者稱爲個人著者，後者稱爲團體著者。若依著作方式可分爲著者、譯者、編者、輯者、書者、繪者…等，一般都以直接方式著作的著者爲主要著者，如著、繪等，間接方式著作的著者稱次要著者，如譯者、編者、輯者等。從著者項，可以了解圖書的價值，也是我們檢索圖書，區別圖書的重要項目。

3.版本項——敍述一部圖書的印製版本的類別和版本的版次，版本項除版本、版次外，還可以包括版本敍述，以說明一書版本的變遷過程。從版本項，我們可以了解該書的版本印製歷史或流傳經過。中國規則將版本項自出版項提出，自成一項，正與中國目錄學「考鏡源流」之義不謀而合。在中文善本圖書的編目時，版本項幾乎代替了出版項，其重要性可知。

4.出版項——表示一部圖書的製作和出版情況，包括出版地、出版者和出版時間，如這些出版情況不詳或有必要時，可以用經銷地、經銷者等代替。

5.稽核項——記錄圖書的物質形態特徵。包括圖書的冊數、面數、有無插圖、高度尺寸和有無附件等。

6.叢書項——又稱集叢項，以概括其他資料類型的名稱（本書爲行文方便，大部分以叢書稱之，遇其他資料類型時，才以集叢稱之）。叢書項著錄叢書名稱和叢書編號，從叢書項，可以幫助我們認識圖書的性質、作用和價值，以及該部圖書與其他圖書的某種關係。中國規則將叢書項自附註項提出，自成一項，表示對叢書項的重視。

以上一至六項的著錄項目，稱著錄主體。

7.附註項——凡上述著錄的六項中，尚未能完全說明一書的特徵時，爲使著錄主體簡潔起見，將進一步的說明敍述，著錄於附註項。如對書名的解釋，著者的考證，圖書內容及附錄的說明等等，都是著錄於附註項內。

8.標準號碼及其他必要記載項——包括圖書的國際標準圖書號碼（ISBN）或國際標準叢刊編號（ISSN）、獲得方式（如：定價、非賣品）、裝訂及其他區別字樣。

(二)特殊著錄項目

和基本著錄項目不同的是，它只適用於某特定種類的款項，標出某一部圖書的特點，供目錄的排檢和讀者的檢索，這種款目，單獨稱爲標目，這些標目大都是目錄上各款目起首的一項。

包括下列五項：

1.分類號——在圖書的主題編目後，根據圖書的內容主題，在分類表摘取適當的分類號，以供分類目錄的排檢和讀者檢索，因此，分類號在性質上是屬於分類款目的標目。

2.追尋項——在目錄卡片上，著錄除正書名以外之各種檢索標目，包括標題，其他書名標目，著者標目等三種。在主題編目後，根據圖書內容主題取分類號外，也可以根據標題表摘取適當標題，以為主題檢索，而其他書名，以及著者標目，著錄於標題之後，以為製作附加目片的根據。

3.分析款目——在叢書和多冊圖書著錄時，常將其分析子目著錄於附註項中的內容註、附錄註。但在大套叢書的子目主要目片上常僅著錄數則，其餘省略。如認為必要，應根據此分析款目編製分析的目片。

4.館藏記載——記載圖書館收藏叢書、多冊書和連續性出版品詳細情形，此種記載僅適合於某一圖書館的特殊著錄項目，它也是子目分析款目的一種變化形式。在中華民國出版圖書目錄上，不予著錄。

5.出處項——在分析款目上，著錄分析子目的出處或來源，中國規則稱為「在」分析註，是分析款目所特有的記載。

（三）圖書館業務註記

在圖書館目錄上，為圖書館員工作方便，著錄一些必要的資料，稱之為圖書館業務註記，這些記載與圖書本身特徵或內容並無直接關聯，它們包括索書號、登錄號以及典藏地點。這些註記

在排架目錄尤應詳爲記載，也是排架目錄與分類目錄顯著的不同所在。

以上三種著錄項目，構成了圖書目錄的主要內容，基本著錄項目提供一書的目錄學知識，特殊著錄項目提供一書的檢索點，而圖書館業務註記則爲圖書館管理圖書的工具。本節主要討論基本著錄項目，至於特殊著錄項目中的分類號擬於第三章中討論；追尋項等標目則在本章第四節標目的決定中討論；分析款目、館藏記載、出處項等則在第六節分析編目中討論；圖書館業務註記則在第三章第六節書號的配置中敍述之。

二、著錄詳簡層次

上述三種著錄項目，並非任何圖書館都要完全予以著錄，各圖書館可視本身館藏情形，服務對象，工作環境條件來決定著錄的詳簡層次。決定著錄詳簡層次的參考因素，例如：藏書豐富，服務對象爲專科研究學者，編目工作人員衆多，人力充裕，參考資料詳盡，都可予著錄詳細，否則寧可編製較爲簡略層次的目錄。而著錄詳簡層次一經決定，當予一貫遵行，不可隨意改變。根據中國規則著錄詳簡層次可分爲三種：

(一)第一著錄層次（簡略層次）——凡目錄僅著錄正書名、第一著者、版本、出版地、出版者、出版年、稽核項、追尋項者，爲簡略層次，適合於中小型圖書館採用。

(二)第二著錄層次（標準層次）——凡將基本著錄項目及所有特殊著錄項目均著錄者，爲標準層次，亦即根據中國規則目片格式所列各著錄項目著錄者，爲標準層次。其著錄項目參見本節

第一小節著錄項目。此種著錄層次適合於縣市立圖書館及大專院校圖書館採用。

(三)第三著錄層次(詳細層次)──凡將所有著錄項目特別是附註項,與追尋項詳爲著錄者,爲詳細層次,亦卽根據中國規則各條文細目所列,全部著錄者,此種著錄層次適合於省市立圖書館級以上圖書館採用,尤其是國立中央圖書館更應爲詳細層次的著錄。蓋省市立圖書館級以上圖書館應爲地區或全區的編目中心,自有必要編製詳細層次的目錄,以供其他圖書館之參考。

中國規則中對著錄詳簡層次的規定(該書:條文 1.0.4),第二著錄層次(標準層次)與第三著錄層次(詳細層次),二者之間頗難區別,若能將著錄項目列舉,一如第一著錄層次(簡略層次)的規定,則更爲清楚明確。

三、著錄來源

著錄項目取自資料本身,由於資料各部結構各有其功能,及記載可供著錄的項目,爲了便於掌握著錄項目,著錄時應按資料各部分的功能做爲著錄標準,從這些可做爲著錄根據的著錄來源以外所著錄的項目,應加方括弧,現依資料類型分述各著錄項目的著錄來源及其優先順序如下:

(一)圖書之著錄來源

1.書名與著者項──書名頁、版權頁、書背、封面。

2.版本項──書名頁、版權頁、書背、封面、序言,及本書其他著錄來源。

3.出版項——書名頁、版權頁、書背、封面、序言及本書其他著錄來源。

4.稽核項——該書。

5.叢書項——該書。

6.附註項——該書及任何地方。

7.其他項——該書及任何地方。

8.追尋項——該書及任何地方。

(二)連續性出版品之著錄來源

印刷類連續性出版品根據創刊號（首期）或館藏最早一期著錄。

1.題名及著者項——書名頁、封面、卷端題名、刊頭、編輯頁或版權頁等。

2.版本項——書名頁、版權頁及本出版品其他著錄來源。

3.卷期項——書名頁、版權頁及本出版品其他著錄來源。

4.出版項——書名頁、版權頁及本出版品其他著錄來源。

5 稽核項——該出版品。

6.集叢項——該出版品。

7.附註項——該出版品及任何地方。

8.標準號碼及其他項——該出版品及任何地方。

9.追尋項——該出版品及任何地方。

至於非印刷類連續性出版品之著錄來源，依其資料類型比照下述各資料類型之著錄來源處理。

(三)善本圖書之著錄來源

自書名及著者敍述項至叢書項均根據該書著錄，附註項至追尋項則根據該書及任何地方著錄。

(四)地圖資料之著錄來源

地圖資料之題名、著者敍述項、版本項、製圖細節項、出版項、集叢項根據地圖本身或盛裝之紙夾、封套、盒、箱及球體支架等以及附隨印刷資料著錄。稽核項、附註項、其他項及追尋項則根據該地圖資料與任何地方著錄。

(五)樂譜之著錄來源

樂譜之題名及著者敍述項、版本項、集叢項，根據書名頁、卷端、封面、版權頁，及其他正文前置部分著錄。

(六)錄音資料之著錄來源

唱片爲標籤，盤式（或卡式、匣式）錄音帶爲帶盤（或帶卡、帶匣）及標籤，捲帶爲標籤。

(七)電影片及錄影資料之著錄來源

爲影片本身（片頭）及其不可分離之盛裝物上標示，或附隨文字資料等資料。

(八)靜畫資料立體資料主要著錄來源

為作品本身的標籤及其盛裝物或其附隨文件。

（九）拓片主要著錄來源

為本身所載資料。

（十）縮影資料主要著錄來源

為題名幅，其中單張孔卡為孔卡本身，或題名卡，或盛裝物及文字附件。

（十一）機讀資料檔主要著錄來源

為其中有助識別之記錄標誌，或編製者發行有關資料。

圖書複印本之著錄來源，書名及著者項可採用該複印本所載源版之著錄來源，但版本項以後各項則依該複印本實際情形自行著錄。如例 1：

```
008.81    建立臺灣地區中文圖書線上合作編目系統之研究／陳
8723:4      為賢〔撰〕.--〔臺北市：國立中央圖書館複印，
            民73〕
            7,129面：圖；25公分
674360    指導教授：何光國
            據民72年撰者論文複印
            碩士論文--國立臺灣大學圖書館學研究所
            附錄：1.中國機讀編目輸入表等3種；2.參考
          書目
             （精裝）
            I. 陳為賢撰
                            ◯
```

例 1：複印本之著錄

作品若有兩個以上著錄來源，依首先出現（如多冊書以第一冊之著錄來源）或最主要著錄來源著錄，若著錄來源間有差異時，依提供資料最完備者著錄，必要時將著錄來源間之差異，註明於附註項中，但下面五種情形則依情況決定：

1.錄音資料的著錄來源不論有多少個，資料是否重述，全部視爲一個著錄來源，而加以組合採用。

2.如爲影印或重印本者，應選用新的刊有最新出版或經銷年之著錄來源。

3.若兩個以上著錄來源在作品中，情況不同，（或爲作品本身，或爲多單元之部分作品）則依各館處理該作品之方式決定而著錄之。卽一冊書中除總書名頁外，另有屬於一部分的書名頁時，應依編目情況而選擇一適當對應的書名頁加以著錄。

4.若著錄來源（書名頁）的資料，印在面面相對兩頁上，或印在前後兩頁上，不論資料是否重述，均視爲一個著錄來源。

5.若一書有兩個以上不同語言的著錄來源，而內容只有中文或以中文爲主，則依中文之著錄來源著錄。如內容以外國語言爲主者，自然應以該外國語言爲編目用語，加以著錄。

四、標點符號

自國際標準著錄規則（ISBD）開始採用標點符號，其目的在於方便書目資料的國際交換，透過使用統一規定的標點符號，雖然爲不同語言，人們仍可辨識出書名、著者、版本…等各項資料。標點符號的採用，是近代書目著錄技術的一大改進創新，影響所及，各國修訂其編目規則時，紛紛跟進。中文編目規則自也

不例外，除將 ISBD 原來的分項符號（.-）改爲（.--）以外，其他符號幾乎照單全收，因 ISBD 的分項符號（.-）中的-易與中文的一字混淆，因此加以改變，以資區別。

在中文編目時，除有特殊規定者外，常用之標點符號列舉於下：

(一)圓點（·）

用於集叢名與附屬集叢名之間；

用於正題名與補篇之間。

(二)連字符號（-）

用於列舉內容時，子題間以兩連字符號相連；

用於連續性出版品之年份、卷期起訖等處。

(三)分項符號（.--）

用於同一段落中項與項之間。

(四)冒號（：）

用於題名及著者敍述項以引出副題名；

用於出版項以引出出版者、經銷者及印製者；

用於稽核項以引出插圖及其他稽核細節；

用於集叢項以引出集叢副題名；

用於附註項以引出各種題名，及引出列舉之內容；

用於標準號碼項以引出作品之價格。

(五)等號（＝）

用於題名及著者敍述項以引出並列題名；

用於集叢項以引出集叢並列題名；

用於連續性出版品之標準號碼項以引出識別題名。

(六)斜撇（／）

用於題名及著者敘述項以引出著者敘述；

用於版本項以引出關係版本之著者敘述；

用於集叢項以引出集叢之著者敘述。

(七)逗點（，）

用於出版項以分隔出版者（印製者）與出版年（印製年）。

(八)分號（；）

用於題名及著者敘述項以分隔不同題名及著作方式之著者敘述；

用於出版項以分隔不同出版地及出版者；

用於稽核項以引出高廣尺寸；

用於集叢項以引出集叢號。

(九)圓括弧（（ ））

用於標示印製事項、稽核項之補充說明及集叢項；

用於中國著者敘述之朝代。

(十)方括弧（〔〕）

用於標示資料類型；

用於標示得自主要著錄來源以外之記載。

同項相鄰之細目，如需各加方括弧，可同置一方括弧內；

不同項者，分置之。

(十一)乘號（×）

用於稽核項以記高廣。

(十二)刪節號（…）

用於標示省略字句。

(十三)加號（＋）

用於稽核項引出附件。

(十四)引號（""）

用於附註項引用字句。

五、著錄的格式與段落

著錄時所用語言應明確恰當，簡單扼要，明白易懂。

卡片目錄著錄時使用段落式標點符號法，分段記載。基本著錄項目分數段落著錄，第一段落包括書名及著者敍述項、版本項、資料特殊細節及出版項等，第一行第一字自距左邊三公分，距上邊二公分處寫起，一行寫不完時需回行，第二行以後各行縮一字寫起。第二段落，包括稽核項和集叢項，另起一行著錄，與書名及著者敍述項第二字對齊寫起，一行寫不完需回行時，均與書名項第一字對齊。（以下各段落另起一行及回行時，均照第二段落寫法）。附註項每記載一件事項各成一個段落。標準號碼及獲得方式自成一個段落。

特殊著錄項目中，將追尋項包括分析款目成一段落，記載在卡片圓孔上方的適當位置，此段落的第一字位置及回行寫法與上述第二段落同。特殊著錄項目中之分類號除國立中央圖書館印製印刷卡片時，置於追尋項下方，與卡片圓孔同行以外；其他各圖書館均應將分類號與著者號等合併爲索書號（其著錄位置詳見下述）。標目則置於第一段落之上面一行，第一字比書名項縮一字，如標目需回行時，第二行再縮一字寫起。

圖書館業務註記中，索書號寫於卡片左上角，分類號與標目同行，著者號與書名項同行，登錄號、冊次號及典藏地點寫在索書號之下，卡片之左方中間或卡片背面。

茲以目片之基本格式及實例各舉一張如下。如例 2-3。

```
分類號      標　目
著者號      正題名〔資料類型標示〕：副題名＝並列題名／著者
           敍述；其他次要著者敍述 .-- 版本敍述／關係版本
           之著者敍述.--資料特殊細節.--出版地：出版者，
           出版年（印製地：印製者，印製年）
           數量(面、葉、册數)或其他單位：插圖或其他稽核
           細節；高廣尺寸＋附件 .--（集叢名；集叢號．附屬
登錄號碼    集叢名；集叢號）
           附註項
           標準號碼：獲得方式


            1.標題  2.標題  3.標題  I.檢索款目  II.檢索款目
         III.檢索款目
```

例 2：基本格式

```
821.88    從徐志摩到余光中／羅青著.--九版.--臺
8544       北市：爾雅，民73
73         3,290面；19公分.--（爾雅叢書；45）
           附錄：1.本書引用詩篇索引；2.羅青寫作年表
           新臺幣100元（平裝）
690113


            1.中國詩一歷史與批評一民國（1912—　　　）
           I. 羅青著
```

例 3：基本格式範例

若一張卡片寫不完，就需續見次片，續片之格式如例4：

```
┌─────────────────────────────────────────────────────────┐
│ 008.91    清初遷海前後香港之社會變遷／蕭國健撰 .-- 手寫影 │
│ 8659:2      印本.--香港：珠海大學中國歷史研究所，民72    │
│ 72        〔10〕，600葉：圖；27公分                        │
│           英文題名：Social change in the Hong Kong       │
│         region before and after the coastal             │
│         evacuation in the early Ching dynasty            │
│ 679306      指導教授：林天蔚                              │
│             博士論文--香港珠海大學中國歷史研究所          │
│             附錄：參考書目                                │
│             （平裝）                                      │
│                                                          │
│           1.社會變遷—香港 2.香港—歷史—清(1644-          │
│                          ◯              （續見次片）     │
└─────────────────────────────────────────────────────────┘
```

```
┌─────────────────────────────────────────────────────────┐
│ 008.91    清初遷海前後香港之社會變遷                     │
│ 8659:2      （續1）                                       │
│ 72                                                       │
│                                                          │
│                                                          │
│           1912) I. 蕭國健撰                               │
│                          ◯                               │
└─────────────────────────────────────────────────────────┘
```

例 4：續片格式

五、資料錯誤的更正與補充著錄

當圖書的書名頁等著錄來源中，所題資料在文字上發現錯

誤，著錄時仍照書上原題的字樣著錄，將考證所得之正確寫法於附註中說明之。如果為需要檢索的款目如書名，則在追尋項中，應以正確寫法立一款目以為檢索。如例 5-6。

310	識訓數學／內政部職業訓練司編.--〔臺北市〕：
8874	編者，民74
	〔4〕,350面：圖；21公分.--（職訓叢書；3）
632515	書名頁誤題書名為識訓數學，實為職訓數學
-16c.2	每章末附習題及解答
	（平裝）
	1.數學 I.內政部職業訓練司編 II.題名：職訓數學

例 5：書名頁誤題書名

121.31021	老子索引／葉廷幹編.--臺北市：學者，民72
8495	625面：21公分
	版權頁、封面及書背均誤題編者為葉廷幹，實為
621354	蔡廷幹
	冠老子道德經考證
	新臺幣420元（平裝）
	1.老子─索引 I.蔡廷幹編

例 6：版權頁等誤題著者

六、資料類型標示

　　各圖書館可視需要自行決定是否著錄資料類型標示，如果需要，則將資料之類型名稱，記於正題名之後，加方括弧。當作品含若干部分，而無總書名，則資料類型標示應加於最後書名或最後著者敍述項之後。如例7：

026.22	名山事業，又名，國立中央圖書館簡介〔錄影資料〕
8656	／國立中央圖書館編.--臺北市：光啓社攝製：
	編者發行，民72
	1捲卡式帶（VHS;30分）：有聲，彩色；½吋
V00021	英語發音，中文字幕
	可租售（售價新臺幣500元）
	1.國立中央圖書館─手冊，便覽等 I.國立中央圖書
	館編 II.題名：國立中央圖書館簡介

例7：資料類型標示

　　一般圖書館對圖書、印刷類連續性出版品和善本圖書，均不加記資料類型名稱，至於其他資料類型標示列舉於下：

地圖	手稿
球儀	縮影資料
工程圖	電影片
幻燈單片	多媒體組件
幻燈捲片	樂譜

拓片	生態立體圖
提示卡	遊戲用品
透明圖片	實物
圖片	模型
圖表	顯微鏡單片
藝術品原件	錄音資料
機讀資料檔	錄影資料

　　若作品包含兩種以上之資料類型，而且其中沒有任何一種資料類型為作品之主要部分時，則資料類型可標示為〔多媒體組件〕（Multimedia 或 Kit）。若作品係從另一種資料類型轉製而來，依現在之類型著錄，但應於附註項中，註明所據以轉製之原始類型。

第四節　基本項目的著錄法

　　著錄是列舉圖書資料的各項特徵，以便讀者認識圖書資料外表形式和內容性質，幫助讀者辨別資料是否可供其閱覽利用。而資料的特徵，分項將圖書資料摘錄下來，記載於卡片上，這就是著錄。由於圖書資料的結構複雜，各式各樣情況變化很多，若沒有明確的著錄規則，編目人員常感無法着手，因此，編目規則的目的在使著錄時，有統一的規範，而且由於目錄的標準化，才能使讀者從目錄上的各項記載，了解其意義，進而確認該圖書資料是不是他所需要的。因此編目人員對於各項目的著錄方法，應多加以研究，現在分別說明各基本項目的著錄方法。

一、書名著錄法

一般讀者在提到一本書的時候，往往以書名為代表，因此，圖書目錄著錄時，書名就是首先要記載下來的。書名項由書名和其相關文字所組成。通常在書名頁、版權頁、封面、卷端、書背、邊欄、中縫、上欄等處出現。目錄上著錄的書名，通常以書名頁為主，如無書名頁，則以版權頁、封面……等處所題的書名，選取著錄（詳見上一節著錄來源）。

如各著錄來源所題書名不一致時，按各著錄來源的優先順序選錄正書名，並在附註項內說明，必要時可另立一書名檢索標目。

書名可分為正書名、別書名、副書名、並列題名、總書名、分析書名、原書名和合刊書名等。現分述於後：

書名頁上的書名通常只有一個，且一般都是較顯著且較大字體，很容易辨認。這種書名就是正書名，在著錄時其用字、阿拉伯數字、國語注音符號、羅馬拼音及夾有外文字母、標點符號等，均依書上所載著錄。如例 8-9。

正書名中若有等號（＝）、斜撇（／），著錄時可用逗點（，）代替。冒號（：）可用雙短線（--）代替，以避免與編目所用標準標點符號相混淆，但若改換標點符號後，會影響書名的原意時，則不予改換，而且著錄時此三種標點符號前後，不予空半字，以避免與編目所用標點符號混淆。

書名內含有著者姓名，或作品經後人整理出版，而將著者姓名移置於原作品正書名之前，均視為書名的一部分，依所題著錄

```
312.93      8088微處理機／杜德煒編著.--臺北市：三民，民
8454:2-10    75
             〔355〕面：圖；23 公分.--（三民電腦叢書.微處理
             機；3-8）
             附錄：主要參考資料
698969       基價5.33圓（平裝）
698970 c.2
```

　　　　　1.微電子計算機 I.杜德煒編著

例 8 ：書名含阿拉伯數字

```
862.57      明月啊！明月／成耆兆等著.--臺北市：采風，民
8345         74
             290面；19公分.--（小說創作；91）
             當代韓國作家小說選
             每篇冠作者簡介
696703       新臺幣100元（平裝）
696704 c.2
```

　　　　　I.成耆兆著

例 9 ：書名含標點符號

之，如例 10 。若省略書名中著者姓名，仍可保持書名完整意義
者，除書名項照錄外，可另立一書名標目，以供檢索。如例10

```
415.2      赫里遜內科學／赫里遜〔撰〕；余政經，李仁智主
8358         編；曾春典等譯.--再版.--臺北市：杏文，民74
74           3冊：圖；27公分.--（杏文醫學大庫）
             譯自：Harrison's principles of internal
           medicine. 8th ed.
690004-6     每章末附參考文獻
v.1-3        新臺幣2,500元（精裝）


           1.內科 I.赫里遜（Harrison, Tinsley
         Randolph, 1900-     ）撰 II.余政經主編 III.李
         仁智主編 IV.曾春典譯 V.題名：內科學
```

例10：書名含著者名

　　書名若太長，在不影響書名的意義下，著錄時可省略不重要部份，用刪節號（…）代替之　，但起首的五個字　，以不省略為宜。

　　若一書無記載書名，須由其他參考資料考證，才能決定其書名時，將考證所得書名當做正書名著錄之，加方括弧，並在附註項中註明「書名佚去，據××補」等字樣。

　　若一書本身及其他參考資料都無法獲取適當書名，編目人員可以自行擬定一適當書名，加方括弧，並在附註項中說明之。如例11。

　　書名若冠有「欽定」、「御批」、「增廣」、「增補」、「詳註」、「箋註」、「重修」、「校訂」、「選本」、「足本」、「繡像」、「繪圖」、「最新」……等字樣者，或其他不太重要詞句者，除依所題字樣著錄外，並以省略此類字樣的書名，另立

```
627        〔清史講義〕／鄭永隆著.--油印本.--〔出版項不
8464          詳〕
              134面；26公分
              本書似爲大學講義，書名係本館自擬




              1.中國─歷史─清（1644-1912）I.鄭永隆著
                         ◯
```

例11：書名自擬

```
550.6      財團法人中華經濟研究院出版品摘要.--臺北市：
8666(99)     中華經濟研究院，民74
74            113面；25公分
             （平裝）
696130


              1.出版目錄─摘要 2.經濟─摘要 I.題名：
              中華經濟研究院出版品摘要
                         ◯
```

例12：書名冠不重要字樣

檢索款目，或依劃一書名的著錄方式處理。如例12。

如一書同時有二個書名，除正書名外，書上同時另有一個獨

立的不同書名，此即爲別書名（Alternative title），視爲正書名
的一部分，記於正書名之後，正書名與別書名之間以（，又名，）
隔開，並且在追尋項將別書名立一檢索標目。如例13：

628.008　　宋漁父先生遺著，又名，我之歷史／宋教仁著.--
8756　　　　影印本.--臺北縣永和鎮：文海，民60
v.11　　　　397面；20公分.--（紀念中華民國建國六十週年史
　　　　　　料彙刊；11）
652557　　　據民庚申桃源刊本影印
　　　　　　（精裝）

　　　　　1.宋教仁－傳記 I.宋教仁著 II.題名：我之歷史

　　例13：別書名著錄法

　　副書名（Sub-title）指除正書名外，尚有對正書名做解釋性
補充說明的書名，通常印在書名頁上，所用字體比較小，一般不
難與正書名區別。著錄時記在正書名之後，正書名與副書名之間
以冒號（：）隔開。如例14。

　　若副書名過於冗長，可予以省略，如必要時，著錄於附註
項。在著錄副書名時，要留意應避免將廣告詞或適用對象選錄爲
副書名，有疑似此類詞句者，寧可省略副書名，或著錄在附註項
中。

　　相反的，若正書名含義不清，需進一步補充解釋者，編目員
可自擬一簡明字句，做爲副書名，加於正書名之後，加方括弧。

如例15。

993.7	海釣秘訣全集：由基本到實釣之解說及圖解／楊浩瀚
8635	著.--臺北市：開朗，民73
	〔4〕,246面；19公分
	新臺幣120元（平裝）
698769	

1.釣魚 I.楊浩瀚著

例14：副書名

628.6	補充資料：〔國情介紹〕／林永平著.--臺北市：海
8765	外服務社，民65
	80面；19公分

1.中國一手册，便覽等I.林永平著

例15：正書名之補充說明

　　並列書名（Parallel title）是指同一種書具有二個或二個以上不同文字的對照書名，又稱平行書名，大都出現於多種語言的圖書。如作品中，同時有中文和外國語文（中外文對照或含部份外文）而在著錄來源中有中外文書名時，除以中文書名爲正書名外，其他外文書名即爲並列書名，著錄的順序應依著錄來源所列書名順序，或以正文各種語文出現順序著錄之，並列書名之前以等號（＝）爲前導符號。如例16：

805.1808 8778 v.2 697179	太空與人＝Space and man／文橋編輯部譯註.--臺 北市：文橋，民74 〔4〕,119面；21公分.--（科技英語注釋讀物；2） 美國之音英語教學節目 新臺幣100元（平裝） 　　1.英國語言─讀本　2.科學─通俗作品 I.文橋編輯 部譯註 II.題名：Space and man

---

　　例16：並列書名

　　並列書名的著錄在第一著錄層次（簡略層次）可省略不予著錄，第二著錄層次（標準層次）只著錄第一個並列書名，第三著錄層次（詳細層次）則將所有並列書名，一一著錄。

　　並列書名著錄於正書名及副書名之後，如各並列書名各有副書名，及其他書名資料，應將副書名著錄在相同語文的並列書名之後。如例17：

```
528.982    運動與社會：中華民國第八屆奧林匹克研討會報告書
8669       ＝Sport and society: report of the R. O. C.
74         national Olympic academy session VIII 1985
           ／中華臺北奧林匹克委員會編.--臺北市：編者，
           民74
698585     3,206面，圖版14面：部分彩圖；21公分
698586 c.2 版權頁撰者題湯銘新主編
           新臺幣100元（平裝）


           1.奧林匹克運動會 I.中華民國奧林匹克研討會（
         8屆：民74：臺北市）II.湯銘新主編 III.中華臺北奧
         林匹克委員會編 IV.題名：Sport and society
                        ◯
```

例17：並列副書名

　　若一種圖書裏，包含若干個作品，而有一個概括的書名，此
即為總書名，著錄時應以總書名為正書名，而個別作品的書名，

```
293.3      命名秘典／黃譯德編著.--臺南市：西北，民75
8345:2-3   〔384〕面：圖：19公分.--（命相叢書；4）
           內容：1.最新姓名學--2.最新掌紋學
           新臺幣100元（平裝）
698445



           1.姓名學 2.手相 I.黃譯德編著
                        ◯
```

例18：總書名

列舉於附註項的內容註。如例18。

　　若一種圖書裏，著錄來源上沒有總書名，而題個別作品的書名，著錄時，應選最主要的作品或篇幅最多的作品視為總書名，依上述原則處理。若該書無法決定主要作品，則依著錄來源所列各作品書名的順序，分別著錄，各書名之間以分號（；）隔開。如果同屬一著者，則著者敍述著錄在最後書名之後，如例19。如各個作品各有不同著者，則著者敍述各別著錄在各別書名之後，各作品之間以分號（；）隔開。如例20。

　　如果各個作品除各別的著者敍述外，另有一共同的著者敍述，則此共同著者敍述著錄於最後之著者敍述之後，與前面以分號（；）隔開。如例21。

　　至於翻譯著作的原文書名，稱為原書名，著錄時，如該書附原文（全部或部分）則原書名即為並列書名，照上述並列書名著

```
628.008    慈衞室詩草；粵行集 ； 訒菴詩稿／譚延闓著.--影印
8756         本.--臺北縣永和縣：文海，民60
v.43-44      401面；20公分.--（紀念中華民國建國六十週年史
             料彙刊；43-44）
652599       （精裝）


        1.譚延闓—傳記 I.譚延闓撰 II.題名：粵行集
    III.題名：訒菴詩稿
```

　　　例19：同著者之不同作品

```
628.008   蔡‧黃追悼錄／雲南國是報輯；丁巳滇川軍閥紀錄／
8756      佚名編．--臺北縣永和鎮：文海，民60
v.37-38   〔342〕面：像；20公分．--（紀念中華民國建國六十
          週年史料彙刊；37-38）
652595    （精裝）

          1.蔡鍔一傳記  2.黃興一傳記  3.軍事一中國一歷史
          一民國（1912-　　）I.雲南國是報輯  II.題名：丁巳
          滇川軍閥紀錄
```

例20：不同著者的不同作品

```
861.57    伊豆舞孃／川端康成著；假面的告白／三島由紀夫著
8746      ；劉華亭譯．--臺北市：星光，民73
          〔900〕面；19公分．--（雙子星叢書；280-281）
          新臺幣170（平裝）


          I.川端康成著  II.三島由紀夫著  III.劉華亭譯  IV.題
          名：假面的告白
```

例21：各作品的總編者

錄法著錄。如該書未附原文，僅在著錄來源，序言或其他參考資料查到原書名，可將原書名著錄在附註項中，其前導用語及標點符號爲「譯自：」，如例22，不必另立檢索標目。

448.873　最新電路及系統／帕普里斯 Athanasios Papoulis原
8535　　　著；江海明譯著.--臺南市：復漢，民75
　　　　　〔5〕,521面：圖；21公分
　　　　　大專科技用書
698562　　譯自：Circuits and systems: a modern
approach
　　　　　每章末附習題
　　　　　（平裝）

　　1.電路 2.電網路 I.帕普里斯（Papoulis,
Athanasios, 1921-　　　）著II.江海明譯著
III.題名：電路及系統

例22：翻譯作品原書名註

　　若一書除正書名外，尚有其他語文書名，稱其他語文書名，如英文書名、法文書名、日文書名等，著錄時，如該書附該種語文（全部或部分對照），則此其他語文書名卽屬並列書名，亦照上述並列書名著錄法著錄。如該書未附其他語文內容，則此其他語文書名，可著錄於附註項中，前導用語及標點符號，如「英文書名：」、「日文書名：」等。如例23。

　　在叢書，多册書、期刊等多層次出版品中，常有一概括的總書名以及下一層次的分册圖書的分析書名。在上層次著錄時，以總書名爲正書名著錄，將分析書名著錄於附註項裏的內容註。在

```
008.91      高劍父及其新國畫運動／何錦燦撰.--手寫影印本.--
8776:4         香港：珠海大學史研所，民74
               2冊（〔33〕,828葉）：部份彩圖；28公分
               英文題名：Kao Chien-fu and his
701855-6    renaissance movement of Chinese painting
v.1-2          指導教授：莊申慶
               博士論文--珠海大學中國歷史研究所
               附錄：高劍父未刊手稿原蹟等6種
               （精裝）


               1.高劍父─傳記 2.繪畫─中國─傳記 3.藝術家─
            中國─傳記 I.何錦燦撰
```

例23：其他語言書名註

下層次著錄時，以分析書名為正書名，而將總書名著錄在集叢項
中，叢書項著錄法詳見本節第六項。如例24—25：

```
861.57      三島由紀夫選集／三島由紀夫著；余阿勳，邱夢蕾譯
8457          .--臺北市：星光，民72-73
               4冊；19公分.--(雙子星叢書；5，201，257，278)
               內容：1.春雪-2.奔馬--3.曉寺--4.天人五衰
               新臺幣420元（平裝）




               I.三島由紀夫著 II.余阿勳譯 III.邱夢蕾譯
```

例24：總書名

```
861.57    春雪／三島由紀夫著；余阿勳譯.--臺北市 ：星光，
8457      民72
          258面；19公分.--（雙子星叢書；5）（三島由紀夫
          選集；1）
          新臺幣105元（平裝）


          I.三島由紀夫著 II.余阿勳譯
```

例25：分析書名

　　如多冊書僅有一書名，而無總書名與分析書名之分如連續性出版品，其著錄法請參見第五章第一節連續性出版品著錄法。

　　中文圖書除書名外，尚有表示多冊書或多卷書的卷數，著錄時，常將此卷數，視爲正書名的一部分著錄在正書名之後，中間空一字，卷數可以國字著錄，亦可以阿拉伯數字著錄。如例26。

　　卷數之著錄尚要注意三點：

　　（一）除正文之卷數外，如尚有未列入正文的卷首、卷尾（或卷末）、序言、目次等卷數，亦應著錄在原題正文卷數之後。如例27。

　　（二）一書分成數部分，而各有書名及卷數，而且內容不宜分割者，照書內所記載著錄之。如例28。

　　（三）章回小說的回數，必要時得視同卷數著錄之。如例29。

　　在書名之後，還有表示卷次者，如「第五卷」，「上集」，

```
083.2        伯仲諫臺疏草　2卷／(明)鄭欽，(明)鄭銳著.--影印
8465         本；初版.--臺北市：新文豐，民74
74
v.31:32      366-372面；29公分.--（叢書集成新編；第31册）
             （精裝）

680031
680151 c.2



             1.中國-歷史-資料 I.（明）鄭欽著 II.（明）

         鄭銳著
                        ◯
```

例26：卷數著錄法

```
671.39       安陽縣志　28卷，卷首1卷，附刊金石錄12卷／(清)
/205.1       貴泰纂.--影印本；初版.--臺北市：安陽文獻編輯
743          委員會，民71
71           2册：圖；22公分
             據民22年北平文嵐簃古宗印書局重印清嘉慶24年刊
647646-7     本影印
v.1-2        （精裝）



         1.安陽縣-方志I.（清）貴泰纂
                    ◯
```

例27：含卷首卷尾等卷數著錄法

844.17　　韓昌黎文集校注　8卷，文外集1卷／（唐）韓愈撰；
455　　　　　（清）馬其昶校注；馬茂元編次 .-- 影印本；初版
72　　　　　.--臺北縣樹林鎮：漢京，民72
　　　　　　〔33〕,448 面； 22 公分 .--（四部刊要.集部.別集
　　　　　　類）
　　　　　　書名頁誤題校注者爲淸朝人，實爲民國時人
　　　　　　本書據明東雅堂本昌黎先生集校注
　　　　　　新臺幣200元（精裝）

　　　　　　I.（唐）韓愈撰　II.馬其昶校注　III.馬茂元編

　　　　　　　　　　　　　　　　○

例28：各別作品卷數

857.47　　西遊記　100回／（明）吳承恩著.--臺北市：文化，
6874　　　民71
71　　　　　14,921面，圖版 5 葉；22公分
　　　　　　中國古典文學
　　　　　　新臺幣180元（精裝）

　　　　　　I.（明）吳承恩著

　　　　　　　　　　　　　　○

例29：回數著錄法

「前編」等，可著錄於編次項，如該編次有單獨篇名，亦可一併著錄於卷次之後，著錄編次項於正書名之後，以一圓點及空一字隔開。如例30：

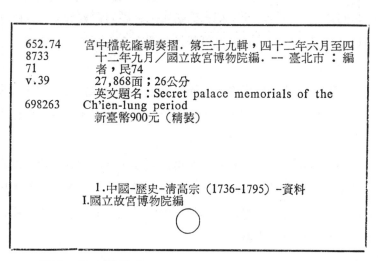

```
652.74    宮中檔乾隆朝奏摺．第三十九輯，四十二年六月至四
8733      十二年九月／國立故宮博物院編． -- 臺北市 ： 編
71        者，民74
v.39      27,868面；26公分
          英文題名：Secret palace memorials of the
698263    Ch'ien-lung period
          新臺幣900元（精裝）



       1.中國-歷史-清高宗（1736-1795）-資料
  I.國立故宮博物院編
```

例30：編次著錄法

　　書名頁、封面上還可能記載一些和書名有關的材料，這些資料，常可幫讀者進一步了解，所以著錄時亦應予考慮。需視字體大小，記載位置，或文字意義等，判斷著錄在適當項目內。這些材料可歸納成下面幾類：

　　(一)表示圖書的性質體裁，如散文集、國語注音、中英對照、手冊、指南等。一般而言，表示圖書的性質，必要時可著錄於附註項。關於體裁，通常會和書名記載在一起，著錄時視爲書名的一部分，與書名一起著錄。

　　(二)進一步表示圖書的範圍，或說明書名含義者。如中華民

國民事判例類集（民國68年1月～6月）、民法前論（總則部分）等，著錄時，可將此種材料著錄在編次。

　　(三)表示演講，會議等資料的發表時間、地點或表示法規、標準的通過公布的時間。如古籍鑑定及維護研討會專集（民國73年11月16日～12月7日），可著錄在編次；如資料過於複雜，可著錄於附註項。

　　(四)表示圖書的用途，或適用對象。如中醫特考必讀、五專化工科適用等字樣，著錄時，亦著錄於附註項內，爲避免替他人做廣告之嫌，宜以引號（""）表示之。

　　(五)版本說明，如新修本、增訂版等，一般而言，均著錄在版本項內。如冠於書名之前，位置及字體大小均與書名一致，則視爲書名一部分，著錄於書名項，但需另立一省略此版本說明之檢索標目，如增修本辭海。

二、著者敍述項著錄法

　　一個作品的「著者」是指一切對作品內容負責的人，因此包括實際執筆寫作的人，以及參與著作的人，如以著作方式以及所負責任不同，著者可分爲六類：

　　(一)著：包括直接著作的人，一般稱爲主要著者，其著作方式可稱爲著，包括著、撰、文述、寫、編著、創作、執筆、研究、曲。

　　(二)編：將已有資料，按一定順序排列，彙集在一起，稱爲編，包括編、編輯、輯、整理、選編、選輯。此種著作方式並非直接創作，因此編者均被視爲次要著者。

　　(三)譯：將一作品翻譯成另一種語文，稱爲譯。中文圖書將古文（文言文）譯成近體文（語體文），也稱爲譯，此種著作方式亦非直接創作，因此譯者一般均亦被視爲次要著者。

　　(四)註：對一作品加以詮釋、註解，稱爲註，包括註、釋、註釋、註解、解說等，另外句讀、標點，也是對作品某種形式的詮釋，可以歸入此類。註者仍屬次要著者。

　　(五)繪、攝：以圖來表示作品的形式，稱爲繪、攝，包括繪、圖、製圖、攝等。此種著作方式在視覺作品，爲直接創作，應屬主要著者，其地位與著者相同。如係就圖書的文字而以圖配合，則屬次要著者。

　　(六)制定：某項計劃書或法令規章的草擬、通過、公布、實施，均屬之，此種著作方式可歸爲主要著者。

　　此外，習慣上，常用的著作方式還有改寫、補編、節譯等，雖在著作的範圍，比上述著、譯、編少一些，但其著作性質仍是一樣的，因此可以分別歸入上述前三種著作方式。至於核訂、審定、校對，對於作品的「貢獻」不算很大，因此，一般都不將校訂者、審定者、校對者著錄在著者項內。如教育部審定，梁實秋校閱等。但必要時，可在附註項中註明之。

　　關於一個作品有關出版者（非僅著者）內部作業性質之編輯者，如出版顧問、演出人、監製人、策劃人、封面設計者、美術設計者、攝影編輯者等等，均不著錄於著者敍述項內，但如題於書名頁等處，有疑似著者而難以決定時，才予著錄在著者敍述項內。

　　著者如以個體來分，又可分爲個人著者和團體著者二種。個

人著者卽從事作品的著作或編輯的各個人，包括單獨一人著者、合著者和多人著者等。而團體著者則指以其名義發表著作的機關團體。

中文圖書編目，爲進一步區別著者的時代，常在著者前面加註朝代，如（三國）諸葛亮著。惟現代人（民國人），和外國人可省略其朝代；著者均不加註國籍。由此可知，著者項由著者時代、著者名稱和著作方式三部分所組成。

一般作品的著者，根據書名頁等著錄來源所題著者著錄，著者敍述著錄於書名之後，原則上依作品上所題形式及順序著錄，不同著作方式通常以著作過程順序著錄。如著者等主要著者在前，編者、譯者、註者等次要著者在後，其與書名之間，應以一斜撇（／）隔開。著者敍述項包括主要著者的個人與團體，也包括主要著作的個人與團體，凡對完成此一作品的著作過程，在知識上或藝術上有重要貢獻者，都予著錄。著錄時，應將著作方式相同之著者名稱間以逗點（，）隔開，不同著作方式以分號（；）隔開，不止一個人或團體著者，均併錄之，但同一著作方式之著者超過四個（含四個）以上者，僅著錄第一個著者，並加「等」字，其餘可予省略。如例31。

如各著錄來源所題著者有所不同時，除依著錄來源優先順序決定著者敍述項外，並將不同的著者在附註項中註明。凡從著錄來源以外著錄在著者敍述項者，應加方括弧。如例32。

作品中如無著者名稱及有關著者之記載，則省略著者敍述，如例33。其朝代可稽者，則在附註項中註明「某朝佚名撰」，但如書上已題「某朝佚名撰」或「某朝不著撰人」，則著錄於著者

494.1	30秒自我啓發／小林末男著 ； 柯三元譯.--臺北市：
8477	現代企業發行 ： 臺灣英文雜誌總經銷，民 74
	246 面：圖；27 公分.--(現代企業經營管理實務選
	書；36)
697045	新臺幣200元（平裝）
	1.企業管理 I.小林末男著 II.柯三元譯

例31：不同著作方式的著者

573.57	蒙藏委員會 … 蒙藏工作研討會實錄.七十三年／〔蒙
8846-2	藏委員會編〕.--臺北市：編者，民73
73	〔21,19〕面：部份彩圖；22公分
	部份內容爲蒙、藏、英文
688838	附錄：1.會場佈置圖；2.座次表
	（精裝）
	1.中國-邊疆-會議 I.蒙藏工作研討會（民73：臺北
	市）II.蒙藏委員會編

例32：非著錄來源的著者

```
線
943.5        張遷碑.--影印本；初版.--臺北市：華正，民74
8775         44面；31公分
             封面題名：明拓張遷碑
698252       新臺幣200元（線裝）



             1.法帖 I.題名：明拓張遷碑
                        ◯
```

例33：無著者敍述

```
857.44       續小五義 124回／（清）佚名撰.--臺北市：
7442         文化，民72
             7,424面；22公分
             中國古典文學
             新臺幣100元（精裝）




                        ◯
```

例34：佚名著者

敍述項內。如例34。

　　作品不著撰人，而由諸家目錄或他書考訂所得之著者敍述，

記於附註項內，並說明其根據來源。如例35。若一般傳說均為某人所著者，於附註項中記明「舊題某某撰」，如例36。如考證所

22632	華嚴法界玄鏡 5卷 .--影印本 .--臺北市：華嚴蓮社，
445	民63
63	〔92〕面；19公分
	著者據臺北市新文豐出版公司影印實用佛學辭典
441984	考定為（唐）釋杜順述，及（唐）釋澄觀釋
	1.華嚴部-經典　I.（唐）釋杜順述　II.（唐）釋澄觀釋
	◯

例35：考證所得著者註

857,64	平妖傳　40回 .--臺北市：文化，民70
6546	3,299面；21公分 .--（中國古典文學）
	舊題（明）羅貫中撰；（明）馮夢龍改寫
	新臺幣70元（平裝）
	I.（明）羅貫中撰　II.（明）馮夢龍改寫
	◯

例36：舊題著者註

得與一般傳說不同時，則在附註項中註明考證所得著者敍述，並說明出處及舊題之誤。如例37：

```
857,44    封神演義  100回.--臺北市：文化，民72
6471         3,751面；21公分.--（中國古典文學）
72           舊刻課題（明）陸西星撰，據孫楷第編中國通俗小
             說書目訂正爲（明）許仲琳撰




             I.（明）許仲琳撰
                  ◯
```

例37：考證所得與舊題著者不同註

```
414.1     神農本草經  3卷／（清）孫星衍輯.--新竹市：國
7357         興，民72
72           〔5〕342面；22公分
             舊題神農氏撰，據僞書通考爲後人依託之作
645771    新臺幣250元（精裝）




             1.中國醫藥 I.（清）孫星衍輯
                  ◯
```

例38：僞託著者著錄法

作品中雖題有著者，但已知其為偽託或待考者，著錄時，仍
照錄之，並以考證所得記於附註項。必要時，得說明考證的根據
資料。如例38。

作品所題著者，不論為別名、筆名，或所題不全，或著者前
註明朝代等，均照所題字樣錄之，著者朝代置於圓括弧內，但宜
考證其本名記於附註項中，並以權威檔所採用之人名立一檢索標
目。如例39—40。

凡著者的頭銜、學位、職位名稱等，均不必著錄。團體著者
的不關緊要的字句，如「私立」、「財團法人」、「股份有限公
司」等，亦不必著錄。如：

書名頁題：

　　中央研究院及國立清華大學人文學院院長李亦園先生著

著錄為：

　　李亦園著

書名頁題：

　　私立東吳大學中國文學研究所，財團法人洪建全文化教
　　育基金會共同編輯

著錄為：

　　東吳大學中國文學研究所，洪建全文化教育基金會編輯

書名頁題：

　　新象藝術股份有限公司設計

著錄為：

　　新象藝術公司設計

作品中若同時題有外國著者原名及中文譯名，照原題字樣及

順序著錄，中文譯名在先，外國原名在後。追尋項以外國著者
譯名權威檔標目為檢索標目，若權威檔中譯名與作品所題譯名不

851.486　　散步的山巒／楚戈著 .-- 臺北市：純文學，民73
8755　　　　166面：部份彩圖；20X18公分.--（純文學叢書；
　　　　　　127）
　　　　　　著者本名袁德星
　　　　　　附：古物出土記
　　　　　　新臺幣180元（平裝）

　　　　　　I.袁德星撰

例39：著者筆名

859.08　　中華民族英雄傳／〔大眾書局〕編輯部原著；胡栢源
8683　　　　改寫.--高雄市：大眾，民74
v.1　　　　〔7〕,398面：圖；22公分.--（金獎童話中國古典文
　　　　　　學精選；1）
697129　　　新臺幣150元（精裝）

　　　　　　1.中國-傳記 I.大眾書局編輯部著 II.胡栢源改寫

例40：所題著者不全

同，應在附註項中註明「著者（或編者……）改譯某某」等字樣，如例41。如僅記載外國原名，應自外國著者譯名權威檔中查

601.4　　歷史的理念／柯林烏（R. G. Collingwood, 1889-
8545　　　　1943）著；陳明福譯.--三版.--臺北市：桂冠，
　　　　　　民73
　　　　　　〔40〕,439面；21公分
　　　　　　譯自：The idea of history
　　　　　　著者改譯柯靈烏
680560　　新臺幣250元（平裝）

　　　　　　1.史學 I.柯靈烏（Collingwood, Rebin George,
　　　1889-1943）著 II.陳明福譯

例41：著者譯名不同

497.1　　造形又造象／〔麥葉斯〕William Meyers〔撰〕；
8385　　　　羅耀宗譯.--臺北市：哈佛企業管理，民74
　　　　　　163面；27公分.--（哈佛管理叢書）
　　　　　　譯自：The image-makers:power and
　　　persuasion on Madison Avenue
697849　　新臺幣300元（精裝）
697850 c.2

　　　　　　1.廣告-心理方面 I.麥葉斯（Meyers, William）
　　　撰 II.羅耀宗譯

例42：未題著者中文譯名

出其譯名，如為首次出現的外國著者，自行譯一名置於方括弧
內，並在外國著者譯名權威檔中建立一譯名標目，如例42。如僅

915.2	莫札特：可愛的牧羊女＝Bastien Und Bastienna／
6855	魏斯凱倫編劇；曾道雄譯.--臺北市：臺北歌劇劇
	場出版：青蓓發行，民68
	96,3面：圖，樂譜；27公分
	中德對照
602196	附錄：可愛的牧羊女中文對白
602197 c.2	新臺幣120元（平裝）

　　I.莫札特（Mozart, Wolfgang Amadeus, 1756-
1791）曲 II.魏斯凱倫（Weiskern, Friederich
Wilhelm）編劇 III.曾道雄譯 IV.題名：Bastien
Und Bastienna V.題名：可愛的牧羊女

例43：作品未題著者原名

線	
943.4	明文徵明小楷中峯和尚梅花詩／（明）文徵明〔書〕
6695-2	.--影印本；初版.--臺北市：華正，民74
74	22面；31公分
	新臺幣150元（線裝）
698253	

　　1.（明）文徵明-作品集 2.法帖 I.（明）文徵明書

例44：作品未題著作方式

記載外國著者的中文譯名，則照錄之，在追尋項應照權威檔查得標目著錄。如例43。

```
831.45    唐詩三百首／謝冰瑩譯註.--臺北市：三民，民64
736          453面：21公分
             新臺幣120元（平裝）
             按本書輯者（清）孫洙，別號退奄居士。




             I.（清）孫洙輯　II.謝冰瑩譯註
                  ◯
```

例45：作品未題著者註

```
528.406   社會教育工作站…工作紀要．第三年／劉志謙等著；
8573         〔彰化社會教育工作站策劃推行委員會編〕.--彰
71           化市：編者，民71
             〔4〕,142面：彩圖，像；21公分
             封面題名：臺灣省中部五縣市社會教育工作站…工
             作紀要．第三年
             （平裝）
688233
688234 c.2

             1.社會教育館-臺灣 I.劉志謙著 II.臺灣省立彰化社
          會教育館 社會教育工作站 策劃推行委員會編 III.題
          名：臺灣省中部五縣市社會教育工作站…工作紀要.
          第三年
                  ◯
```

例46：作品未題著者著錄法

作品僅題著者名稱，未題著作方式，則應自行加以適當職責
敍述，置於方括弧內。如例44。

凡作品未題之著者，如認為必要，可將此著者註明於附註項
中，並在追尋項中另立一檢索標目，如例45。或在著者敍述中著
錄之，加方括弧。如例46。

三、版本項著錄法

版本項包括版次、版刻及關係版本之著者敍述。著錄時以分
項符號（. --）前與書名及著者敍述項，後與出版項隔開。關係版
本之著者敍述前用斜撇與版本隔開。

版次及版本合稱版本敍述，版次指圖書的排版次數，版次的
不同，表示一書出版若干年後，在內容上或形式上可能因學術的
進步需要做若干的修改或增訂，重新出版，如此才能合乎新的需
求，這種新版書尤其是科技方面圖書自然會受到讀者的重視，凡
是不同版本的作品，都應當重新編目。在現代的中文圖書，常將
印次與版次混為一談，印次是指同一版次的書重複印刷的次數。
這種現象造成圖書館採訪和編目作業上很多困擾，讀者更難以分
辨，常有受騙之感。國內出版界實有必要將二者的概念加以廓
清。近年來，臺北市純文學出版社、臺灣學生書局、聯經出版事
業公司等幾家出版書局已將印次與版次分別記載於版權頁上，這
是可喜的進步現象。

除非作品的內容形式上有所不同，若只根據原版次重為印刷
出版，不論書上是否載明印次，均做為原版次複本書處理，不另
作為新書編目。而且，同版次而重印的圖書，若僅有下列改變情

形者，亦作爲複本處理，不另作新書編目：

(一)印刷年代與同版出版年代不同。

(二)出版者名稱僅稍有不同。

(三)裝訂不同者。

(四)國際標準書號 (ISBN, ISSN 等) 改變者。

(五)叢書項稍有改變者。

　　如書上題有臺初版，臺一版等字樣係表示在臺灣重印民國三十八年以前在中國大陸出版書籍，則此種情形，因出版地、出版者改變，或版面均已顯著不同，應依新版次，另爲編目。但如係新書，則臺初版、臺二版與初版、二版無異，應比照上述版次及印次的方式處理。

　　著錄版本及版次等版本敍述時，均應依書上所題名稱字樣著錄，初版的敍述可予省略，如例47。版本名稱出現在書上的

```
752.264    美國圍堵戰略／蓋廸斯 (John Lewis Gaddis) 〔
8585           撰〕；楊連仲譯.--〔臺北市〕：三軍大學，民
               73-74
               4 册；22公分.--（軍事參考譯著；003）
               譯自：Strategies of containment
672151 v.1     (平裝)
672152 v.1
  c.2
679569 v.2
679570 v.2
  c.2


           I.蓋廸斯 (Gaddis, John Lewis) 撰 II.楊連仲譯
```

例47：初版書

形式，種類繁多，如記載在同一行，則依其形式直接著錄，如例48。如分開或分段出現，則中間以分號（；）分隔開。如例49。

```
192.31     常禮舉要／李炳南編述.--重排初版.--臺中市：青蓮
8425       出版：臺中蓮社發行，民73
73         8,28面；21公分
           國語注音
695119     非賣品（平裝）




           1.禮儀  I.李炳南編述


                        ◯
```

例48：版本敍述直接著錄

```
221.52     觀世音菩薩普門品講話／森下大圓著 ；釋星雲譯.--
8737       新排本 ；初版.--高雄市：佛光出版；高雄縣大樹
8753       鄉：佛光山寺，民73
           2,159面：圖；21公分.--（佛光叢書；1）
698595     （平裝）




           1.法華部  2.觀音經—註釋  I.森下大圓著  II.釋星
           雲譯
                        ◯
```

例49：版本敍述分開著錄

關於中國圖書的版本名稱，現列舉於後，以便著錄參考：

(一)以寫本區分有鈔本（寫本），影寫本，精鈔本，稿本（手稿本，清稿本），寫定本，烏絲欄（或朱絲欄）鈔本，內府寫本（進呈本）。

(二)以搨本區分有搨本，烏金搨，蟬衣搨，朱搨本（墨搨本）等。

(三)以刻本區分有刊本（刻本、槧本），原刊本（原刻本），舊刊本，精刊本，寫刊本（寫刻本），翻刻本（覆刻本），通行本，修補本，配本，活字本，聚珍本，高麗活字本，百衲本，邋遢本，三朝本，官刻本，家刻本，坊刻本，宋時各地刻本（如蜀本，閩本，建本，麻沙本，浙本，婺州本），外國刻本（如日本刻本，高麗本，越南刊本），初印本（後印本），朱印本（藍印本），朱墨本（套印本），影印本，石印本，鉛印本，珂鑼版印本，打字影印本，書帕本。

(四)以印刷質量區分有單行本，抽印本，附刻本，普及本（豪華本）。

(五)以字體及裝訂形式區分有大字本，小字本，仿宋本，合訂本，毛裝本，巾箱本，袖珍本。

(六)以內容區分有校本，節本，批點本（評本），注本，殘本，標點本，增訂本，訂正本。

由於現代圖書大都是鉛印本或打字影印本，因此這兩種版本可省略不予著錄。若版本敍述不止一種文字，僅著錄正書名所使用的語言即可。

凡作品除原本著者外，其對版本修改增補之著者敍述，著錄

於版本敍述之後，中間以斜撇（／）隔開。如例50：

312.93　　計算機概論與實習／張啓三編著.--修訂一版／施新
8734　　　發修訂.--臺北市：三林，民74
74　　　　2冊：圖；21公分
　　　　　新臺幣340元（平裝）

698369
　-70 v.1-2

　1.電子計算機 I.張啓三編著 II.施新發修訂

例50：關係版本之著者敍述

四、出版項著錄法

　　出版項敍述一書有關出版情形的資料，由出版地（出版者所在地）、出版者及出版期等所構成。必要時，有關印刷情況，如印刷地（印刷者所在地）、印刷者及印刷期也可著錄在出版項中。

　　著錄時，出版項前以分項符號（.--）與前版本項或書名及著者敍述項隔開，出版地之後以冒號（：）與出版者隔開，出版者之後以逗點（，）與出版年隔開，兩個出版地以分號（；）隔開，其著錄順序及標點符號舉例如下：

　　出版地：出版者，出版年

出版地；出版地：出版者，出版年

出版地：出版者：發行者（或經銷者），出版年

出版地：出版者；發行地：發行者（或經銷者），出版年

出版地：出版者，出版年（印刷地：印刷者）

出版地：出版者：發行者（或經銷者），出版年

出版地：出版者，出版年，版權年

　　著錄出版項，通常以書名頁、版權頁、封面等處所題資料爲準，如例51。如果這些地方不記載出版項的資料，應參考其他地方記載的資料著錄，需加方括弧，如例52。如出版地或出版者無從查考，則出版項可著錄爲〔出版地不詳〕或〔出版者不詳〕。如例53。

```
121.339    莊子宗敎與神話／杜而未著.--臺北市：臺灣學生，
8457          民74
              11,189面；21公分.--（宗敎叢書；2）
              附錄：參考書目
              新臺幣120元（平裝）.--新臺幣170元（精裝）
697795
697796 c.2

              1.莊子 I.杜而未著
```

例51：出版項著錄法

　　若書上出版資料的記載，除中文外，尚有其他文字，僅著錄中文卽可。如：

008.81 8393	越戰期間越共「思想傳播」之研究／曾銀埔撰.--〔 　臺北市：撰者〕，民74 　〔4〕，151面；26公分 　指導教授：祝振華 　碩士論文--政治作戰學校新聞研究所
698041	附錄：參考書目 　（平裝）

　　　1.戰略　2.越南一歷史一越戰（1961-1975）
　I.曾銀埔撰

例52：作品未題出版者

078 8374:2 70	鷄肋集／孫振亞〔撰〕.--〔出版地不詳：出版者不 　詳〕，民70 　〔4,166〕面；26公分.--（浮萍草臺；第21集） 　（平裝）
630548	

　　　1.論叢與雜著一民國67-　（1978-　　）I.孫振亞
撰

例53：出版項不詳

書名頁等：

　　　出版者：中國出版公司

　　　　　臺北市忠孝東路一段一號

　　　Publisher: China Publishing Co.

　　　　　　　1. Chung-Shiao E. Rd., Taipei.

著錄為：臺北市：中國出版公司

　　若作品載有二個以上出版地、出版者，及經銷者，擇其排列最前者著錄卽可。若書名頁等所題出版者，除總公司名稱以外，尚有分公司名稱，僅著錄總公司卽可。如：

版權頁等：

　　　出版者：南一書局企業有限公司

　　　總公司：臺南市博愛路76號

　　　臺北分公司：臺北市敦化南路545巷38號

著錄為：臺南市：南一

　　但編目機構所在國家之出版地及出版者，或印刷字體顯著者，雖載於第二個以後次要位置者，仍予著錄。如：

　　書名頁等：臺灣省政府教育廳・臺北市政府教育局共同發行

　　著錄為：〔臺中縣霧峰鄉〕：臺灣省教育廳；〔臺北市〕：

　　　　臺北市教育局

書名頁等：香港　集成書局　正中書局（臺北市重慶南路一
　　　　　段）

著錄為：香港：集成；臺北市：正中

　　在國內的政府出版品和個人出版的學位論文如博士碩士論文
常不載明出版地，著錄出版地應加方括弧，而學位論文的出版地
以其學校所在地，出版者則以著者著錄。例54：

008.84　　　臺北市男士保養化粧品使用者生活型態之研究／簡仁
8669　　　　　傑撰.--〔臺北市〕：撰者，民74
　　　　　　　〔9〕,131面：圖；27公分
　　　　　　　指導教授：郭崑謨
　　　　　　　碩士論文--國立政治大學企業管理研究所
697639　　　附錄：1.問卷；2.參考資料
　　　　　　　（平裝）

　　　　　　　1.化粧品—調查 I.簡仁傑撰

例54：未題出版地

　　作品的出版項資料，由出版者加蓋印章，或用一新標籤覆貼
在原來出版資料上，致使原印在作品上的出版項資料被印章或標
籤蓋住，卽以印章或標籤上的出版資料著錄之，原出版資料若能
辨識，則著錄於附註項。

　　中文圖書常有將以前出版的書籍，以影印翻印出版，如影印
本仍保留原版書的書名頁、版權頁等，出版項應以影印本的出版

資料著錄，而且將原版書的出版資料，著錄於附註項內，加「據……影印」等字樣。如例55：

```
008.81      建立臺灣地區中文圖書線上合作編目系統之研究／陳
8723:4      為賢〔撰〕.--〔臺北市 ： 國立中央圖書館復印，
            民73〕
            7,129面：圖；25公分
            指導教授：何光國.
674360      據民72年撰者論文復印
            碩士論文--國立臺灣大學圖書館學研究所
            附錄：1.中國機讀編目輸入表等３種；2.參考書目
            （精裝）


            1.編目─自動化 I.陳為賢撰
                 ◯
```

例55：影印本出版項

　　若作品中載有錯誤不實的出版資料，出版項仍應照原題著錄之，而將正確資料著錄於附註項中。但小型圖書館採用第一著錄層次（簡略層次）者，因無附註項，此時宜以正確出版資料代替錯誤不實的出版資料著錄於出版項。

　　出版地的著錄，在臺灣地區著錄至縣市及鄉鎮，中國其他地區，可著錄至省及縣市。如：臺中縣霧峰鄉，廣東省新會縣。如為外國，宜加國名，外國地名宜以中文譯名著錄，如：美國紐約。作品上若無出版地之記載且不可考者，可著錄可能之地名於方括弧內，後加問號。如：

　　〔臺北市？〕：廣明寺

如無法推測，應以國名（外國出版地）、省名著錄，若其國名、省名有疑問者，亦加問號於後。如：

　〔美國〕

　〔廣東省？〕

　若出版地均無法查證者，則以〔出版地不詳〕著錄之，如例56：

220.7	佛教信仰的好處／江啓超編著 .--〔出版地不詳〕：
8364	佛光精舍，民70
	186面；21公分
	非賣品（平裝）
695112	

1.佛教─論文，講詞等 I.江啓超編著

　　例56：出版地不詳

出版者詳細地址，可酌情加於出版地之後，置於圓括弧內，如例57。但著名出版者，已出版三年以上舊出版品，載有國際標準書號（ISBN），或國際標準期刊號（ISSN）者，則不必著錄此項詳細地址。

出版者名稱依作品所載著錄於出版地之後，併載發行人及發行所或出版人及出版所時，著錄發行所或出版所。出版項中若逕

```
┌─────────────────────────────────────────────────────────────┐
│ 221.36    地藏菩薩本願經概說／釋西來著.--臺北市（重慶南         │
│ 8747       路三段26號）：蓮華精舍，民75                        │
│            150面；21公分                                       │
│           （平裝）                                            │
│                                                               │
│                                                               │
│                                                               │
│            1.淨土部 I.釋西來著                                 │
│                                                               │
│                        ◯                                      │
│                                                               │
└─────────────────────────────────────────────────────────────┘
```

例57：出版地詳細地址

```
┌─────────────────────────────────────────────────────────────┐
│ 312.94    精編dBASE II 程式設計／張顯洋編著 .-- 臺北市：       │
│ 8744:3     儒林，民74                                         │
│            7,278面：圖；24公分                                 │
│            附錄：1.指令與函數摘要；2.dBASE II錯誤訊息         │
│ 698385     新臺幣160元（平裝）                                │
│ 698386 c.2                                                    │
│                                                               │
│            1.電子資料處理 I.張顯洋編著 II.題名：dBASE         │
│            II程式設計                                          │
│                                                               │
│                        ◯                                      │
│                                                               │
└─────────────────────────────────────────────────────────────┘
```

例58：出版者

以發行者或出版者著錄，不必加記其職責敍述，如例58。若除出
版者外，尚有發行者或經銷者，則不宜省略其職責敍述，應予分
別著錄，其著錄的順序是先出版者，次為發行者，再為經銷者。
如例59：

943.5	雙烈女廟碑／馬克山書．--再版．--臺北市：聯大出
8356-2	版；臺北縣永和市：章麓文發行，民74
74	〔42〕面；36公分
	新臺幣120元（平裝）
698333	

1.法帖 I.馬克山書

例59：不同性質出版者

出版者名稱常為一很長的全名，著錄時，應盡量省略其累贅
字樣，但以不妨碍辨識為原則。如：
書名頁（版權頁）等：臺灣商務印書館股份有限公司
著錄為　　　　　：臺灣商務
書名頁（版權頁)等：臺灣省教育廳臺灣書店
著錄為　　　　　：臺灣書店
若出版者為著者時，則以「著者」、「編者」……等字樣代
替出版者名稱著錄之。如例60：

```
906.6      中國傳統技藝研習成果聯展專輯. 民國七十三年／臺
8655       灣省政府教育廳編.--臺中縣霧峰鄉：編者，民73
73         120面：部份彩圖；26×27公分
           （平裝）

673846




           1.民俗藝術－展覽  2.美術工藝  I.臺灣省教育廳編

                        ◯
```

例60：出版者為著者

出版者或經銷者不詳，而作品中載有印製事項，可著錄於出版項之後，置於圓括弧內。如例61：

```
225.4      每日念佛法門／圓瑛講.--〔出版地不詳：出版者不
8757       詳〕，民73（天山印製廠印刷）
73         80面；19公分




           1.佛教  I.釋圓瑛講

                        ◯
```

例61：印製事項說明

　　出版日期以版本項所載該版首次發行的年代爲出版年，如例
62。同一出版者所重印同一版次的印次年代不予著錄，但若一書

```
578.1      核子時代的國際關係／王育三著.--再版.--臺北市：
8434:2        黎明文化，民74
74            〔6〕,356面：圖；21公分
              每章末附註釋
              新臺幣150元（平裝）


685208



           1.國際關係  I.王育三著
```

例62：不同版次出版年

```
541.201    文化哲學的試探／劉述先著.--臺北市：臺灣學生，
8777          民74
74            239面；21公分.--（文化哲學叢刊）
              民國59年臺北市：志文出版社初版
              新臺幣140元（平裝）.--新臺幣190元（精裝）
697799
697800 c.2



           1.文化─哲學  I.劉述先著
```

例63：不同出版者重印本之出版年

另有其他出版者，加以重印或印行時，則以該重印本初次印行的年代為出版年。如例63。

關於同一版次的重印本，即是同一版次的不同印次，即使印刷年代與同版的出版年代不同，仍視為原版次的複本處理。但如重印本與原版次有顯著不同，得重為編目，除版本敍述項仍著錄原版次外，出版項中的出版年得以印刷年代註於出版年之後，並加圓括弧。如：

書名頁、版權頁等記載：中華民國六十八年六月初版

中華民國七十二年五月第三次印行

出版年著錄為　　　　　：民68（民72第三次印行）

如書名頁、版權頁等所載資料，無法確定同版次的出版年或印次年，則視為出版年照錄之。如作品之出版年記載有誤，仍依書中所載著錄，然後將正確年代註明於其後，並加「〔實為……〕」等字樣，必要時，得在附註項中說明。如：

書名頁等題：民國七十六年出版

著錄為　　：民76〔實為民67〕

日期在一般出版品著錄至年代即可，如為連續性出版品可視其刊期酌予著錄至年月，或年月日，詳見第五章第一節連續性出版品編目法。

出版年以書名頁、版權頁、封面、前頁資料、末頁資料等所載出版年代著錄，若出版年不是在這些地方查出來，則應加方括弧，不論書上以國字、羅馬數字記載，出版年均以阿拉伯數字著錄，並以中國紀年為主，如出版年用西元或外國紀年者，照錄之，但應加註中國紀年於方括弧內，如例64。其以干支或其他代字

```
參
942.04    中國書法大辭典／梁坡雲主編.--香港：書譜，1984
8673      〔民73〕
          2冊（60,2029,100面）：圖，書影；27公分
          附錄：1.中國書法史事年表等2種；2.徵引書目表；
698343-4  3.總索引
v.1-2     港幣500元（精裝）


          1.書法—字典—辭典　I.梁坡雲主編

```

例64：外國紀元的出版年

紀年者，亦照錄之，並註明其年代於後。

　　作品如屬多冊書，或連續性出版品，非在一年內全部出版而致其出版年不同時，則須註明其最初出版年及最後出版年，中間用一連字符號（—）。若編目時，僅有一部分，或最後一冊還未出版，則僅著錄最初年代，最後出版年空白，或將最近的年代暫以鉛筆記錄，俟全部完全出版，再予正式著錄。如例65。

　　單冊的活頁本，其資料常需補充，或抽換，因此，其出版年僅著錄最初的年代，而在其後加一連字符號（—）。如例66。

　　作品如無出版年的記載，可依下列先後次序，由作品記載的各種年代擇一著錄。

　　（一）版權年——後加「版權」二字

　　　　版權頁記載：民國七十三年二月著作權登記

　　　著錄為　　　：，民73版權

```
312.93      計算機概論與實習／施幸發，沈達三，張慈中編著.
8457:5       --臺北市：儒林，民74-
              2 冊；圖；23公分
              每章末附習題
698369  v.1   新臺幣170元（上冊：平裝）
698370  v.1
c.2


          1.電子計算機  I.施幸發編著  II.沈達三編著
       III.張慈中編著
```

例65：未出齊的出版年

```
963         配色技法／漢欣文化事業公司出版部編譯.--臺北
8696         市：漢欣，民73-
              1 冊（活頁）：部份彩圖；28公分
              譯自：The coloring book
              新臺幣420元（平裝）



          1.色彩(藝術)  I.漢欣文化事業公司 出版部編譯
```

例66：活頁裝的出版年

(二)印製年——後加「印刷」、「印製」、「製作」等字
　　樣。但第一次印刷年可視爲出版年著錄之，加方括弧。

書名頁等記載：民國七十三年三月第二次印製

著錄為　　　：，民73印製

版權頁等記載：民國七十二年六月第一次印刷

著錄為　　　：〔民72〕

(三)序跋年——後加「序」或「跋」等字樣。

序言題：著者序於民國七十四年乙丑冬

著錄為：，民74序

　　如作品的印製年不能視爲該版次的可能出版年（卽非第一次
印刷的年代），而可能的出版年與版權年相差在三年內者應著錄
版權年，將此印刷年著錄其後，並加圓括弧，但可能的出版年與
版權年相差四年以上，則著錄印刷年，置版權年於其後。如：

版權頁上題：民國70年登記著作權

　　　　　　民國72年第三次印刷

序言題　　：民國70年序

著錄為　　：民70版權（民72印刷）

版權頁上題：民國62年登記著作權

　　　　　　民國75年第九次印刷

著錄為　　：民75印刷，民62版權

　　如作品上連上述版權年、印製年、序跋年等均未記載，則編
目員應推定其可能的出版年代著錄之，加方括弧，如：

，〔民65？〕　　　　　（可能的年代）

，〔民60—69年間〕　　（可能的十年間）

，〔民71或72〕　　　　（該年或次年）

，〔清光宣年間〕　　　（清光緒宣統之交）

，〔民初〕　　　　　　　　（民國初年）

但版權年與可能的出版年相差四年以上時，則應著錄可能的出版年，同時將版權年著錄於後，以逗點（，）隔開。如：

版權頁上記載：民國75年登記著作權

序言題　　　：民國70年

著錄為　　　：〔民70？〕，民75版權

五、稽核項著錄法

稽核項是記載關於一書是否完整及物質特性，屬於一種數量鑒定，包括圖書的面數或冊數、插圖與其他稽核細節、高廣尺寸，及附件等四部分，著錄時，在出版項之後，另起一段記載，即從出版項的下一行，第二縮格開始寫起，如需回行，則由第一縮格續寫，所使用的標點符號約有下列數種：

冊數或面數；高廣

冊數或面數：插圖；高廣

冊數或面數；高廣＋附件

冊數或面數，圖版面數：插圖；高廣＋附件

冊數（面數）：插圖；高廣＋附件

稽核項的著錄來源為全書，因此除面數另有規定外，均不加方括弧，而且凡記數的數字均以阿拉伯數字著錄。

凡單冊作品著錄其正文的面數為主，正反兩面皆印刷者記其面數，僅印一面者，記其葉數，如書中含有未列入正文編次的圖版，記「圖版××面」於面數之後，以逗點（，）隔開，未標面數或合計的面數，應加方括弧。如：

326 面

〔256〕面，圖版〔14〕面

若全書之面數連貫，以載於書上最後一面數字為準，均應除去空白頁，廣告或其他與本書無關的資料面數。正文前的前置部分與正文後的後置部分，其面數另計者，則依其在書中次序，著錄其面數，中間以逗點（，）隔開，如例67。若前置部分或後置部分的面數不止一組或未標面數，則計其數量後著錄之，並加方括弧。如例68。

若正文之面數有二組以上，則連同前、後置部分合計全書面數，並加方括弧。如例69。

原書所標面數顯然有誤時，則著錄實際面數，加方括弧。並在附註項中註明「面數誤題×面」等字樣。

若由某一書或期刊中抽印者，標原有書刊之起訖面數，則不記其總面數，而著錄其概括的面數。如例70。

```
293.3      命名寶典／黃譯德編著.--臺南市：西北，民75
8345:2       2,174,64面；19公分.--（命相叢書；3）
75-2       本書即最新姓名學
             附錄：1.姓名條例；2.申請更改不雅姓名辦法；
698444       3.萬年曆
             新臺幣60元（平裝）




           1.姓名學  Ⅰ.黃譯德編著
              ◯
```

例67：面數著錄法

```
610.83    廿二史劄記校證 36卷，補遺１卷／（清）趙翼著.--
743         臺北市：王記出版：仁愛總經銷，民73
73         〔24〕,889面；22公分
            附錄：1.淸代改譯遼金元三史人名官名地名與原譯
698724     名對照表；2.舊序與題跋
            新臺幣300元（精裝）


            1.中國─歷史  I.（淸）趙翼著
                   ◯
```

例68：前置部分合計面數

```
584.31    沙烏地阿拉伯招標條例／中央信託局貿易處編譯.--
8665-2    〔臺北市〕：編譯者，民67
            〔39〕面；21公分.--（貿易叢書；第１種）
            譯自：Rules for implementation of tenders
494521    regulations
            贈閱（平裝）


            1.契約（法律）  I.中央信託局 貿易處編譯
                   ◯
```

例69：合計面數

861.57　　　天人五衰／三島由紀夫著；邱夢蕾譯.--臺北市：星
8457　　　　光，民73
　　　　　　751-1023面；19公分.--（雙子星叢書；278）
　　　　　　新臺幣105元（平裝）

　　　　　　Ⅰ.三島由紀夫著　Ⅱ.邱夢蕾譯

　　例70：概括面數

　　但一書有獨立的面數，同時又標示另一種屬於上一大層次作品中的連續面數，則著錄該冊書獨立的面數，而將連續面數註明於附註項中。如：

480 面

附註：面數亦標931-1410面

　　一書含二種語文，而其面數對照，應將該重複的面數，依書中的標示著錄，並在附註項中說明。如：

8，124，124 面

附註：各頁對照，頁碼重複

　　中國書籍的線裝書，學位論文等，常用包背裝形式，只印單面，對摺以後，印刷面在外，空白面在內，仍視為一葉，依上述有關方法處理。

　　一書不標面數，或各篇章之面數各自起訖者，應核計，且總

面數可能超過二百面以上者，得以五十面爲基數，著錄其約計面數，數字之前冠「約」字，如例71。也可簡單的著錄1冊（面數龐雜）或1冊（不標面數），但以儘量著錄其約計面數爲宜。

789.2　　黃氏大宗譜／臺北黃氏宗親會黃氏大宗譜 編 輯 部 編
837　　　纂 ；黃英傑主編 ；何兆欽彙編.--臺北市 ： 編纂
63　　　　者，民63
　　　　　約500面：圖；22公分
　　　　　（精裝）

128487

　　　1.黃氏一譜系 Ⅰ.黃英傑主編 Ⅱ.何兆欽彙編 Ⅲ.臺
北黃氏宗親會黃氏大宗譜 編輯部編纂

例71：約計面數

　　若書籍最後部分佚去或不完整而無法確知原有面數時，應在現有面數後，記一加號（＋），並於附註項中註明，如：

8，247＋面

附註：館藏不全，247面以後佚去

　　若一書不止一冊，且各冊面數各自起訖者，則著錄其冊數，不必記其面數；但如各冊面數連貫者，除著錄其冊數外，並將總面數及前後置部分的面數附記於冊數之後，加圓括弧，中間的副面數（如上冊的後置部分面數及下冊的前置部分面數）均予省略，如：

2冊

　　　〔説明：原書第一冊21,576面；第二冊21,458面〕

3冊（47,3165面，圖版〔8〕葉）

　　　〔説明：原書第一冊47,1020面，圖版8葉；第二冊20,
　　　1021-2140面；第三冊25,2141-3165面〕

　　若一書的卷數或冊數，與實際所裝訂成的冊數不符時，應著錄其裝訂後的冊數，而將其原卷數或冊數記載於裝訂冊數之後，加圓括弧。必要時，將改裝情形註明於附註項中。如：

4冊（原3冊）

附註：中冊分訂2冊

　　書籍裝於函套中，如線裝書之裝於函者，得在冊數之後，記明其分裝之函套數，加圓括弧。如：

洪北江全集　122卷/（清）洪亮吉撰

　　　84冊（8函）

　　一書如有摺疊的張數，應於面數或葉數之前加「摺」字，如：

摺234面

175面，摺表32葉

　　為便於補充或抽換資料，而以活頁方式出版的圖書，其面數未定，故應著錄其冊數，並於冊數之後，註明活頁，加圓括弧。如：

1冊（活頁）

2冊（活頁）

　　書籍中附有插圖，通常以「圖」字著錄之，「圖」字可代表一切插圖，若書中有特殊重要的插圖，則予個別著錄。著錄時，

插圖的種類除圖以外，可依筆畫多寡和筆順排列。如：地圖、表格、設計圖、圖表、影抄、樂譜、譜系表等，其他一般插圖概以

563.7　　　再保險入門／黃範著.--臺北市：著者發行：三民總
837　　　　經銷，民74
　　　　　　8,〔264〕面：圖，表格；21公分
　　　　　　附錄：1.產物保險公司意外險第一再保業務分入成
　　　　份及限額表等16種；2.參考書籍
698785　　　新臺幣150元（平裝）

　　　　1.再保險　I.黃範著

例72：插圖著錄法

575.193　　臺北市…里長選舉實錄. 第五屆／實錄編纂小組編纂
/101　　　　.--臺北市：臺北市選舉委員會，民74
8658　　　　〔16〕,457面：彩圖，摺圖；27公分
　　　　　　附錄：選舉公告等 6 種
697663　　　（平裝）
697664 c.2

　　　　1.選舉—臺北市　I.臺北市里長選舉實錄編纂小組
編纂

例73：彩色插圖摺圖

「圖」著錄，各類插圖間以逗點（，）隔開。如例72。

　　插圖的顏色在二種以上者爲彩色插圖，著錄時，應冠以「彩」字。若僅部分爲彩色，則再冠以「部分」於「彩」字之前。如插圖大於書頁而摺疊於書中者，冠以「摺」字。如例73－74。

```
578.1      一九八〇年代世界權力趨勢及美國外交政策／克萊恩
8585-2     Ray S. Cline 著 ； 奚明遠編譯.--臺北市：國防
           部史政編譯局，民71
           〔18〕,252面：部份摺圖；21 公分.--（軍事參考譯
           著；178)
638699     本書另由臺北市：黎明文化出版
638700 c.2 譯自：World power trends and U. S. foreign
           policy for the 1980s.
           著者改譯克萊恩
           （平裝）



           I.克萊因（Cline, Ray S.）著 II.奚明遠編譯
```

　　　例74：部分摺圖

　　書中重要的插圖，得據圖上標號、目次上所標示或核計所得，著錄插圖數量。如：

　　：圖，4幅地圖

　　書中插圖及正文的面數，各自起訖，則其二者面數依其實際順序同時著錄。如：

　　44面，圖16面

　　15面圖，234面

　　若一書的內容，全部爲插圖，或主要爲插圖者，則插圖之前

冠以「全部為×」或「主要為×」等字樣。如：

臺灣省各縣市地圖集

46幅：主要為彩地圖

光頭探員／蔡志忠繪

6冊：全部為圖

插圖如置於書末口袋中者，稽核項目中仍著錄圖，而將其數量及放置位置記在附註項。如：

〔15〕，358面：地圖；26公分

附註：摺地圖4葉置於書末口袋中

一書之高廣以封面的長寬為準 ， 以公分為度量單位而記載之，未滿一公分之零數，均作一公分計算，但小冊子因其高廣較小，如不到十公分者，則未滿一公分的零數照計。合訂書籍記其裝訂後的高廣，一般圖書僅記其高度，但一書的寬度不及高度的一半或寬度超過高度者，前者屬於長本，後本屬於橫本，則高度與寬度並記之。著錄時，高度在前，寬度在後，中間以乘號（×）隔開。如：

(一)長本：寬度不及高度一半者

；26×12公分

(二)橫本：寬度超過高度者

；21×26公分

一套叢書或多冊書各冊的高度不同，如高度相差不超過兩公分，僅記其最大高度，若相差兩公分以上，則著錄最大與最小高度，二者之間以一連字符號（-）隔開。如：

；26-30公分

散葉印刷品，應將其高度及廣度並錄之。其以摺疊方式出版者，將摺疊後的高廣記於其後。如：

；48×30公分摺成21×15公分

附於一書同時出版並且與其配合一起使用之附件，可於高廣之後，著錄其名稱（或包括稽核事項），中間以加號（＋）隔開。如例75：

```
426        布玩偶手工藝／周琦編譯.--臺北市：欣大，民72
865           164面：部分彩圖；19公分＋紙型1張.--（淑女
           叢書；19）
           新臺幣60元（平裝）

697412


           1.玩具 2.家庭工藝 I.周琦編譯

                        ◯
```

例75：附件著錄法

附件著錄於稽核項之後，須符合下列三個條件：

（一）與主要作品同時出版，同一出版者，並且是配合與主要作品一齊使用者。

（二）附件的著者與主要作品的著者相同，或不著附件的著者，或附件著者雖與主要作品的著者不同，但不必爲附件著者做著者的檢索款目者。

(三)附件的題名僅爲一普通名稱，不能單獨成爲一個完整書名，需要依存於主要作品的書名者。

附件若有下列情形者，可在附註項中註明之：

(一)附件對於主要作品並非重要，可視爲附錄，註明於附註項。

(二)附件名稱很長，或其稽核資料，需詳爲敍述時，可在附註項中詳爲註明。

(三)附件隨書出版，且裝置於封底裏的口袋中，可於附註項中說明之。

若附件有單獨題名，又可以與主要作品分開單獨使用時，則應視爲另一獨立的作品，另行編目。

六、叢書項著錄法

叢書亦稱集叢，是將許多性質或形式相近的單行本集合在一起，具有一總書名，集合成的這一套書即爲叢書，此總書名即爲叢書名，著錄時，叢書名、叢書編者、叢書編號記載下來組成叢書項，其作用在於協助顯示本書的性質和價值。例如臺北市臺灣學生書局出版的中國史學叢書三編／劉兆祐主編有關閩棗底稿、穎州奏稿等書，我們從單獨的閩棗底稿、穎州奏稿不易瞭解其大致內容性質，但從叢書名：中國史學叢書，可知它屬於有關中國史料，再從主編者劉兆祐，亦可幫助讀者了解它的價值了。

叢書項據該書上所記載資料著錄，非從本書著錄的項目，應加方括弧，叢書項資料通常載於書名頁、版權頁、封面和書背上端，且常常印於書名的上面。由於叢書集合了性質相近的書籍，

　　因此讀者讀了該叢書中的某些作品，可能還想找該叢書內同性質
的其他作品，滿足「卽類求書」的需求，因此叢書名的著錄對讀
者幫助很大，如能另製叢書名片，更能方便讀者的檢索。

　　叢書項著錄在稽核項之後，中間以分項符號（.--）隔開，
並且叢書項要加圓括弧。著錄時所用的標點符號舉例如下：

　　.--（叢書名；叢書號）

　　.--（叢書名.副叢書名；叢書號）

　　.--（叢書名：其他書名資料；叢書號）

　　.--（叢書名，ISSN；叢書號）

　　.--（叢書名.副叢書名，副叢書之ISSN；叢書號）

　　.--（叢書名＝叢書並列題名；叢書號）

　　.--（叢書名／著者敘述；叢書號）

　　.--（叢書名：其他書名資料，ISSN.副叢書名：其他副書
　　　名資料，ISSN＝叢書並列書名.副叢書並列書名／著者
　　　敘述；叢書號）

　　爲簡化叢書項的著錄，一般只著錄叢書名、副叢書名及叢書
號三項卽可，其餘可予省略。而叢書名若有不同時，以載於書名
頁、版權頁、封面等處者爲主，其餘可著錄於附註項。若這些主
要著錄來源載有不同的叢書名，應選錄其重要而簡明者。例如一
書，經另一出版者重印，而仍保留原來叢書名時，則此叢書名著
錄於附註項。如：

　　原屬叢書：萬有文庫薈要

　　叢書的副書名，一般可以省略，不必著錄，但有助於辨識的
叢書副書名資料，可著錄於叢書名之後，中間以冒號（：）隔

開，其著錄方法可參考本節中副書名各條方法。如：

　　兒童科學叢書：奇妙的自然世界

　　叢書的國際標準叢刊號碼，可著錄在叢書名之後，中間以逗點（，）隔開，著錄時，依標準形式，先記「ISSN」字樣，後空一格，再記其號碼，兩組數字以連字符號（-）相連。如：

　　（省政建設叢書，ISSN 0494-5115）

　　叢書中包括的小叢書，卽爲副叢書，或稱附屬叢書，著錄於主要叢書之後，以一圓點（·）及一空格隔開，並且與主要叢書名著錄在同一圓括弧內。副叢書名如由字句或數字爲主的編次所組成，照錄之。若包括編次及書名，則先著錄編次，再著錄書名，中間以逗點（，）隔開。如：

　　（中華叢書．國立中央圖書館目錄叢刊）

　　（科學圖書大庫．童子軍科學叢書）

　　（四庫全書珍本．別集）

　　（教育計劃叢書．甲種，專題研究報告）

　　（教育計劃叢書．乙種，調查研究報告）

　　副叢書的其他副書名資料及 ISSN 的著錄法均與叢書名相同，採用第一和第二著錄層次，可以省略不予著錄。

　　叢書如有叢書並列書名，或副叢書並列書名，可著錄於叢書名或副叢書名等之後，中間以等號（＝）隔開。其著錄方法與並列書名同，如：

　　（世界文明史＝The story of civilization）

　　作品如載明叢書的著者敍述，通常省略不予著錄，但如叢書是一普通名稱，或屬於個人的專集作品，需著者敍述，以便於辨

識時 ， 則可將該叢書之著者敍述著錄於叢書名敍述 （包括叢書名、叢書副書名、ISSN、副叢書、叢書並列書名……等）之後，中間以斜撇（／）隔開。其著錄法與本節書名及著者敍述項中的著者敍述相同，請參考上述說明。

　　叢書號卽爲叢書的編次，著錄時應力求簡明，不必要之文字可予省略，數碼以阿拉伯數字記之，中間以分號（；）隔開。如例76：

575.232 /101.08 8477 v.130	臺北市國民中小學圖書館設置及作業規範設計之研究 ／李建興，林孟眞主持.--臺北市：臺北市政府研 究發展考核委員會，民75 4,282面：圖；26公分 . --（市政建設專題研究報 告；第130輯） 　附錄：1.參考書目； 2.中國圖書分類法綱目表等 5種
696005	（平裝）
	1.圖書館—臺北市　2.學校圖書館　I.李建興主持 II.林孟眞主持

例76：叢書項著錄法

　　作品爲多册，其叢書號連續者，著錄起訖號碼，如號碼不連續，則依次分別著錄。如：

　　；第3-5册

　　；第3，5，8册

　　若編目時，只有首册的叢書號，沒有後面各册叢書號，或尚

未出版而無法確定時，應著錄首冊叢書號。叢書號爲連續者，後加一連字符號（-），如不連續則後加一逗點（，），後面並留四字，以供添加，並可用鉛筆將已知的叢書號記入，俟最後一號碼確定後，方才予完全著錄。相反的，如編目時，只有最後一冊的叢書號，前面以連字符號（-）相連。如：

　　；3-）

　　；-8）

　　叢書如有兩個以上不同的編號系統時，全部均予著錄在叢書項裏，各組編號之間以等號（＝）隔開，如其叢書號過於複雜，可省略。如：

　　（法律專刊；新1卷2期＝總9期）

　　（立法專刊；第3輯，第2冊＝民72年夏季）

　　如一書同屬於兩種以上叢書，因此，具有二個以上不同的叢

947.41　　陳朝寶漫畫巴黎／陳朝寶著.--臺北市 ： 皇冠雜誌，
8742:2-2　　民74
　　　　　　〔156〕面：部份彩圖，彩地圖；26公分.--（皇冠叢
　　　　　書；第1132種）（超級幽默系列；第1輯）
　　　　　　新臺幣120元（平裝）.--新臺幣150元（精裝）
694325
694326 c.2

　　　　　1.漫畫與卡通　2.巴黎-描述與遊記　I.陳朝寶著
　　　II.題名：阿寶遊歐記

例77：二個叢書名

書名和編號，著錄時，每個叢書項各加圓括弧。其較爲專門，或比較重要者著錄於前。如例77。

多冊書分爲若干部分，各自屬於不同叢書，或僅其中一部分屬於二個不同叢書者，應在所屬叢書項前，說明所包括的部分，或著錄於附註項中。如：

5冊：表，地圖；26公分.--（第1-2冊：國際貿易參考資料；1-2）（第3-5冊：貿協叢刊.市場研析類，69；205-207）

或如：

附註：第1-2冊收入「國際貿易參考資料之一至二」，第3-5冊收入「貿協叢刊：市場研析類，69；205至207」

七、附註項著錄法

附註項（Notes area）是著錄主體（包括書名及著者敍述項、版本項、出版項、稽核項，及叢書項）內各項的補充與說明，凡是著錄主體內各項中不及備載的資料，只要有需要說明，或需據以編製檢索副片者，都可在附註項內註明，著錄在稽核項之後，另起一段，並且每一事項自成一段，著錄的順序及形式、標點符號等依照上述各項著錄方法，但原爲分項符號（.--）者，改以一圓點（・）代替，並且除直接引用書中或其他資料上的字句加引號（" "）外，其餘均不必加方括弧。如：

譯自：The old man and the sea

據國立中央圖書館藏清光緒12年刊本影印

原出版：臺北市：獅谷出版社，民68

附錄：個人電腦字元集等13種

　　附註項著錄時，措詞須簡明扼要，其附註的種類及次序如下：

　　(一)性質、範圍、體裁：關於作品之性質、範圍及體裁，應在附註項中註明，但若著錄正文中已表示出來，則可省略，如：

西洋通史／陳驥著

　　大學用書

吃西瓜的方法／羅青著

　　新詩集

仁者畫像：陳益興老師／吳敦義編劇

　　三幕劇

　　(二)使用語文、譯作、改寫：關於作品所使用的語文、譯作、改寫等，應註明於附註項。

麥克阿瑟回憶錄／麥克阿瑟 (Douglas MacArthur) 著；張
　　瓊譯

　　譯自：General MacArthur's reminiseences

漢聲小百科／漢聲雜誌社編繪

　　國語注音

　　(三)正書名：正書名如不是得自書名頁或版權頁等主要著錄來源，應於附註項中註明。如：

張遷碑

　　卷端書名

勤修念佛法門／圓瑛講

　　封面書名

　　(四)書名不同：正書名與其他著錄來源所題書名不同時，應

將不同的書名於附註項中註明，必要時，並可爲此不同書名，另
立檢索款目，如：

　　沉鬱詩人：杜甫／譚繼山譯

　　　版權頁書名：杜甫

　　朱執信文存／邵元冲編

　　　逐頁書名：朱執信文鈔

　　成本會計：規劃與控制／連明珠譯

　　　本書另二譯名：成本會計學：規劃與控制；成本會計之企
　　劃與控制

　　新聞學／李瞻著.--六版

　　　初版書名：比較新聞學

　　〔孫中山先生哀思錄〕／孫中山先生國葬紀念委員會編

　　　書名缺詳，據文海出版社圖書目錄補

　　(五)殘存：中國書籍編目之版本僅殘存若干卷，正書名著錄
原書全卷數外，並於附註項中註明今本殘存卷數，如：

　　羣書治要　50卷／（唐）魏徵等奉敕撰

　　　原書存47卷

　　　（或：原書缺卷4，13及30）

　　(六)副書名過長：如副書名過長，不著錄在正書名之後，則
可著錄在附註項中，如：

　　司馬遷的世界／鄭樑生編譯

　　　副書名：司馬遷戲劇性的一生與史記的世界

　　(七)其他語文書名：作品除正書名外，尚有其他語文的書
名，將並列書名著錄於書名項，而其他語文的書名則在附註項中

註明，如：

中華民國當代名人錄

英文書名：Who's who in the Republic of China

(八)著者敍述：與作品有關的著者敍述，如未著錄在書名及著者敍述項內，但仍有參考價值，必需加以說明時，應在附註項中註明，如：

電力系統分析／葛洛斯（C. A. Gross）著；李捷聲譯

著者改譯為葛羅斯　　　　　　〔按：人名標目用葛羅斯〕

X光診斷學／度邊克司著；潘宏照譯

書背題著者為渡邊克司　　　〔按：人名標目用渡邊克司〕

知識的水庫／彭歌著

彭歌本名姚朋　　　　　　　　〔按：人名標目用姚朋〕

四夷館考.--

（明）佚名撰

古文觀止今譯／何書英語譯

按古文觀止係（清）吳楚材輯

春秋集解　30卷.--

舊刻誤題呂祖謙撰，據四庫全書總目訂正為呂本中撰

運動與社會／中華臺北奧林比克委員會編

版權頁題湯銘新主編

(九)版本項：與版本有關的敍述，必要時，應註明於附註項。如：

今古學考／廖平著.--影印本

據民14年成都存古書局彙印六譯館叢書本影印

群經概論／范文瀾著.--影印本

　　據國立中央圖書館藏民22年北平樸學社印本影印

鋼筋混凝土構造之耐震研究〔縮影資料〕／廖慧明撰

　　據民73年國立成功大學建築系研究報告攝製

(十)出版項：有關出版或發行的資料，不著錄在出版項，而有參考價值，可註明在附註項中，如：

文化哲學的試探／劉述先著.--臺北市：臺灣學生，民74

　初版：臺北市：志文，民59

一九八〇年代世界權力趨勢及美國外交政策／克萊恩著；美

　　明遠譯.--臺北市：國防部史政編譯局，民71

　　本書另由臺北市：黎明文化出版

(十一)稽核項：有關稽核項的資料，不著錄在稽核項，而有必要補充說明者，可在附註項中註明，如：

每頁單面印刷

冊數題第1，2上，2中，2下，3冊

面數亦標321—401面

活頁，每年補充

地圖印在襯紙

本書另有圖2葉置於書末口袋中

(十二)叢書項：有關叢書項的資料及叢書編者等，未著錄在叢書項，而有必要補充說明時，可在附註項中註明，如：

本書另版無叢書資料

第1冊至2冊叢書名：非洲展望，第3冊至第4冊叢書名：

　　第三世界

叢書主編者：國立編譯館

(十三)學位論文：獲得學位的論文作品，應在附註項中註明，先標明其學位名稱及「論文」字樣，再註明其學校及研究所名稱，中間以雙連字符號（--）隔開，如：

碩士論文--國立臺灣大學歷史研究所

博士論文--淡江大學中國文學研究所

若作品原爲著者之學位論文，另行出版，可註明於附註項中，如：

原爲著者之碩士論文

(十四)適用對象：若作品載有適用讀者的程度，可註明於附註項，如：

大學用書

青少年讀物

國中生適用

9—12歲青少年適用

本適用對象亦可註明在第(一)項性質、範圍及體裁的位置，如國立中央圖書館將適用對象著錄在性質、範圍及體裁註的位置。

(十五)其他資料類型：若作品另外發行其他資料類型，可在附註項中註明，如：

亦發行卡式錄音帶

亦發行卡式錄影帶

(十六)摘要：著作品的書名或其他各項資料，無法表示該作品的內容主題時，編目員可自擬一簡要的說明，在附註項中註明，並冠以「摘要：」字樣，如

　　摘要：本書介紹臺灣現存蝴蝶品種，凡 365 種

　　(十七)附錄，索引，參考書目等：作品中載有附錄及索引，
參考書目等資料，應註明在附註項中，索引及參考書目應提出單
獨註明，附錄有三種以上者，可註明頭一種，後面註明「等若干
種」字樣。如：

　　每章末附習題與解答

　　每章末附參考書目

　　附錄：1.中華民國憲法等5種；2.索引；3.參考書目

　　附錄：人名索引

　　(十八)內容：作品中，有些內容很重要，而在著錄正文無法
表明者，則應在附註項中加以註明，以增進讀者對作品的瞭解。
內容註本可分為正式內容註及非正式內容註二種，一般著錄在附
註項的最後一則。非正式內容註用於註明作品中部分有關內容資
料，如附錄，索引，參考書目等。在中國編目規則中，將此非正
式內容註另列為附錄註，著錄於正式內容註之前〔見上一項（十
七）：附錄，索引，參考書目等註〕，因此，此處內容註即專指
正式內容註而言。

　　著錄正式內容註時，需先用「內容：」或「部分內容：」等
字樣為前導用語，後再著錄書名 （及著者敍述） 資料，各書名
（及著者敍述）之間，以雙連字符號（--）隔開。若內容註中的著
者敍述與著錄正文的主要著者敍述相同，則可省略，僅著錄內容
註的書名即可。如例78—79。

　　內容註又可稱為目次註，它可使讀者了解作品的內容概要，
作品中若有下列四種情形之一者，可採用內容註加以說明：

```
362.07     進化論／吳惠國編選.--臺初版.--臺北市：正中，民
8835          72
             2 冊：圖；21公分.--（學生科學叢書）
             內容：1.演化的哲學--2.生物的進化
             基價3.2元（平裝）


             I.吳惠國編選 II.題名：演化的哲學 III.題名：生物
          的進化
```

例78：內容註

```
528.9061   體育司成立五週年工作報告／教育部體育司編.--臺
8734          北市：編者，民67
67            1,301面；26公分
             內有「體育司各年大事記」
             （平裝）

477503
129746 c.2


          1.體育-機構，會社等 I.教育部 體育司編
```

例79：部分內容註

1.內容複雜，書名不足以顯示其內容時。

2.多册書或叢書，各册各有單獨書名或單獨書名及不同著者時。

3.彙編許多人的篇章，每一篇章均列舉單獨篇名及著者時。

4.個人著作中，含若干不同的篇章，在學術上有特殊價值者，或附載他人著作，有特殊價值，需標明使讀者了解時。

多册書的內容註將各册次編號，記於各書名之前，並且以阿拉伯數字書寫。但如為上中下册，照錄之，如無册次編號，編目員可自行加以編號，但要加以方括弧。

一册書內，各篇章名稱及著者敍述，依書內各篇章順序著錄，如各篇章已有編號，照錄之，如無編號，則不必加註篇章編號。如例80：

```
857.44      中國人的根／〔文化圖書公司編〕.--臺北市：編
8675-4          者，民73
               22,567面；21公分
               附錄：關於美國華工禁約的詩歌等6種
               內容：1.苦社會  48回-- 2.黃金世界  20回／碧荷
697325      館主人著-- 3.拒約奇談  8章／中國涼血人著 -- 4.苦
               學生  10回／杞憂子著-- 5.劫餘生  16回／吳沃堯著
               -- 6.人境學社鬼哭狀／吳沃堯著-- 7.僑民淚／哀華著
               -- 8.豬者仔還國記／指嚴著
               新臺幣200元（精裝）


               I.文化圖書公司編  II.題名：苦社會  48回 III.題名：
                                    ○          （續見次片）
```

```
857.44      中國人的根
8675-4        （續1）



            黃金世界　20回　IV.題名：拒約奇談　8章　V.題名：
            苦學生　10回VI.題名：劫餘生　16回　VII.題名：人
            境學社鬼哭狀　VIII.題名：僑民淚　IX.題名：猪者
            仔還國記
                        ◯
```

例80：內容篇名註

　　(十九)編號：作品中，除標準號碼（即國際標準圖書號碼 ISBN，及國際標準叢刊號碼 ISSN）以外，尚有編號者，應註明在附註項中，如：

　　書的歷史／吳哲夫著.--臺北市：行政院文建會，民73

　　　統一編號：26018730045

　　(二十)實際館藏記載：編目時，如館藏的作品中，非全套，或不完整，必要時，應在附註項中註明館藏情況。記載時，館藏只佔少部分，記館藏；如僅缺少部分，則記館缺；以簡明爲原則。如：

　　館缺：附錄，451—460面

　　館藏：第2—4册

　　館缺：第2册

　　國立中央圖書館的中華民國出版圖書目錄中，此實際館藏記

載均未註明，蓋因此目錄，雖爲該館藏書目錄，但旣公開發行，則兼供其他圖書館編目參考，故館藏記載的註明，顯無必要。卽使在其他圖書館目片上，已在登錄號後註明册次號，並無必要在附註項中重複註明館藏記載，因此中國規則中此附註實屬多餘。

八、標準號碼及其他必要記載項著錄法

標準號碼及其他必要記載項著錄的項目包括國際標準號碼（國際標準圖書號碼 International Standard Book Number 縮寫 ISBN，國際標準叢刊號碼 International Standard Serieal Number 縮寫 ISSN）、識別書名、獲得方式及裝訂等四種。不論其著錄來源爲何，均不必加方括弧。記載時，另起一行，本項記載如有二組以上者，則每一組記載之間用分項符號（.--）隔開。國際標準叢刊號碼之後，如有識別書名（Key title）以等號（＝）隔開，獲得方式（定價）之前用冒號（：），裝訂及其他識別資料加於圓括弧（（ ））之內。所用的標點符號舉例如下：

ISBN（全套：裝訂）：定價（識別資料）.--ISBN
（第 1 册：精裝）：定價（識別資料）
ISSN＝識別書名（裝訂）：定價（識別資料）
定價（裝訂）

國際標準圖書號碼或國際標準叢刊號碼，著錄於 ISBN 或 ISSN 之後，各組數字之間以連字符號（─）隔開，如：

ISBN 0-379-005550-6
ISSN 0301-5165

作品內同時載有兩個以上 ISBN 時，均應著錄，各 ISBN 之

間以分項符號（.--）隔開，其順序以整套作品之ISBN在前，然後再依各部分之先後，依序著錄，各 ISBN 之後，並註明識別資料，如：

　　ISBN 0-379-00550-6（全套：精裝）：新臺幣1500元

　　.--ISBN 0-379-00551-4（第1冊）:新臺幣500元 .--ISBN

　　0-379-00558-3（第 2 冊）:新臺幣500元 .

　　ISBN 後面的識別資料置於圓括弧內，不只一個時，其先後記載順序為附件、出版地、出版者、冊次號、裝訂及 ISBN 之資料來源，各項資料間，以冒號（：）隔開，如：

　　　ISBN 0-379-00551-4 （哈佛大學燕京學社：第 1 冊：平裝）

　　定價記載於 ISBN（含識別資料）之後，記載定價，其幣制別可依作品所載著錄，而數字則以阿拉伯數字記之，幣制別亦可以英文縮寫標記，如：

:新臺幣 420 元	或	: NT$420
:基價 4.5 元		: PP$4.5
:美金 5.6 元		: US$5.6
:日幣1400元		: ¥$1400

　　　ISBN 0-379-00550-6（全套：精裝）：新臺幣1500元

　　非賣品

　　贈閱

　　若作品無 ISBN 者，定價自成一行並將裝訂等識別資料記於定價之後，如

新臺幣420元（上冊：精裝）.--新臺幣450元（下冊：精裝）

非賣品（平裝）

新臺幣150元（會員免費）

新臺幣250元（圖書館八折優待）

九、追尋項著錄法

　　追尋項記載作品的標題及正書名以外之各種檢索款目（標目），標題以阿拉伯數字編號，依其重要性順序記載，標題之後，記正題名以外之各種檢索款目，以羅馬數字編號，各種檢索款目依下列性質的順序記載，著者職責敘述可以省略不予著錄：

　　(一)著（著者款目），個人著者在前，團體著者在後。

　　(二)合著（合著者附加款目），個人著者在前，團體著者在後。

　　(三)譯（譯者附加款目），個人著者在前，團體著者在後。

　　(四)編（編者附加款目），個人著者在前，團體著者在後。

　　(五)輯（輯者附加款目），個人著者在前，團體著者在後。

　　(六)其他書名（書名附加款目），前面應冠以「書名：」。

　　(七)叢書名，前面冠以「叢書名：」。

　　(八)分析書名（書名分析款目），分析書名之後，記載該分析著者，中間以斜撇（／）隔開。

　　(九)分析著者（著者分析款目），分析著者之後，記載該分析書名，中間空一字。

　　從追尋項，我們可看出一種書共有多少檢索點或編製多少張目片，以供查考，而且在改編圖書或圖書註銷，應更改或抽換目

片時，可根據追尋項找出所有目片，不致有所遺漏。

追尋項記載時自成一段，記於目片下方，圓孔上方，與上述各項記載如有空間，任其空著。如例81：

```
782.8415    沈鬱詩人：杜甫／森野繁夫原著；譚繼山譯.--臺北
443           市：項幗英發行：萬盛總經銷，民72
8765         〔6〕，231面：圖；21公分.--（中國詩人傳；
             2）
             版權頁題名：杜甫
             附錄：杜甫年譜
697410       新臺幣120元（平裝）--新臺幣150元（精裝）


                1.杜甫-傳記 I.森野繁夫著 II.譚繼山譯 III.題名：
             杜甫

                        ◯
```

例81：追尋項著錄法

追尋項所記載的檢索款目，應選擇適當之標目，以供檢索。其記載方法請詳見下一節，基本記述標目的決定。

第五節　基本記述標目的決定：選擇與形式

根據前一節基本項目著錄法，記述了基本的著錄項目以後，尚要選擇適當的款目，以供檢索目錄中的書目記錄，此種可供檢索的款目稱為檢索款目，亦可稱為標目。所有檢索款目需取自基本著錄項目中的書名及著者敍述項、版本項、叢書項或附註項，

除記載於追尋項外，尚須分別標示在著錄正文之上一行，從第二縮格起書寫，再根據此標目，組織成各種字順目錄，如書名標目編排成書名目錄，著者標目編排成著者目錄，標題編排成標題目錄。

檢索款目除標題（Subject heading）外，尚有書名和著者兩種，標題是根據圖書資料內容，以簡明詞句標出來的款目，是圖書內容的主題字順索引，其編製法請參見中文圖書標題總目初稿一書；本節先就書名及著者的檢索款目加以探討。

一、書名檢索標目

編目時如有下面各種情形者，應立為書名的檢索款目：

(一)正書名：

正書名的本身即為檢索款目，不必另立標目於基本著錄正文之上，除正書名以外，其他書名標目，以及著者標目，都需另加檢索標目於著錄正文之上，副書名一般都不予檢索。如：

現代圖書館系統綜論／黃世雄著

新聞學：新聞原理與制度之批評研究／李瞻著

(二)別書名：

國立中央圖書館簡介

名山事業，又名，國立中央圖書館簡介

(三)原書名、異名等其他書名：

凡書上有與著錄之正書名有重要差異之書名，應另立一檢索款目，如原書名、版權頁書名、卷端書名、初版書名……等，如：

隸篇

隸書大字典／〔（清）瞿云升輯〕

　　原書名：隸篇

　　解剖生理學

特考解剖生理學／蕭迺建編

　　版權頁書名：解剖生理学

　　比較新聞學

新聞學／李瞻著

　　初版書名：比較新聞學

(四)並列書名：

　　　Space and man

太空與人＝Space and man

(五)「欽定」、「御批」、「增補」、「詳註」、「箋註」、「重修」、「校訂」、「選本」、「足本」、「繡像」、「繪圖」、「最新」……等，或財團法人，私立等字樣後的書名，可另立檢索書名標目，如：

　　姓名學

最新姓名學／黃譯德編著

　　中華諺海

增補中華諺海／中華書局編輯部編

　　中華經濟研究院出版品摘要

財團法人中華經濟研究院出版品摘要／劉泰英主編

但在採用中國編目規則以前，所編目的舊目片，對於此類情形之書名，可不必去重新個別編製此檢索款目，僅另立一參照片卽可，如例82：

增補

　凡民國72年以前據「國立中央圖書館中文圖書編目規則」編目之目片，冠有「增補」字樣之書名，請逕查檢省略「增補」二字之書名。如：

　　增補中華諺海

　　　請查閱

中華諺海

例82：書名參照片

(六)劃一書名：

作品因版本或譯本不同，而題名有異時，期於目錄中彙集一書名下，或其書名頁所題書名含意不清，需予識別時，編目時，都可使用劃一書名（Uniform title），並立爲檢索款目，以便檢索。

著錄劃一書名時，於追尋項著錄，冠以「劃一書名：」字樣，並製一檢索目片，如例83。但劃一書名與正書名相同時，省略不予著錄。

```
874.59      湯姆歷險記
853         頑童奇遇記／吐溫著； 朱天華譯.--臺北市：天華，
            民67
            〔2〕，333面；19公分.--（天華文學叢刊）
            譯自：The adventures of Tom Sawyer.
            新臺幣65元（平裝）


            1.吐溫（Twain, Mark, 1835-1910）著 I.朱天華譯
          II.劃一書名：湯姆歷險記
```

例83：劃一書名

　　通常劃一書名以宗教經典、古典作品(含署名及佚名，尤以佚名作品)和翻譯作品，最常使用。編目員可根據下列各點，考慮某一作品是否應使用劃一書名：

　　1.該作品之知名度。

　　2.該作品不同版本及譯本之多寡。

　　3.該作品之原本是否為外文。

　　4.該作品之不同版本、譯本是否需彙集一處。

　　選擇劃一書名，可依下列順序決定之：

　　1.較著名的書名。

　　2.作品中最常用的書名。

　　3.作品的原書名，如初版書名，翻譯作品的原書名。

　　茲再舉各類型作品之劃一書名範例於後，以供參考，如例84
－88.。

```
121.2602    孟子
8754        中國文化基本教材孟子精讀全壁／陳鐵君編 .-- 臺南
            市：南一，民64
            220面；21公分
            新臺幣20元（平裝）


            1.孟子─註釋 I.陳鐵君編 II.劃一書名：孟子
```

例84：古典作品劃一書名

```
020.5    圖書館學刊（輔仁大學）
8546     圖書館學刊.--第 1 期─        .--臺北縣新莊鎮：輔仁
         大學圖書館學系，民64-
            冊；26公分
         不定期刊


         1.圖書館學─期刊 I.劃一刊名：圖書館學刊
         （輔仁大學）
```

例85：劃一書名（加識別）

912.31　　　晚霞（交響曲）
8343　　　　晚霞＝Wanshia〔錄音資料〕／馬思聰原作；臺灣
　　　　　　省立交響樂團演奏.--臺北市：中國廣播公司，民
　　　　　　70
　　　　　　2 捲卡式帶（120 分）；3¾吋／秒，四聲道.--（
　　　　　　中國現代組曲；4）。

V00765

　　　　　　　1.交響曲 I.馬思聰曲 II.臺灣省立交響樂團演奏
　　　　　　III.劃一題名：晚霞（交響曲）IV.題名：Wanshia V.
　　　　　　集叢名：中國現代組曲；4

例86：音樂作品劃一題名

241.72　　　哥林多前書
845　　　　　格林多前書／培弗（Peifer, Claude J）著；項國寧
　　　　　　譯.--臺中市：光啟，民65
　　　　　　〔5〕，223面；19公分.--（新約導論叢書；8）
　　　　　　譯自：First Corinthians
　　　　　　新臺幣30元（平裝）

　　　　　　　1.哥林多前書—註釋I.培弗（Peifer, Claude J.）
　　　　　　著 II.項國寧譯III.劃一書名：哥林多前書

例87：宗教經典劃一書名

```
567.5023      加值營業稅法
8467          加值型營業稅法 .--民國74年版 .--臺北市：財政部，
              民75
              60面；21公分
              民國75年 4 月 1 日實施。


              1.加值營業稅—法令，規則等  2.法律—中國  I.劃
              一書名：加值營業稅法
```

例88：律令出版品劃一書名

　　按中國編目規則對劃一書名的有關規則，尚未完成，本書所述可先供參考。

```
293.08       世界相命全集；8
8564         紫微斗數／高山青編著 .-- 五版 .--臺北市 ： 天相出
75             版：天客總經銷，民75
V.8          127面；19公分 .--（世界相命全集；8）
             新臺幣100元（平裝）
701318


             1.命書 I.高山青編著
```

例89：叢書名標目

(七)叢書名：

當叢書之各單行本分別編目時，得視需要將叢書名立爲檢索款目，叢書編號可加於叢書名之後，如例89。

(八)分析書名：

多冊書中各冊另有書名，或單冊書中含有重要篇章名稱，註於內容註中，必要時，可立爲檢索款目，如例90：

```
824.57      元曲概論
8355
            元曲研究／賀昌群等著.--臺北市：里仁，民73
               2 冊；21公分
                內容：第一冊：1.元曲概論／賀昌群著--2.元曲家
            考略／孫楷第著--第二冊：3.散曲之研究／任二北著
698727-8    --4.元人雜劇序說／靑木正兒著；隋樹森譯--5.元人
V.1-2       小令格律／唐圭璋著
                新臺幣175元 （平裝）

                1.中國戲曲─歷史與批評─元 I.賀昌群著 II.孫楷
            第著 III.任二北著 IV.靑木正兒著 V.隋樹森譯 VI.唐
            圭璋著 VII.題名：元曲概論 VIII.題名：元曲家考略
            IX.題名：散曲之研究 X.題名：元人雜劇序說 XI.題
            名：元人小令格律
```

例90：分析書名

二、著者檢索標目

編目時，如有下列各種情形者，應立著者名稱爲檢索標目。著者的職責叙述，可以省略，本書爲方便舉例說明，仍著錄之。

㈠作品的創作者

凡作品的創作者，如書籍的撰者，音樂作品的詞曲作者，藝

術作品的創作者，照片的攝影者，不論作品上是否載明，如已知
者均應立為檢索款目。其他著作方式的著者，如編輯者、修訂
者、譯者、節錄者、監修者、校訂者……等，則視其重要性，立
為檢索款目。至於視聽覺作品如唱片、錄音帶、影片、錄影帶等
的主要表演者，亦得視其重要性，立為檢索款目，同一著作方式
著者三人以上，可不必立為檢索款目。如：

1. 篆刻藝術／王北岳著

　　著者檢索款目：王北岳著

2. 環河小鎮的故事／川端康成著；梁惠珠譯

　　著者檢索款目：川端康成著，梁惠珠譯

3. 中華樂府／何志浩詞；黃友棣曲

　　著者檢索款目：何志浩詞，黃友棣曲

4. 蒙哥馬利傳／漢米頓著；史政編譯局譯

　　著者檢索款目：漢米頓（Hamilton, Nigel）著，國防
　　部史政編譯局譯

5. 丁丁的疑問／李雲嬌編著；萍子圖

　　萍子本名黃美萍

　　著者檢索款目：李雲嬌編著，黃美萍繪

(二)記載錯誤的著者

著作品所載著者有誤，或不實者，除照作品所載著者著錄，
並立為檢索款目外，應盡可能考證，除將考證所得註於附註項
外，另以正確的著者立為檢索款目。如：

　　1. 隋書經籍志／（唐）長孫無忌等纂

　　按本書實為（唐）魏徵纂

　　著者檢索款目：（唐）長孫無忌纂，（唐）魏徵纂

2.天祿閣外史／（漢）黃憲撰

　　按本書為（明）王逢年偽撰

　　著者檢索款目：（漢）黃憲撰，（明）王逢年撰

㈢作品的原著者

　作品如係改寫、修訂、註釋、節錄、續補等，或藝術作品由一種媒體改變成另一種媒體，目錄記錄中已知所據作品之原著者，得以原著者另立檢索款目。如：

1.西遊記／廖漢臣改寫

　　著者檢索款目：（明）吳承恩撰，廖漢臣改寫

2.柏楊版資治通鑑／柏楊編纂

　　著者檢索款目：（宋）司馬光撰，柏楊編纂

3.書目答問補正／范希增補正

　　著者檢索款目：（清）張之洞撰，范希增補正

㈣合著者

　創作者〔見第㈠項：作品的創作者〕若為二人或三人者，得分別立為檢索款目，四人以上者，僅以首列者立為檢索款目。其他著作方式的次要著者，每一著作方式的著者在四人以上者，亦僅以首列者，立為檢索款目。如：

1.日本語的敬語使用法／辻村敏樹講；陳秀蘭，王振行，黃憲堂譯

　　　著者檢索款目：辻村敏樹講，陳秀蘭譯，王振行譯，黃
　　憲堂譯
　2.新編六法全書／林紀東等編纂
　　　著者檢索款目：林紀東編纂（按：本書為林紀東，鄭玉
　　波，蔡墩銘，古登美等四人編纂）

㈤政府首長著者

　　政府首長之作品，除私人著作外，其屬公務者，得視其重要
性，以其官銜另立檢索款目，如：

　　行政院施政報告／孫運璿講
　　　著者檢索款目：孫運璿講，行政院長孫運璿講

㈥團體著者

　　著者為團體著者，亦應立為檢索款目，作品如為一個會議、
展覽、競技大會之有關資料，應以會議、展覽、競技大會名稱，
立一檢索款目，記於追尋項中所有著者檢索款目之首位。如：
　1.大地工程學術研究討論會論文專集／中國土木水利學會大
　　地工程委員會主辦
　　　著者檢索款目：大地工程學術研究討論會（民74：南投
　　縣魚池鄉日月潭），中國土木水利學會大地工程委員會
　　主辦
　2.臺北市美展專輯．第十二屆／陳木子等編輯
　　　著者檢索款目：臺北市美展（12：民74：臺北市立美術
　　館），陳木子編輯

㈦**分析著者**

　　多冊書除有總書名及總編者外，各單冊各有書名及著者，或
單冊書的各篇章名稱及著者，著錄於內容註，如重要者，得另爲
分析著者，分立著者檢索款目，其後空一格，接著記載其對應的
分析書名。如例91：

```
          王貞治撰　王貞治的回想
782.7   感恩的歲月／周玉梅譯 .--臺北市：漢欣，民74
8446      252面，圖版４葉；21公分 .--（漢欣新知系列；２）
          內容：1.王登美的生涯／王登美撰--2.王貞治的回
          想／王貞治撰
          新臺幣100元（平裝）



          1.王登美傳記 2.王貞治傳記 I.周玉梅譯 II.王登
          美的生涯／王登美撰III.王登美撰 王登美的生涯IV.
          王貞治的回想／王貞治撰　V.王貞治撰　王貞治的回
          想
                    ◯
```

例91：分析著者

　　著者標目的形式，可分人名、團體，和地名三種標目。

㈠人名標目

　　個人著者標目，通常可以據作品上主要著錄來源所載著者的
形式著錄，初次著錄一人的姓名標目，若一人有二個以上名號
者，不論爲本名、室名、別號、筆名、謚號、封號或其他名號，
在圖書館的目錄中，只能選擇其中一個姓名形式，著錄爲著者標

目，姓名標目既經選定後，即不得隨意更換，其他未經採用的名號，應予另立參照款目引見之，此即爲權威檔。

編目時，一人若有二個以上名號，應依下列順序，選擇其中之一爲姓名標目：

1.個人作品中出現在主要著錄來源者，或出現在其他顯著位置者。

2.個人作品中最常用者。

3.文獻中最常用者。

4.著者個人最近使用者。

若無法確定者，以本名爲標目。

人名標目的格式，依下面所述著錄之：

1.中國人名及東方人名標目記其姓名，西洋人之中文譯名，以姓爲標目，其後記其原文姓名，（原文姓名形式寫法，同英美編目規則中的人名標目寫法，請參閱AACR II，21.4）但有習用譯名者，逕錄之。如例92-95，均不必註明國籍。

2.人名之頭銜、學位，職位等均不必記載於標目內，但政府首長之官銜標目，性質介於人名標目及團體標目之間，視爲例外。

3.中國人名之前須註明朝代，置圓括弧內，惟「民國」二字可省略，所註朝代，以其卒年爲準，如有疑義或特殊情形者，得參照諸家著錄決定之。其朝代名稱如後：上古、夏、商、周、秦、漢、三國、晉、南北朝、隋、唐、五代、宋、遼、金、元、明、清。凡非正史之朝代均以上述正統朝代著錄。如例96。

```
541.7      吳豐山著
8856       臺灣社會心理改造論／吳豐山著.--臺北市：自立晚
           報，民74
           141面：圖；17公分.--（而立叢書）
           附錄：六學者談臺灣社會心理改造問題
677087     新臺幣70元（平裝）


           1.社會心理學  2.社會—臺灣  I.吳豐山著
```

例92：中國人名標目

```
176.4      多湖輝著
8536-6     自我突破思考法／多湖輝著 ； 林偉譯.--臺北市：世
           茂，民74
           〔2〕，172面：圖；21公分.--（生活百科；17）
694044     新臺幣110元（平裝）


           1.學習心理學  I.多湖輝著  II.林偉譯
```

例93：日本人名標目

```
314.62      布里漢（Brigham, E. Oran, 1940-）著
8556        快速傅立葉變換／〔布里漢〕E. Oran Brigham
            原著；黎文明譯著.--臺南市：復漢，民74
            〔6〕，266面：圖；21公分
698557      大專用書
698558 c.2  譯自：The fast fourier transform
            每章末附習題
            附錄：1.脈衝函數；2.參考文獻
            新臺幣200元（平裝）.--新臺幣240元（精裝）

                1.傅立葉分析 I.布里漢（Brigham, E. Oran,
            1940-）著 II.黎文明譯著
```

例94：西洋人名標目

```
參
083.2       利瑪竇（Ricci, Mathieu, 1552-1610）授
8465        圜容較義 1卷／利瑪竇授；（明）李之藻撰 .-- 影印
74          本；初版.--臺北市：新文豐，民74
V.42:1      1-6面；29公分.--（叢書集成新編；第42冊）
            附四庫提要
680042      （精裝）
680162 c.2

                1.幾何 I.（明）李之藻撰 II.利瑪竇（Ricci,
            Mathieu, 1552-1610）授
```

例95　西洋人習用中文人名標目

```
857.41      （明）馮夢龍著
6243        喻世明言　40卷／（明）馮夢龍著 .-- 二版 .-- 臺北
73            市：桂冠，民73
            〔95〕，721面：圖；22公分
            中國古典文學名著
            新臺幣200元（精裝）


            I.（明）馮夢龍著

```

例96　清朝以前人名標目

4.帝王之廟號，后妃之諡號，諸侯、遺族之封號，可逕定爲標目，如本名較爲著稱，則以本名爲標目。其以廟號、諡號爲標目，已冠有朝代名稱，不必另加註明，亦不必將朝代名稱置於圓括弧內。如例97。

5.僧尼以法名爲標目，以「釋」爲姓，故法名之前均冠以「釋」字，如例98。如俗名較爲著稱者，則以俗名爲標目。但按僧尼以釋爲姓，始於晉朝高僧道安（西元 310-385），因此釋道安以前之僧尼，採用法名爲標目時，不必冠「釋」字。如例99。

6.若中國人名標目相同時，應以朝代區別，朝代相同者，應加註別號、籍貫、職業、職稱等於姓名之後，置於圓括弧內，以資區別。如：

```
參
083.2      唐玄宗敕撰
8465       唐月令注　1卷，附補遺／唐玄宗敕撰；（清）茆泮
74         林輯.--影印本；初版.--臺北市：新文豐，民74
V.43:26    298-312面；29公分.--（叢書集成新編；第43冊）
           （精裝）
680043
680163 c.2


           1.時令 I.唐玄宗敕撰 II.（清）茆泮林輯
```

例97　帝王廟號標目

```
225.4      釋圓瑛講
8757
73         勸修念佛法門／圓瑛大師講.--〔出版地不詳：出版
           者不詳〕，民73
           80面；19公分

           封面題名：勸修念佛法門

           （平裝）
695144


           1.佛教 I.釋圓瑛講 II.題名：勸修念佛法門
```

例98　僧尼釋姓法名標目

```
221.86      （晉）法炬譯
323         法句譬喩經  卷3，4／（晉）法炬，（晉）法立譯.--
            臺中市：青蓮出版：臺中蓮社發行，民73
            〔75〕面；19公分
            非賣品（平裝）



            1.小乘經典 I.（晉）法炬譯 II.（晉）法立譯
                    ◯
```

例99　僧尼法名標目

(1)　（清）戴震

　　戴震

(2)　鄭恆雄（臺北市人）

　　鄭恆雄（桃園縣人）

　　7.以筆名（含別號、室名等）爲標目時，具姓名形式者，仍以姓名形式著錄爲標目，如：何凡，司馬中原。若不具姓名形式者，則視爲名的形式著錄爲標目，如：薇薇夫人，隱地，棲霞樓主。有疑似不能確定者，以視爲名的形式著錄爲宜。此點姓名形式在中文表現時，雖不致有多大差別，但在依中國機讀編目格式輸入電腦時，姓與名所置欄位會有所不同，故在此辨明之。

8.西洋人名以姓之音譯為標目，初次使用之標目，以作品中之譯名（姓）為準，如同一人名標目已使用過，則以已用者為標目，如例100 。其各歧異之譯名，另立參照款目引見之。作品中如未載譯名，編目員可自行加以音譯，或參考中外人名大辭典／臺灣商務印書館編，或標準譯名表／中央通訊社編，選擇常用者為人名標目。

```
337.4        休爾思曼 (Huelsman, Laurence P.) 著
8935         基本電路學／郝思曼 Laurence P. Huelsman 原
             著；鄭儒強譯.--臺北市：臺灣東華，民75
             2冊〔〔19〕,884面）：圖；21公分
             譯自：Basic circuit theory. 2nd ed.
703295-6     著者改譯為休爾思曼
V.1-2        每章末附習題
703297-8     附錄：1.矩陣與行列式等3種；2.參考書目
V.1-2 c.2    新臺幣350元（平裝）



             1.電路 I.休爾思曼 (Huelsman, Laurence P.)
             著 II.鄭儒強譯
```

例100　西洋人名標目

西洋人的中文人名標目相同時，以後附之原文姓名區別，若原文姓亦相同，再以生卒年、月、日 ，及尊稱、職銜、學位簡稱、所屬機關團體簡稱，或其他適當詞句，加以原文姓名之後，以資區別，均置於圓括弧內。如：

庫克 (Cooke, Cynthia Wentworth)

庫克 (Cooke, David Coxe, 1917-　　　)

(二)團體標目

團體標目採用作品中所載該團體之名稱，團體名稱如改變時，應採用新作品中所載新名稱爲團體標目，但需在目錄中以新舊名稱分立參見款目。請見參照片製法（本章第七節分析編目之三）。

作品中所載團體名稱，如有不同形式（如全銜、簡稱等），以出現在主要著錄來源或其他顯著位置著錄爲標目。

團體標目的格式，依下列所述著錄之。

1.　一般團體以其名稱爲標目。團體名稱所含冠首或末附之「私立」、「財團法人」及「股份有限公司」等字樣應予省略。如：

中國圖書館學會

淡江大學　　　　　　　（省略「私立」字樣）

洪建全文化敎育基金會（省略「財團法人」字樣）

臺灣商務印書館編輯部（原題臺灣商務印書館股份有限公司
　　　　　　　　　　編輯部）

2.　外國團體有中文名稱者，以中文名稱爲標目，後附其原文名稱，置於圓括弧內，並冠以國籍，以資區別。日、韓等國團體逕以漢字名稱爲標目。如無中文名稱，則根據作品中所載外文名稱參考其他資料，以較常用之中文譯名爲標目。無法參考者，編目員自行加以意譯（除專有名稱如人名外，不得音譯），若有其他不同譯名，另立參照款目引見之。

美國哈佛大學燕京圖書館（U.S. Harvard University,

Harvard-Yenching Library.)

美國財政部（U. S. Dept. of Finance）

韓國國立中央圖書館

杜邦公司（Dupon Company）

3. 政府機關團體、中央機關逕以其名稱爲標目。省級以下機關則須冠其地名，以資辨別。如：

立法院

臺灣省教育廳（非臺灣省政府教育廳）

臺中縣立文化中心

4. 我國軍事機關、部隊之標目，名稱應冠以軍種。如：

陸軍八〇三四部隊

海軍儀隊

5. 我國駐外單位，直接以其名稱爲標目，如：

中華民國駐韓國大使館

中華民國駐烏拉圭大使館

6. 需冠上級團體名稱之下級單位，凡下級單位名稱不足以辨識，須冠其上級名稱。下級單位與其最高單位之間的中級單位，需著錄在標目內，但如不影響其辨識者，可省略之。如：

教育部社會教育司第二科（社教司不得省略）

國立臺灣大學圖書館學系（文學院省略）

7. 會議、展覽會名稱，應立爲標目，並將其屆次，舉行時間，地點，依次加註於名稱之後，置於圓括弧內，三者之間以冒號（：）隔開。屆次以阿拉伯數字記之。時間以民國紀年，僅記年份，如時間跨二個年代，記其起訖年份，如一年內舉行二次以

上，則記其年、月、日。地點如爲教育、文化機構內，記載機構名稱，如會議名稱已含舉行地點，可不必重複記載。如會議分在二處舉行，一併記載，中間以逗點（，）隔開，三處以上者，僅記首列者，並加「等」字。如：

中國近代工程技術研討會（21：民74：臺北市）

臺北市美展（12：民74：臺北市立美術館）

全國美展（12：民75：國立臺灣藝術館等）

8. 各地的團體分支機構，或寺廟、敎堂或電臺、電視臺等，需加註所在地的地名於團體標目之後，置於圓括弧內，以資識別。如：

國父紀念館（臺北市）

國父紀念館（臺北縣永和市）

孔子廟（彰化市）

清真寺（臺北市）

臺灣省警察廣播電臺（臺北市）

但其名稱已含其所在地的地名，則不必重複記載。如：

彰化銀行霧峰分行

北港朝天宮

臺北市市政廣播電臺

（三）地名標目

團體標目有下列三種情形之一者，使用地名標目，以爲識別：

1. 區別名稱相同之團體，如：

　　　　孔子廟（臺北市）

　　　　孔子廟（彰化市）

2. 作爲政府機關團體標目的一部分。如：

　　臺北市教育局

3. 標示會議，展覽會等舉行的地點。如：

　　古籍鑑定與維護研討會（民73：臺北市）

　　地方名稱應用正式地名，惟國家名稱則選用其習用名稱，如中國地名縣以下之鄉鎭地名，應冠以所屬縣名，外國地名除最著名者外，應冠國名或地區名，相同地名，應冠較大地名，以區別之。如無習用中文地名，編目員自行音譯爲地名標目。

日本	非：	日本國
英國		不列顛聯合王國
洛杉磯		羅省
馬尼拉		岷市

第六節　目片格式

　　圖書館編目所使用的目片，通常用標準規格，高7.5公分，橫12.5公分，下方正中距紙邊0.5公分處，有一圓孔，其直徑0.8公分。紙質爲250磅至300磅西卡紙，中文的目片如用手寫，爲求整齊，可印紅色橫線一條，上距紙邊1.5公分，紅線下面，接印淺藍色橫線八行（或不印），每行間距0.75公分；在距左邊2.2公分，印一紅色直線，此即爲第一縮格，在距左邊3.2公分（亦即距第一縮格1公分）印第二條紅色直線，此爲第二縮格，另距第二縮格一個中國字爲第三縮格，通常不印直線。但如目片用打

字機打製，或使用影印機影印卡片，則所使用的目片以不印任何線條為宜。標準目片規格式樣如例 101

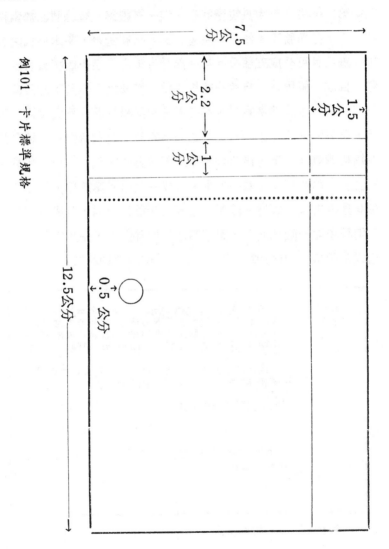

例101　卡片標準規格

　　繕寫目片均自左而右橫寫，索書號的分類號與著者號分別記在橫線的上下，索書號各組號碼左邊對齊，但如號碼較長，不能超過第一縮格，若太長需予回行，空一格續寫。登錄號記於索書號之下，分類號下第四行，左邊亦與索書號對齊，基本格式之各項著錄項目可分成五部分。第一部分自書名項至出版項為著錄主體，自成一個段落，自第一縮格，第一橫線之上寫起，此段落回行則一律自第二縮格寫起，第二部分包括稽核項和叢書項為一段落，自第一部分之下一行，第二縮格寫起，此段落回行，則自第一縮格續寫（以下各段落均照第二部分方式記載）。第三部分為附註項，附註項每記載一件事，自成一段落。第四部分為標準號碼和獲得方式，成為一段落。第五部分為追尋項，自成一段落，但追尋項記於圓孔之上，與第四部分如有空行，任其空著，目片格式及段落，如例102（一）。玆舉一實例如例102（二）。

分類號 著者號	正書名.編次〔資料類型標示〕：副書名＝並列書名. 　編次：並列副書名／著者敍述；其他著者敍述.-- 　版本敍述／關係版本著者敍述.--資料特殊細節.-- 　出版地：出版者，出版年（印製地：印製者，印製 　年） 　面或册數：插圖；高廣＋附件.--（叢書名，ISSN； 叢書號.副叢書名，ISSN；副叢書號）
登錄號碼	附註項 　標準號碼：獲得方式
	1.標題　2.標題　3.標題　I.檢索款目　II.檢索款目 III.檢索款目

例102（一）　　基本格式

```
552.52      美國的再開拓：瞭解當代美國與世界經濟趨勢的鉅著
857            ／瑞契著；陳榮貴譯.--臺北市：志文，民74
               〔18〕,257面；21公分.--（新思潮叢書；3）
               譯自：The next American frontier
681887      附錄：八○年代日本經濟力的展望等5種
688188 c.2   新臺幣130元（平裝）


             1.經濟—美國 2.商業—美國 I.瑞契（Reich,
          Robert B.）著 II.陳榮貴譯
```

例102（二）　目片行格實例

　　目片所載資料如過長，一張目片不能寫完，得增用一張續片，在次片記索書號及首行第一縮格起記書名，書名次一行記「（續×）」字樣，第一張續片記「（續1）」，第二張續片記「（續2）」，餘類推。（續×）之下一行，續寫應續之項目，追尋項仍記於最後一張目片圓孔之上，每一張續片之前一片均應在右下角記「（續見次片）」字樣，其目片格式及實例如例103及104。

　　除分類片及正書名之目片，不需另加標目於最上面一行外，其餘之其他書名片、著者片及標題片，均需根據追尋項所列各標題及檢索款目，分別加檢索標目於各目片之上，即成各種目片。如加標題即成標題片，加其他書名標目即成書名片。加著者標目即成著者片。各標目記於第一橫線上面一行，自第二縮格寫起，標目自成一段落，如需回行，則自下一行再縮一字（此稱爲第三縮格）寫起，茲舉一書之全套目片，如例105。

分類號　　正書名.編次〔資料類型標示〕：副書名＝並列書名.
著者號　　　編次：並列副書名／著者敍述；其他著者敍述.--
　　　　　版本敍述／關係版本著者敍述.--資料特殊細節.--
　　　　　出版地：出版者，出版年（印製地；印製者，印製
　　　　　年）
　　　　　面（冊）數：插圖；高廣＋附件.--（叢書名，
　　　ISSN；叢書號.副叢書名；副叢書號）
登錄號碼　　附註項
　　　　　標準號碼：獲得方式

　　　1.標題　2.標題　3.標題　I.檢索款目　II.檢索款目

　　　　　　　　　　　　　　　　　　　　（續見次片）

分類號　　正書名
著者號　　　（續1）

　　　III.檢索款目　IV.檢索款目

例103　續片之基本格式

```
494.5    現代生產管理／〔巴發〕Elwood S. Buffa 原著；
857        楊銘賢，林茂榮，葉宏謨譯.--臺北市：中興管理
           顧問，民71
           2冊（活頁）：圖；30公分.--（專業管理才能研修
         系列）
128741-2  譯自：1, Modern production management:
v.1-2     managing day-to-day operations 2, Modern
          production management: planning and designing
          productive systems
           附錄：1.作管制圖時的有用因數等6種；2.習前一習
         後測驗；3.成就測驗
           內容：上冊，日常作業管理／楊銘賢譯--下冊，


                        ◯                    （續見次片）
```

```
494.5    現代生產管理
857         （續1）
           生產系統的規劃與設計／林茂榮，葉宏謨合譯
           新臺幣2,400元（活頁裝）




           1.生產管理 2.作業研究 I.巴發（Buffa, Elwood
         Spencer, 1923-　　）著 II.楊銘賢譯 III.林茂榮譯
         IV.葉宏謨譯
                        ◯
```

例104　續片之實例

	比較新聞學	
890	新聞學：新聞原理與制度之批評研究／李瞻著 .-- 六	
845	版.--臺北市：三民，民74	
74	5,376面；21公分	④
	大學用書	
	初版題名：比較新聞學	
696522	民61年初版收入政大新聞與傳播學叢書	
	附錄：1.參考書目；2.索引	
	基價5元（平裝）	

	李瞻著	
890	新聞學：新聞原理與制度之批評研究／李瞻著 .-- 六	
845	版.--臺北市：三民，民74	
74	5,376面；21公分	③
	大學用書	
	初版題名：比較新聞學	
696522	民61年初版收入政大新聞與傳播學叢書	
	附錄：1.參考書目；2.索引	
	基價5元（平裝）	

	新聞學	
890	新聞學：新聞原理與制度之批評研究／李瞻著 .-- 六	
845	版.--臺北市：三民，民74	
74	5,376面；21公分	②
	大學用書	
	初版題名：比較新聞學	
696522	民61年初版收入政大新聞與傳播學叢書	
	附錄：1.參考書目；2.索引	
	基價5元（平裝）	

890	新聞學：新聞原理與制度之批評研究／李瞻著 .-- 六	
845	版.--臺北市：三民，民74	
74	5,376面；21公分	①
	大學用書	
	初版題名：比較新聞學	
696522	民61年初版收入政大新聞與傳播學叢書	
	附錄：1.參考書目；2.索引	
	基價5元（平裝）	
	1.新聞學　I.李瞻著　II.題名：比較新聞學	

例105　全套目片（①正書名片、分類片 ②標題片③著者
　　　片④其他書名片）

以上所述的各種目片，除了所填加的標目以外，其他各著錄項目完全相同，這種方式卽是所謂單元卡制。現代圖書館在編製目片時，常喜歡採用單元卡制，乃是它具備了不少的優點：

1.方便機械大量複製，適合印刷卡片的印製。

2.規格一致，使目錄的編印，趨於標準化。

3.卽使以人工複製目片，亦因規格一致，可減少複製過程中的錯誤。

4.單元卡的基本格式相同，讀者易於接受及閱讀。

5.由於目片著錄標準化，便於書目資料的交流傳播。

因爲有這些優點，所以中國編目規則在首章就明定了這種方式，這也是比中圖規則進步的地方，確是中文編目技術上一種進步現象。

第七節　分析編目

作品由若干部分組成，若就其某一部分另予單獨編製目片，稱爲分析編目。其單獨著錄的款目稱爲分析款目（Analytical entry），這種單獨編目的部分又可稱爲子目。通常根據主目片的內容註所列各子目的重要者，加以著錄，分析編目時著錄分析款目的目片，稱爲分析片。分析片是相對於主目片而言，因此同樣的也可分爲書名分析片，著者分析片，及標題分析片。分析編目有下面三種方式：

一、叢書或多册書子目的分析編目

叢書或多册書組成作品，除總書名（卽叢書名）外，各子目

單獨有明確的書名時，可單獨成爲編目的對象，則各子目須另行
編製完整之目片，而將總書名及其相關資料記於叢書項內，請參
見本章以上各節所討論者，本節不再贅述。必要時，可以反過來
另立一叢書名的檢索款目。如例106：

815.908　　漢聲精選世界最佳兒童圖畫書；18
8653　　　佳佳的妹妹不見了／筒井賴子〔撰〕；林明子圖；漢
v.18　　　聲雜誌譯.--臺北市：英文漢聲發行：臺灣英文雜誌
　　　　　總經銷，民74
694859　　31面：彩圖；20×27公分.--（漢聲精選世界最佳
　　　　兒童圖畫書. 心理成長類；18)
　　　　　國語注音
　　　　　譯自：Asae and her little sister
　　　　　新臺幣162元（精裝）

　　　　　I.筒井賴子撰　II.林明子圖　III.漢聲雜誌譯

例106　叢書名片

二、內容註的子目分析編目

若一書內含若干部分，將各部分書目資料記於附註項中的內
容註，和部分的附錄註，就內容註所列子目的書目資料（通常僅
有書名，或書名與著者）予以另立檢索款目，即爲分析款目，這
是最簡易之分析編目方式，這種方式，適合於單元卡制的複製各
種目片。書名分析片如例107。著者分析片如例108。標題分析片
如例109。

782.7　　　王貞治的回想／王貞治撰
8446　　　感恩的歲月／王登美，王貞治〔撰〕；周玉梅翻譯.
　　　　　--初版.--臺北市：漢欣，民74
　　　　　252面，圖版4葉；21公分.--（漢欣新知系列；2）
702125　　　內容：1.王登美的生涯／王登美述-- 2.王貞治的回
702126 c.2 想／王貞治述
　　　　　新臺幣100元（平裝）

　　　1.王登美一傳記 2.王貞治一傳記 I.王登美撰 II.王
貞治撰 III.周玉梅譯 IV.題名：王登美的生涯 V.題
名：王貞治的回想

例107　書名分析片

782.7　　　王貞治撰　王貞治的回想
8446　　　感恩的歲月／王登美，王貞治〔撰〕；周玉梅翻譯.
　　　　　--初版.---臺北市：漢欣，民74
702125　　　252面，圖版4葉；21公分.--（漢欣新知系列；2）
702126 c.2 內容：1.王登美的生涯／王登美述--2.王貞治的回
　　　　　想／王貞治述
　　　　　新臺幣100元（平裝）

　　　1.王登美一傳記 2.王貞治一傳記 I.王登美撰 II.王
貞治撰 III.周玉梅譯 IV.題名：王登美的生涯 V.題
名：王貞治的回想

例108　著者分析片

```
782.7          王貞治─傳記
8446           感恩的歲月／王登美，王貞治〔撰〕；周玉梅翻譯.
               --初版.--臺北市：漢欣，民74
702125         252面，圖版4葉；21公分.--（漢欣新知系列；2）
702126 c.2     內容：1.王登美的生涯／王登美述-- 2.王貞治的回
               想／王貞治述
               新臺幣100元（平裝）


               1.王登美─傳記 2.王貞治─傳記 I.王登美撰 II.王
               貞治撰 III.周玉梅譯 IV.題名：王登美的生涯 V.題
               名：王貞治的回想
```

例109　標題分析片

三、「在分析」的分析編目

　　若一書內含若干部分，其附註項（如內容註）中，各部分敍
述不夠完整時，可考慮使用所謂「在分析」的方式，將重要的部
分子目，單獨作分析編目，其著錄法，仍依一般圖書編目規則著
錄，「在分析」著錄的項目應包括下列各項（如例110）：

　　(一)書名及著者敍述項。

　　(二)版本項。

　　(三)如為連續性出版品，應含其卷期編次項。

　　(四)如子目作品與原作品之出版項不同，應予載明。

　　(五)特殊資料之資料類型標示。

　　(六)其他稽核細節。

　　(七)附註項。

（八）分析資料之出處（或稱在分析註），先記「在」字，於其下劃線，空一字後，載其出處。

（九）分析追尋項。

```
參
083.2      新書，又名，心書   1 卷／（漢）諸葛亮著
8465       206-209面；29公分
74         在　叢書集成新編；第 32 冊.--臺北市：新文豐，
v.32:20    民74
680032
680152 c.2


         1.兵法─中國 I.（漢）諸葛亮著 II.題名：心書
```

例110　在分析

在分析註如用於期刊抽印本或叢書，多冊書某部分之分析編目時，應將原書的資料註明，包括原書之正書名及著者敍述、版本（如爲期刊則爲其卷期、編次項）及出版項、叢書項等。如例111及112。

但在編目工作的實務上，「在分析」的分析編目著錄方式，常予改變，可姑稱爲正式分析編目，將分析款目，均照一般編目規則，而將其出處分別著錄在叢書項及出版項。如例 113（請與例110比較）。

兩種分析編目方式比較起來，似乎以正式分析編目較爲完

023　　　國立中央圖書館圖書資料編目業務與其自動化作業的
8349　　　展望／黃淵泉著.--民69年12月
　　　　　38-42面；26公分
　　　　　在 國立中央圖書館館刊.--新13卷2期（民69年12
　　　月）

　　　　　1.國立中央圖書館　2.編目—自動化　I.黃淵泉著

例111　期刊抽印本之在分析編目

782.7　　　王貞治的回想／王貞治〔著〕；周玉梅翻譯
8446　　　102-252面；21公分
　　　　　在 感恩的歲月／周玉梅翻譯.--臺北市：漢欣，
　　　民74.--（漢欣新知系列；2）

　　　　　1.王貞治—傳記　I.王貞治著　II.周玉梅譯

例112　叢書子目之在分析編目

```
參

083.2        新書，又名，心書　1卷／（漢）諸葛亮著.--影印本；
8465              初版.--臺北市：新文豐，民74
74                206-209面；29公分.--（叢書集成新編；第32冊）
V.32:20          （精裝）


680032
680152　c.2


        1.兵法一中國　I.（漢）諸葛亮著　II.題名：心書
```

例113　正式分析編目

整。國立中央圖書館卽採用此種方式，以進行分析編目工作。其實這是根據ISBD（M）（見附錄一）第八章多層編目(Multilevel description)的方式，將作品的全部視為一編目主體加以編目，此為第一層編目；同時將作品內容某一部分視為一編目主體，而加以編目時，為第二層編目。對於第一層編目而言，第二層編目卽為分析編目；若再將作品內容某部分的小篇章，視為編目主體，加以編目時，則為第三層編目。此時，第二層編目對第一層編目而言為分析編目，但對第三層編目則為一上層編目。此種多層編目對於叢書、多冊書、或連續性出版品（如年鑑，年刊本等）尤為適用。如例114及例115。

　這種多層編目如善為利用，並可為期刊論文或論文集論文的編目，開闢一文獻分析編目的大道，如此，就能將圖書目錄，論文索引合編於一起，將帶給讀者對於相關資料的檢索，一種突破

性的收獲。

012.28　　中華民國出版圖書目錄. 民國六十年度-　　年度／國
8656　　　立中央圖書館編目組編輯.--臺北市：編者，民61-
　　　　　　冊；26公分
　　　　　英文書名：Chinese National Bibliography,
　　　　1971-

　　　　　　1.中國—目錄—民國（1912-　　）　I.國立中央圖書
　　　館編目組編輯

例114　　第一層編目

013.28　　中華民國出版圖書目錄. 七十四年度／國立中央圖書
8656　　　　館編目組編輯.--臺北市：國立中央圖書館，民75
74　　　　　1339面；26公分
　　　　　英文書名：Chinese National Bibliography,
　　　　1985.
　　　　　　附錄：1.書名索引， 1023-1124 面；2.著者索引，
　　　1125-1339 面

　　　　　　1.中國—目錄—民國（1912-　　　）I.國立中央圖書
　　　館編目組編輯

例115　　第二層編目

第八節　編製書標、書卡、書袋

製好目片後，還要製書標、書卡和書袋，以供出納流通之用。圖書除參考書不外借，故僅打製書標以外，其他圖書均要編製書標、書卡和書袋。首先介紹書標，根據草片所記索書號打製或繕寫在小標籤上貼在書背距離書腳三公分處，索書號之首位應貼於書背左邊（見圖10）。若書背窄於二公分者，將書標直立而貼，分類號盡量露於書背（見圖11）。線裝書或書背過於窄小，可將書標貼於封面近書背之右下角或左下角，距書腳三公分處（見圖12）。

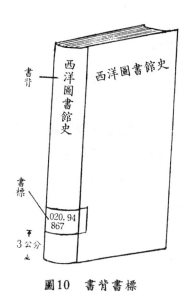

圖10　書背書標

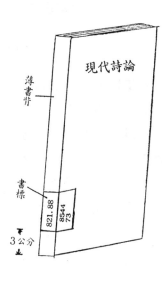

圖11　薄書背書標

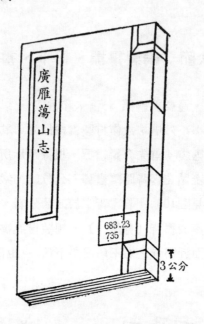

廣
雁
蕩
山
志

683.23
735

下
3公分
上

圖12　側面書標

　　要注意的是，如遇光面書背，可加貼透明膠帶加強牢固；貼
書標前應先核對書內之索書號是否有誤。

　　打製書後（卡）袋及到期單時，先將索書號、登錄號分別打
在書後卡（見圖13）、書後袋（見圖14）及到期單（見圖15）。
書後卡並打上書名及著者，將書後（卡）袋貼於封底內頁，到期
單貼於書袋相對的書頁上，以不遮蓋版權頁爲原則。

書　　碼：821.88/8544 73		
Call No.		
登 錄 號：690113		
Accession No.		
書　　名：從徐志摩到余光中		
Title		
著　　者：羅青著		
Author		
借　　閱　　人	借　　　期	還　　　期
Borrower's Name	Date Loaned	Date Returned

圖13　書後卡

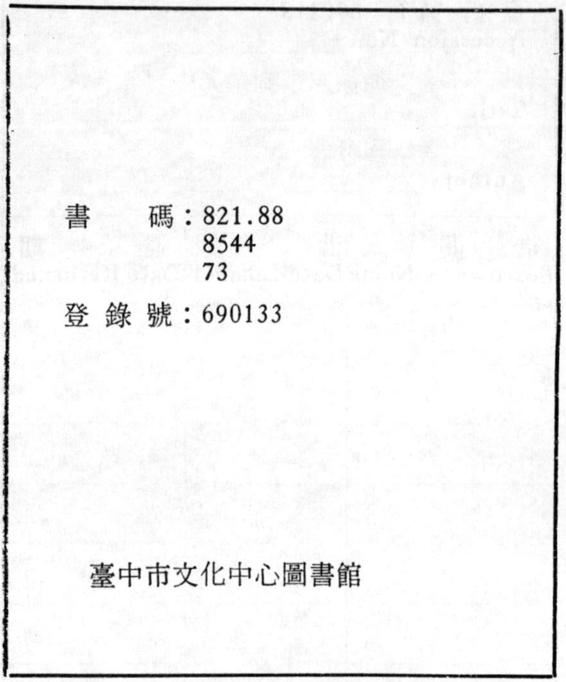

書　　碼：821.88
　　　　　8544
　　　　　73
登　錄　號：690133

臺中市文化中心圖書館

圖14　書後袋

到　期　單　Date Due

請將此書按期歸還

Return this book on or before the last
date stamped below

圖15　到期單

第九節　機讀編目

機讀編目（ MARC ）是機器可讀編目（ Machine-readable cataloging）的簡稱，要使機器能夠識別及閱讀，就必須有相應的媒體和識別的方法，利用電子計算機（又稱電腦）來儲存書目資料，並且加以組合編排，以供檢索利用。要使電腦能閱讀與編製目錄，必須將書目資料的數字與字母、符號等，轉換爲機器能識別的代碼形式，電腦按代碼加工處理後，還要再將代碼又轉換爲人類可識別的文字，才能爲人們所使用。這些過程需要電腦程式設計人員，根據人們編製目錄的需求，設計程式以代替人類控制電腦來處理編目過程。機讀編目格式（MARC Format）是規定組織資料的方法，以使電腦能夠識別及操作，因此，它是機讀編目的作業規範。

機讀目錄（Machine-readable Catalog ）起源於六〇年代的美國國會圖書館，最早制定了美國國會圖書館機讀編目格式（簡稱 L. C. MARC）。除此之外，還有國際機讀編目格式（UNI-MARC）、英國機讀編目格式 (U. K. MARC)、加拿大機讀編目格式（Canadian MARC）。中國發展較遲，直到 1980 年才開始規劃。

國立中央圖書館與中國圖書館學會爲改進圖書館作業，提高資訊服務效能，因應國內、外圖書館界之需要，於民國69年合作組織「圖書館自動化作業規劃委員會」（Library Automation Planning Committee-LAPC），訂定圖書館自動化作業計劃，該計劃之具體目標爲：

(1) 發展中國機讀編目格式（Chinese MARC Format），
以作爲國內、外目錄作業之規範。

(2) 合作發展圖書資料自動化作業系統，以改進圖書資料處
理技術及圖書館資訊服務。

(3) 建立中文資料庫，並引進國外資料庫，以應資料查詢之
需要。

(4) 建立全國資訊網，以配合國家建設之需要，並促進學術
研究與發展。

由於發展中文機讀編目格式爲邁入圖書館自動化作業之起步
工作，規劃委員會乃於民國69年5月成立「中文機讀編目格式工
作小組」（Chinese MARC Working Group-CMWG）❼，進行
研訂符合國際標準之中文機讀編目格式，以適合電子計算機處理
中文圖書資料之需要，並便於國際間圖書資料之交流與分享。

現卽將中國機讀編目格式（Chinese MARC）簡介於下❽：

一、格式結構由來：機讀編目格式工作小組曾就其他國家所
設計完成之機讀編目格式，如美國國會圖書館圖書資料機讀編目
格式第二型(MARC II Format for Bibliographic data)、國際機
讀編目格式(UNIMARC：Universal MARC format)、法國機讀
編目格式（INTERMARC）、加拿大機讀編目格式（Canadaian
MARC）等加以分析、比較，及評估，最後決定以國際機讀編目
格式爲藍本，並參考美國國會圖書館圖書資料機讀編目格式制訂

---

❼　該小組自民國71年8月起易名爲中國機讀編目格式工作小組。
❽　本簡介摘引自中國機讀編目格式／圖書館自動化作業規劃委員會中國機讀編目格
式工作小組編．--第二版．--臺北市：國立中央圖書館，民73.--2冊；26公分。

中國機讀編目格式。

　　二、磁帶上之書目著錄：根據國際標準組織第 2709 號標準 (ISO 2709) 之格式，並以中文資訊交換碼 (Chinese Character Code for Information Interchange-CCCII，亦稱全漢字標準交換碼) 爲中文字彙基準。

　　三、書目著錄規則：採用依據英美編目規則第 2 版 (Anglo-American Cataloging Rules. 2nd edition-AACR 2) 所編訂之「中國編目規則」 (Chinese Cataloging Rules-CCR) 編目。

　　四、拼音方法：書目著錄的中文字拼音方法採用韋傑士羅馬拼音系統 (Wade-Giles System of Romanization)。

　　五、地區代碼：採用 1980 年美國國會圖書館之地區代碼表 (Geographic Areas Codes of the Library of Congress)，提供機讀目錄使用者利用地名檢索所需要的資料。

　　六、年代代碼：採用 1972 年美國國會圖書館之年代代碼 (Books：A MARC Formats Chronological Coverage Code)。

　　七、國家代碼：採用國際標準組織第 3166 號標準 (ISO 3166) 爲主。

　　八、語文代碼：採用美國國會圖書館語文代碼表 (Revised List of Languages and Language Codes)。

　　九、適用對象代碼：採用1977年國際圖書館協會聯盟所規劃之國際適用對象代碼 (IFLA International Target Audience Code) 爲原則。

　　十、目的：便於利用電子計算機處理圖書資料，以達到資訊交換及分享的要求。

十一、適用範圍：適用於中西文圖書資料自動化處理。

十二、中國機讀編目格式結構：

1. 記錄標示：記錄標示為24位數，包括：記錄長度、記錄性質、執行代碼、指標長度、分欄識別長度、資料基位、記錄補釋、指引格局。在24位數中，最後兩個位數尚未定，保留給未來使用。

2. 指引：指引款目係說明書目資料登錄欄各欄長度及在磁帶中的位址。指引款目長度依各筆編目資料繁簡而定。

3. 書目資料登錄欄：每一書目資料登錄欄的組成部份依次為：

(1) 段（Block）：

每一書目資料登錄欄分成10段。

0-- 識別段：記載各編目資料之識別號碼。

1-- 代碼資料段：以代碼標示作品之一般狀況。

2-- 著錄段：記載依中國編目規則著錄之款目，自題名及著者敍述項至集叢項。

3-- 附註段：記載依中國編目規則所得之附註項。

4-- 連接款目段：以數字及文字形式說明各筆書目資料記錄間之關係。

5-- 相關題名段：記載需作檢索之相關題名。

6-- 主題分析段：記載供檢索用之標題及分類號。

7-- 著者段：記載供檢索用之著者款目。

8-- 國際使用段：說明各書目資料之出處，本段保留予各國及國際使用。

9-- 未定。

(2) 欄 (Field)

在各段中，由各欄的欄號標明依中國編目規則所得之各個不同項目。如 200 表示著者敍述項，205表示版本項，210為出版項，215表示稽核項。

在整個格式結構中，有部份欄位為必需具備之欄位，包括：

001 記錄識別欄

100 一般性資料

101 作品用語

123 資料代碼欄：地圖資料──比例尺與座標。

200 題名及著者敍述項

206 資料特殊細節項：地圖資料

801 出處欄

(3) 指標 (Indicator)

每一資料欄中的第一個單元，用以標示該欄之內容，以及與其他各欄之間的關係，或指示操作程序。

(4) 分欄 (Subfield)

每一資料欄之次層單元。

在整個格式結構中，欄及分欄因長度不同而可分為定長欄及變長欄兩種。定長欄係指各資料本身無論書目如何變化，在格式中的長度永遠固定，如 105 資料代碼欄中之插圖代碼即為定長欄，無論資料中有多少種插圖，在格式中限定只能標示四種插圖。變長欄的長度則因各圖書資料本

身而定。

(5) 書目資料

指各圖書資料之書目，如書名、著者等，此資料塡於各分欄內。

(6) 記錄分隔

各筆書目記錄之間，用%表示記錄之分隔。

記錄標示	指　　引	書目資料	記錄分隔
0—23	24—35—n	登 錄 欄	%

十三、中國機讀編目格式之成果與應用

將編目資料依照中國機讀編目格式輸入電腦，則可建立書目主檔，由此書目主檔可達成下列功能：

1. 印製驗正單（Proofsheet）：可供校正或編目參考。

2. 印製書本目錄及索引。

3. 印製卡片目錄。

4. 線上顯示書目記錄。

5. 線上查詢檢索：可由系統識別號、書名、著者、分類號、ISSN、ISBN、CODEN 等多種方式檢索。

茲舉機讀編目輸入表如表 1-8，驗正單如表 9，磁帶格式如表 10，以及電腦印出之目片樣張，如表11-16。

表 1　　中國機讀編目輸入表（圖書）　系統號：83008586

記錄標示		2 記錄性質 n			3 執行代碼 a · yy 2 yy			7 記錄補釋 · yy yy yy
欄	名	標誌	指標	分欄識別	資　料　單　元　名　稱			

欄名	標誌	指標	分欄識別	資料單元名稱
一般性資料	100	yyy	$a	2. d　3. 19 83　4. ___　5. ___ 6. Y　◎7. 0　◎8. chi　9. b ◎10. 09 yyy　12. e
資料代碼欄	105	yyy	$a	1. Y　2. z　3. φ 4. φ　5. φ　6. Y　7. d

010	0yy	$b 平　裝 $d 新臺幣 150 元　φ1φ 4yy $b 精裝 $d 新臺幣 2 φ4 元
010	1yy	$b pbk $d NT$ 15φ　φ1φ 1yy $b bound $d NT$ 2φφ
◎101	1yy	$a chi $c eng
200	1yy	$a 西洋圖書館史 $f [詹森] Elmer D. Johnson 著 $g 尹定國譯 $y Hsi yang tu shu kuan shih
205	yyy	$a 初版
210	yyy	$a 臺北市 $c 臺灣學生 $d 民 72 [1983]
215	0yy	$a 328 面 $d 21 公分
215	1yy	$a 328 p. $d 21.6 cm.
225	2yy	$a 圖書館學與資訊科學叢書 $y Tu shu kuan hsüeh yü
102	yyy	$a cw　　　　　tzu hsün k'o hsüeh ts'ung shu.
106	yyy	$a
3__	yyy	
41φ	yyφ	$1 2φφ 1yy $a 圖書館學與資訊科學叢書 45yy 61 $1 2φφ 1yy $a History of libraries in the Western world
5__		
6__		681 yy yy $a φ2φ.94 $b 867 6φ6 yy yy $2 lc $a Libraries $x History. 6φ6 yy yy $2 csh $a 圖書館 $x 歷史 676 yy yy $v 19 $a φ21.4φφ　　68φ yy yy $a Z 721
7__		7φφ b1 $a 詹森 $c (Johnson, Elmer D.) $4 著 77φ b1 $a Johnson, $b Elmer D. 7φ2 yy $a 尹 $b 定國 $4 譯　　772 yy yy $a Yin, $b Ting-kuo.
◎801	yyφ	$a cw $b 中圖 $c 1985 φ12φ
	yy1	$a cw $b 中圖
805	yyy	$a 中圖 $s 總 $c 648 1φ4 $s 贈 $c C 6481 46-78 c.2-3 $d φ2φ.94 $e 867 $f C1

表 2　　　　　　　　　中國機讀編目輸入表（連續性出版品）

填表者＿＿＿＿＿＿＿
審核者＿＿＿＿＿＿＿

記錄標示	2.記錄性質 ☑	3.執行代碼 ☐☐☐ ☐			7.記錄補釋 ☐ i ☐

標誌	欄　　　名	指標	分欄識別	資　料　單　元　名　稱
100	一 般 性 資 料	☐☐	$a	2.出版情況 ☐　　3.出版年1 ☐☐☐☐　　4.出版年2 ☐☐☐☐ 5.適用對象 ☐☐☐　　6.政府出版品代碼 ☐　　⊙7.修正記錄代碼 ☐ ⊙8.編目語文 ☐☐☐　　9.音譯代碼 ☐　　⊙10.字集 ☐☐☐☐ 11.附加字集 ☐☐☐☐　　12.題名語文 ☐
110	資 料 代 碼 欄	☐☐	$a	1.連續性出版品之類型 ☐　　2.列期 ☐　　3.規則性 ☐ 4.資料類型代碼 ☐　　5.內容性質代碼 ☐☐☐　　6.會議出版品代碼 ☐ 7.題名頁來源代碼 ☐　　8.索引來源代碼 ☐　　9.彙編索引來源代碼 ☐

標誌	欄　　　名	
011	國際標準叢刊號碼	☐☐ $a 0377-989☐ $b 平裝 $d 每年新臺幣240元　011 1 ☐ $a 0377-989☐ $b pbk $d NT$240 per -year
040	叢 刊 代 碼	
⊙101	作 品 用 語	☐☐ $a chi $a eng
102	出 版 國 別	☐☐ $a cw
111	連續性出版品形式特性	☐☐ $a ry
⊙200	題名及著者敘述項	1☐ $a 教育資料與圖書館學 $d Journal of educational media & library sciences $z eng $r Chiao yü tzu liao yü t'u shu kuan hsüeh
2--	著 錄 段	207 ☐☐ $a 第20卷第1期（民71年9月）－ 210 ☐☐ $a 臺北縣淡水鎮 $c 淡江大學教育資料與圖書館學出版社 $l 民71〔1982〕－ 215 ☐☐ $a 冊 $c 圖 $d 21公分　215 1☐ $a v. $c ill. $d >16cm.
3--	附 註 段	215 ☐☐ $a 卷期續前 326 ☐☐ $a 季刊 $u Querterly. 321 ☐☐ $a 被索引於中華民國期刊論文索引, Library literature, 321 ☐☐ $a 摘要錄於教育論文摘要, Information science abstracts, Library & information science abstracts.
4--	連接款目段	430 $1 $1 200 1☐ $a 教育資料科學（民61年9月－71年6月）
5--	相關題名段	·676 ☐☐ $a ☐>☐ $v 1☐　　680 ☐☐ $a Z 671 681 ☐☐ $a ☐2☐ $b 8732
6--	主題分析段	681 606 ☐☐ $2 csh $a 教育 $x 資料 $x 期刊 606 ☐☐ $2 csh $a 圖書館學 $x 期刊 606 ☐☐ $2 lc $a Teaching $x Aids and divices $x Periodicals. 606 ☐☐ $2 lc $a Library science $x Periodicals.
7--	著 者 段	712 02 $a 淡江大學 $b 教育資料科學學系 $4 編 712 02 $a 淡江大學 $b 覺生紀念圖書館 $4 編 712 02 $a Tamking University. $b Department of Educational Media 712 02 $a Tamking University. $b Chüeh sheng Memorial Library. Science.
⊙801	出 處 欄	☐☐ $a cw $b 中圖 $c 1983 0726 ☐1 $a cw $b 中圖 $c 1983 0809
805	館 藏 記 錄	☐☐ $a 中圖 $5 繳 $t CCL $4 ☐2☐ $e 8732 $p 期 $q 〔51卷〕$z 24☐ $2 1 $t 〔民7〕年9月－

⊙ 必備欄　　　　　　註：805可續填背面　　　　　　中國 72-02　10,000

表 3　　　　　　　　　中國機讀編目輸入表（善本書）

填表者＿＿＿＿＿＿＿＿＿
審核者＿＿＿＿＿＿＿＿＿

記錄標示		2. 記錄性質 □			3. 執行代碼 r □□ ϸ				7. 記錄補釋 □ i ϸ.
標誌	欄　　　　名	指標	分欄識別	資　　料　　單　　元　　名　　稱					
100	一 般 性 資 料	ϸϸ	$ a	2. 出版情況 □　　3. 出版年1 □□□□　　4. 出版年2 □□□□　5. 適用對象 □□□　　6. 政府出版品代碼 □　⊙7. 修正記錄代碼 □　⊙8. 編目語文 □□□　　9. 音譯代碼 □　　⊙10. 字 集 □□□□　11. 附加字集 □□□□　　12. 題名語文 □					
105	資 料 代 碼 欄	ϸϸ	$ a	1. 插圖代碼 □□□□　　2. 內容形式代碼 □□□□　　3. 會議代碼 □　4. 紀念集指標 □　5. 索引指標 □　6. 文學體裁代碼 □　7. 傳記代碼 □					

標誌	欄　　　　名	
010	國際標準圖書號碼	
⊙101	作 品 用 語	
102	出 版 國 別	
⊙200	題名及著者敘述項	
2--	著 錄 段　204 205 210 215 225	
3--	附 註 段	
4--	連 接 款 目 段	
5--	相 關 題 名 段	
6--	主 題 分 析 段　⊙608 681	
7--	著 者 段	
⊙801	出 處 欄	
805	館 藏 記 錄	

⊙ 必備欄　　　　註：805 可續填背面

中 國 72-02 20,000

表 4

中國機讀編目輸入表（地圖資料）

填表者＿＿＿＿＿＿＿＿＿

審核者＿＿＿＿＿＿＿＿＿

記錄標示		2. 記錄性質 □		3. 執行代碼 □□□ b		7. 記錄補釋 □ i b

標誌	欄　　名	指標	分欄識別	資　料　單　元　名　稱
100	一般性資料	b b	$ a	2. 出版情況 □　　3. 出版年 1 □□□□　　4. 出版年 2 □□□□ 5. 適用對象 □□□　　6. 政府出版品代碼 □　　⊙ 7. 修正記錄代碼 □ ⊙ 8. 編目語文 □□□　　9. 音譯代碼 □　　⊙ 10. 字集 □□□□ 11. 附加字集 □□□□　　12. 題名語文 □□□
120	資料代碼欄	b b	$ a	1. 圖色指標 □　　　2. 索引指標 □　　　3. 圖說指標 □ 4. 地號代碼 □□□□　　5. 地圖投影 □□　　6. 起始經緯 □
121	地圖資料形式特性	b b	$ a	1. 平面或立體 □　　2. 地圖最初影像 □　　3. 媒體 □ 4. 製圖技術 □　　5. 複製方法 □　　6. 大地平差 □　　7. 出版形式 □
			$ b	1. 感測器高度 □　　2. 感測器角度 □　　3. 光譜段數 □□ 4. 影像品質 □　　5. 雲量 □　　6. 地面解像力平均值 □□

標誌	欄　　名	
010	國際標準圖書號碼	
101	作　品　用　語	
102	出　版　國　別	
122	地圖資料─定位日期	
⊙ 123	地圖資料─比例尺與座標	
124	地圖資料─特殊資料類型	
⊙ 200	題名及著者敘述項	
2──	著　錄　段	204 ⊙ 206 210 215
3──	附　註　段	315
4──	連接款目段	
5──	相關題名段	
6──	主題分析段	681
7──	著　者　段	
⊙ 801	出　處　欄	
805	館藏記錄	

⊙ 必備欄　　　　　　註：805 可續填背面

中 國 72-02　4,000

中國機讀編目輸入表（縮影資料—圖書）

記錄標示		2.記錄性質 ＿		3.執行代碼 ｈｍ∅ｙ		7.記錄補釋 ｙ ｉ ｙ

欄　號	欄　　　名	指　標	分欄識別	資　料　單　元　名　稱
100	一般性資料	ｙｙ	$ a	2.出版情況＿　　3.出版年1＿＿＿＿　　4.出版年2＿＿＿＿ 5.適用對象＿＿＿　6.政府出版品代碼＿　⊙7.修正記錄代碼＿ ⊙8.編目語文＿＿＿　9.音譯代碼＿　　⊙10.字集＿ 11附加字集＿＿＿＿　12題名語文＿
105	資料代碼欄	ｙｙ	$ a	1.插圖代碼＿＿＿＿　　2.內容形式代碼＿＿＿＿　3.會議代碼＿ 4.紀念集指標＿　5.索引指標＿　6.文學體裁代碼＿　7.傳記代碼＿
130	資料代碼欄	ｙｙ	$ a	1.特殊資料類型標示＿　2.原件或複製＿　3.極性＿　4.大小尺寸＿ 5.縮小倍數＿＿　6.特殊縮小倍數＿＿＿　7.色彩＿ 8.軟片感光乳劑性質＿　9.軟片版類別＿　10.軟片基底質料＿
010	國際標準圖書號碼			
101	作品用語 ⊙			
102	出版國別			
106	圖書形式特性			
2＿＿	著　錄　段 ⊙ 200 　　　　　　204 　　　　　　205 　　　　　　210• 　　　　　　215 　　　　　　225			
3＿＿	附　　註　　段			
4＿＿	連　接　款　目　段			
5＿＿	相　關　題　名　段			
6＿＿	主　題　分　析　段			
7＿＿	著　　者　　段			
8＿＿	資料來源段 ⊙ 801 　　　　　⊙ 801 　　　　　　805			

表 5　　　⊙ 必 備 欄　　　　　　　　　　　　中圖 75. 3. 2,000

記錄標示		2.記錄性質＿		3.執行代碼　hsøß　　7.記錄補釋　ßiß
欄　號	欄　　　名	指　標	分欄識別	資　料　單　元　名　稱
100	一般性資料	ßß	＄a	2.出版情況＿　　　3.出版年1＿＿＿＿　　4.出版年2＿＿＿＿ 5.適用對象＿＿＿＿　6.政府出版品代碼＿　⊙7.修正紀錄代碼＿ ⊙8.編目語文＿　9.音譯代碼＿　⊙10.字集＿＿＿＿ 11附加字集＿＿＿＿　12題名語文＿
110	資料代碼欄	ßß	＄a	1.連續性出版品之類型＿　2.刊期＿　　3.規則性＿ 4.資料類型代碼＿　5.內容性質代碼＿＿＿　6.台議出版代碼＿ 7.題名頁來源代碼＿　8.索引來源代碼＿　9.彙編索引來源代碼＿
130	資料代碼欄	ßß	＄a	1.特殊資料類型標示＿　2.原件或複製＿　3.極性＿　4.大小尺寸＿ 6.縮小倍數＿　6.特殊縮小倍數＿＿＿　7.色彩＿ 8.軟片感光乳劑性質＿　9.軟片版類列＿　10.軟片基底質料＿
011	國際標準叢刊代碼			
040	叢刊代碼			
101	作品用語	⊙		
102	出版國別			
111	連續性出版品形式特性			
2＿＿	著錄段　⊙200			
	204			
	205			
	207			
	210			
	215			
	225			
3＿＿	附註段			
4＿＿	連接款目段			
5＿＿	相關題名段			
6＿＿	主題分析段			
7＿＿	著者段			
8＿＿	資料來源段　⊙801			
	⊙801			
	805			

表6　　⊙必備欄　　　　　　　　　　　　　　　　中國 75. 3. 2,000

表 7

中國機讀編目輸入表（錄音資料、樂譜）

填表者＿＿＿＿＿＿＿＿＿
審核者＿＿＿＿＿＿＿＿＿

記錄標示			2. 記錄性質 □		3. 執行代碼 □□□ ∤		7. 記錄補釋 □ i ∤
標誌	欄　　　　名	指標	分欄識別	資　　料　　單　　元　　名　　稱			
100	一 般 性 資 料	∤∤	＄a	2. 出版情況 □　　　3. 出版年1 □□□□　　　4. 出版年2 □□□□ 5. 適用對象 □□　　6. 政府出版品代碼 □□　　◉7. 修正記錄代碼 □ ◉8. 編目語文 □□□　　9. 音譯代碼 □　　◉10. 字集 □□□□ 11. 附加字集 □□□□　　12. 題名語文 □			
126	錄音資料形式特性	∤∤	＄a	1. 播放時間 □□□　　2. 發行型式 □　　3. 速度 □ 4. 聲道類型 □　　5. 唱片紋寬 □　　6. 唱片或盤式錄音帶之直徑 □ 7. 錄音帶寬度 □　　8. 錄音帶音軌 □　　9. 文字附件 □□□			
			＄b	1. 唱片或圖形錄音筒之類型 □　　2. 質料種類 □ 3. 錄音槽切割型式 □			

標誌	欄　　　名	
012	國際標準錄音號碼	
101	作 品 用 語	
102	出 版 國 別	
125	資 料 代 碼 欄	
◉200	題名及著者敘述項	
2--	著 錄 段	204 210 215
3--	附 註 段	
4--	連接款目段	
5--	相關題名段	
6--	主題分析段	681
7--	著 者 段	
◉801	出 處 欄	
805	館 藏 記 錄	

◉ 必 備 欄　　　　　　　註：805 可續填背面

中 72-02　4,000

表 8 　　　　　　　中國機讀編目輸入表（放映資料）　　　填表者＿＿＿＿＿＿＿
　　　　　　　　　　　　　　　　　　　　　　　　　　　　　　　審核者＿＿＿＿＿＿＿

記　錄　標　示		2. 記錄性質 □		3. 執行代碼 □□□ ♭	7. 記錄補釋 □ i ♭
欄誌	欄　　　　名 指標	分欄識別	資　　料　　單　　元　　名　　稱		

欄誌	欄　　名	指標	分欄識別	資　　料　　單　　元　　名　　稱
100	一 般 性 資 料	♭♭	$ a	2. 出版情況　　3. 出版年1 □□□□　　4. 出版年2 □□□□ 5. 適用對象 □　　6. 政府出版品代碼 □　　⊙7. 修正記錄代碼 □ ⊙8. 編目語文 □□□　　9. 音譯代碼 □　　⊙10. 字集 □□□□ 11. 附加字集 □□□□　　12. 題名語文 □□□
115	資 料 代 碼 欄	♭♭	$ a	1. 資料類型 □　　2. 長度 □　　3. 色彩指標 □　　4. 聲音指標 □ 5. 放聲媒體 □　　6. 大小尺寸 □　　7. 影片發行形式 □ 8. 影片製作技術 □　　9. 影片影像形式 □　　10. 附件 □
			$ b	1. 影片版類別 □　　2. 工作片性質 □　　3. 彩色片沖印階段 □ 4. 影片感光乳劑性質 □　　5. 影片基底質料 □　　6. 正負音軌別 □ 7. 特別色彩處理 □　　8. 影片長度收縮程度 □　　9. 影片面積收縮程度 □ 10. 影片破損程度 □　　11. 影片完整程度 □

欄誌	欄　　　　名	
013	標準放映資料號碼	
101	作 品 用 語	
102	出 版 國 別	
⊙200	題名及著者敘述項	
2--	著 錄 段	204 210 215
3--	附 註 段	322 323
4--	連接款目段	
5--	相關題名段	
6--	主題分析段	681
7--	著 者 段	
⊙801	出 處 欄	
805	館 藏 記 錄	

⊙ 必備欄　　　　　　註：805 可續填背面　　　　　　　　中 □ 72 02 10,000

MARK TAG IND   1...5...10....5...20....5...30....5...40....5...50....5...60....5...70....5...80

```
001              Rec-status=n           Imp-code=am2          Add-def=21

100              Enter-date=19830923 Pub=d        Yr1=1983    Yr2=        Aud=        Gov=y

                 Mod=0    Lan=chi    Trans=b    Char=09    Add=        Title=e

105              Ill=y    Form=z    Conf=0    Fest=0    Index=0    Lit=y    Bio=d

101      1       $achi$ceng

102              $acw

801      0       $acw$b中國$c840120

801      1       $acw$b中國$c840306

805              $a中國$s繼$c648105$s購$c648106-7 c.2-3$d020.94$e867$fC1,F11

681              $a020.94$b867

200      1       $a西洋圖書館史$f[ 詹森 ]Elmer D. Johnson著$g尹定國譯$rHsi yang t'u shu kuan shih

205              $a初版

210              $a臺北市$c臺灣學生$d民72[1983]

215      0       $a328 面$d21公分

215      1       $a328 p.$d21 cm.

225      2 2     $a圖書館學與資訊科學叢書$rT'u shu kuan hsüeh yü tzu hsün k'o hsüeh ts'ung shu.

010      0       $b平裝$d新臺幣150 元

010      1       $bpbk$dNT$150

010      0       $b精裝$d新臺幣200 元

010      1       $bbound$dNT$200

606              $21c$aLibraries$xHistory.

606              $2csh$a 圖書館$x歷史

676              $v19$a021.009

700      1       $a詹森$c(Johnson, Elmer D.) $4著

770      1       $aJohnson,$bElmer D.

702      1       $a尹$b定國$4譯

772      1       $aYin,$bTing-kuo.

680              $aZ721

410      0       $12001 $a 圖書館學與資訊科學叢書

454      1       $12001 $aHistory of libraries in the Western world
```

TOTAL   29 RECORDS.

表 9：驗正單

```
01000500010000050002000005000300000500040000050005000005000600000500070000050008000005000090000050099
01083nam2 220036121 45  00100090000001000230000901000160003201000230004801000180007110000410008910101
0130013010200070014310500190015020000075001692050009002442100033002532150019002862150019003052250081 0
03244100035004054540053004406060028004936060023005216760016005446800009005606810010016005697000035005857
0200017006207700002300637772002000066080100210068080100210070110#83008586#0  $b平裝$d新臺幣150 元#1  $bpbk
$dNT$150#0  $b精裝$d新臺幣200 元#1  $bbound$dNT$200#  $a19830923d1983     y0ch1b09      e #1 $ach1$c
eng#  $acw#  $ay  z  000yd #1  $a西洋圖書館史$fElmer D. Johnson著$g尹定國譯$rHsi yang t'u shu kuan
shih#  $a初版#  $a臺北市$c臺灣學生$d民72[1983]#0  $a328 面$d21公分#1  $a328 p.$d21 cm.#22$a圖書館學與資
訊科學叢書$rT'u shu kuan hsüeh yü tzu hsün k'o hsüeh ts'ung shu.# 0$12001 $a 圖書館學與資訊科學叢書
# 1$12001 $aHistory of libraries in the Western world#  $21c$aLibraries$xHistory.#  $2csh$a 圖書館$x
歷史#  $v19$a021.009#  $aZ721#  $a020.94$b867# 1$a詹森$c(Johnson, Elmer D.) $4著# 1$a尹$b定國$4譯# 1
$aJohnson,$bElmer D.# 1$aYin,$bTing-kuo.# 0$acw$b中國$c840120# 1$acw$b中國$c840306×
```

```
01000500010000050002000005000300000500040000050005000005000600000500070000050008000005000090000050099
01083nam2 220036121 45  00100090000001000230000901000160003201000230004801000180007110000410008910101
3333366623333333363232233333333333333333333333333333333333333333333333333333333333333333333333333333
01083E1D202200361290450001000900000010002300009010001600032010002300048010001800071100004100089101010
0130013010200070014310500190015020000075001692050009002442100033002532150019002862150019003052250081 0
333333333333333333333333333333333333333333333333333333333333333333333333333333333333333333333333333333
01300130102000700143105001900150200000750016920500090024421000330025321500190028621500190030522500810
03244100035004054540053004406060028004936060023005216760016005446800009005606810010016005697000035005857
333333333333333333333333333333333333333333333333333333333333333333333333333333333333333333333333333333
03244100035004054540053004406060028004936060023005216760016005446800009005606810010016005697000035005857
7020001700620770000230063777200200006608010021006808010021007011#83008586#0  $b    $d    150  ×#1  $bpbk
3333333333333333333333333333333333333333333333333333333333333333232333333333232268C8F 268B808B33328223226766
702000170062077000023006377720020000660801002100680801002100701383008586300420F1D44061A641500153104202B
$dNT$150#0  $b    $d    200  ×#1  $bbound$dNT$200#  $a19830923d1983     y0ch1b09      e #1 $ach1$c
26452333232268D8F 268B808B333282232266676626452333222633333336333322222227366663322222262232266666266
44E44150300421B1D44061A64200015310422F5E444E442003004119830923419830000000903892090000000503104138943
eng#  $acw#  $ay  z  000yd #1  $a · 9    ! v$fElmer D. Johnson ×$g K    K$rHsi yang t'u shu kuan
66622226672222672227222333762232266838E8C8287264666724224666766822684888084274762766627272767267662
5E7300413730041 9000A000000940310410019000C3136465CD5204E0AF8E3FE0547CB050E5B42039091E7047503850B51E0
shih#  $a   J#  $a    $c  U - 8$d T72[1983]#0  $a328  J$d21  s#1  $a328 p.$d21 cm.#22$a    ! -
76662222682862222680 8A8D2680858282268535333335232263332842633888 7232263332 72263326622 33268E8C82828F8
389830041204A300411A0503431A250D06440472B1983D3004132800A4421090331041 32800E442103DE32241000C310D062
× 4 6 -    $rT'u shu kuan hsüeh yü tzu hsün k'o hsüeh ts'ung shu.# 0$12001 $a    ! -  = 4 6 -
38383828C8C27527276726766226716627127772671626262671662772766276722232333322628E8C82828F838383828C8C
D44260D8D0C4247503850B51E03895809904A50839E0B7F08395804375E70385E3004120010410000C310D062D44260D8D0C
# 1$12001 $aHistory of libraries in the Western world#  $21c$aLibraries$xHistory.#  $2csh$a    !$x
22323333322646776772662666767667266276626567767627676622236626466767667274677677222223676262 8E8C8227
3014120010418934F290F60C92212953 09E04850753452E07F2C430042C341C92212953488934F29E30042338410000C3148
v# $v19$a021.009#  $aZ721#  $a020.94$b867# 1$a    D$c(Johnson, Elmer D.) $4 ×# 1$a K$b    $4 K# 1
808722227332633323332222653332222633232326333223268B84262466676622466672422223822326842688802384223
3936300461941021E00930041A72130041020E944286730141 9654438AF8E3FEC05CD5204E9044053014 1CB42050E445B301
$aJohnson,$bElmer D.# 1$aYin,$bTing-kuo.# 0$acw$b    $c840120# 1$acw$b    $c840306×
264666766226466672422232656622656666762223266726818E26333332322667268 18E263333332
41AF8E3FEC425CD5204E3014 99EC4249E7DB5FE3004137420C004384012030141 37420C00438403065
```

表10：磁帶格式

```
020.94      西洋圖書館史 / 〔 詹森 〕Elmer D. Johnson著
867           ；尹定國譯. -- 初版. -- 臺北市：臺灣學
              生,民72〔1983〕
              328面 ；21公分. -- (圖書館學與資訊科學叢
648105        書)
648106-7    譯自：History of libraries in the
 c.2-3      Western world
              新臺幣150元(平裝). -- 新臺幣200元(精裝)


              1. 圖書館 - 歷史 I.詹森(Johnson，Elmer D
            .)著 II.尹定國譯

                                        NCL83008586
```

```
020.94      圖書館 - 歷史
867         西洋圖書館史 / 〔 詹森 〕Elmer D. Johnson著
              ；尹定國譯. -- 初版. -- 臺北市：臺灣學
              生,民72〔1983〕
              328面 ；21公分. -- (圖書館學與資訊科學叢
648105        書)
648106-7    譯自：History of libraries in the
 c.2-3      Western world
              新臺幣150元(平裝). -- 新臺幣200元(精裝)


              1. 圖書館 - 歷史 I.詹森(Johnson，Elmer D
            .)著 II.尹定國譯

                                        NCL83008586
```

表11　電腦印刷書名片標題片

```
020.94      詹森(Johnson, Elmer D.)著
867         西洋圖書館史 /〔詹森 〕Elmer D. Johnson著
            ；尹定國譯. -- 初版. -- 臺北市： 臺灣學
            生,民72〔1983〕
            328面 ；21公分. -- （圖書館學與資訊科學叢
648105      書）
648106-7    譯自：History of libraries in the
 c.2-3      Western world
            新臺幣150元(平裝). -- 新臺幣200元(精裝)

            1. 圖書館 - 歷史 I.詹森(Johnson, Elmer D
            .)著 II.尹定國譯

                                        NCL83008586
```

```
020.94      尹定國譯
867         西洋圖書館史 / 〔詹森 〕Elmer D. Johnson著
            ；尹定國譯. -- 初版. -- 臺北市： 臺灣學
            生,民72〔1983〕
            328面 ；21公分. -- （圖書館學與資訊科學叢
648105      書）
648106-7    譯自：History of libraries in the
 c.2-3      Western world
            新臺幣150元(平裝). -- 新臺幣200元(精裝)

            1. 圖書館 - 歷史 I.詹森(Johnson, Elmer D
            .)著 II.尹定國譯

                                        NCL83008586
```

表12　電腦印刷著者片

```
Z721         Johnson, Elmer D.
                 (Hsi yang t'u shu kuan shih)
                 西洋圖書館史 / 〔 詹森 〕Elmer D.
             Johnson著 ; 尹定國譯. -- 初版. -- 臺北市 :
                 臺灣學生，民72〔1983〕
648105           328 p. ; 21 cm. -- (圖書館學與資訊科學
648106-7     叢書)
  c.2-3
                 Translation of : History of libraries
             in the Western world
                 Series romanized : T'u shu kuan hsüeh
             yü tzu hsün k'o hsüeh ts'ung shu.
                                    (Cont'd on next card)
                                    NCL83008586
```

```
Z721         Johnson, Elmer D. -- (Hsi yang t'u shu
                 kuan shih) ... 民72〔1983〕 (Card 2)

             NT$150(pbk)NT$200(bound)




                 1. Libraries - History.  I. Yin, Ting-
             kuo.  II. Title.
                                    NCL83008586
```

表13　電腦印刷國外用主片

LIBRARIES - HISTORY.
Johnson, Elmer D.
(Hsi yang t'u shu kuan shih)
西洋圖書館史 / 〔 詹森 〕Elmer D.
Johnson著 ；尹定國譯. -- 初版. -- 臺北市 ：
648105 臺灣學生，民72〔1983〕
648106-7 328 p. ；21 cm. -- （圖書館學與資訊科學
c.2-3 叢書）

Translation of : History of libraries
in the Western world
Series romanized : T'u shu kuan hsüeh
(Cont'd on next card)
NCL83008586

Johnson, Elmer D. -- (Hsi yang t'u shu
kuan shih) ... 民72〔1983〕 (Card 2)

yü tzu hsün k'o hsüeh ts'ung shu.
NT$150(pbk)NT$200(bound)

1. Libraries - History. I. Yin, Ting-
kuo. II. Title.

NCL83008586

表14　電腦印刷國外用標題片

```
          YIN, TING-KUO.
          Johnson, Elmer D.
          (Hsi yang t'u shu kuan shih)
          西洋圖書館史 / 〔 詹森 〕Elmer D.
          Johnson著 ；尹定國譯. -- 初版. -- 臺北市 ：
648105    臺灣學生, 民72〔1983〕
648106-7      328 p. ；21 cm. -- (圖書館學與資訊科學
  c.2-3   叢書)

          Translation of ：History of libraries
        in the Western world
          Series romanized ： Series romanized ：
                              (Cont'd on next card)
                              NCL83008586
```

```
          Johnson, Elmer D. -- (Hsi yang t'u shu
            kuan shih) ... 民72〔1983〕  (Card 2)

        T'u shu kuan hsüeh yü tzu hsün k'o hsüei
        ts'ung shu.
            NT$150(pbk)NT$200(bound)




            1. Libraries - History.  I. Yin, Ting-
        kuo.  II. Title.

                              NCL83008586
```

表15　電腦印刷國外用著者片

```
                    Hsi yang t'u shu kuan shih
                    Johnson, Elmer D.
                    (Hsi yang t'u shu kuan shih)
                    西洋圖書館史 / 〔 詹森 〕Elmer D.
                    Johnson著 ；尹定國譯. -- 初版. -- 臺北市：
        648105      臺灣學生, 民72〔1983〕
        648106-7    328 p. ; 21 cm. -- (圖書館學與資訊科學
        c.2-3       叢書)

                    Translation of : History of libraries
                    in the Western world
                    Series romanized : Series romanized :
                              (Cont'd on next card)
                                     NCL83008586
```

```
        Johnson, Elmer D. -- (Hsi yang t'u shu
           kuan shih) ... 民72〔1983〕 (Card 2)

        Series romanized : T'u shu kuan hsüeh yü
        tzu hsün k'o hsüeh ts'ung shu.
          NT$150(pbk)NT$200(bound)



              1. Libraries - History.  I. Yin, Ting-
        kuo.  II. Title.

                                     NCL83008586
```

表16　電腦印刷國外用書名片

第三章　分類法

第一節　緒　論

一、分類的意義與目的

　　分類的第一階段是區分甲乙，這是生物共有的本能，動物能將食物分辨可吃和不可吃，嬰兒也能辨識母親和別人。推而廣之，人們在商店陳列商品，博物館展示藝術品，莫不將所要陳列展示的物品，按一定的標準加以分門別類，整理出一有系統的秩序，使業主易於管理，顧客也便於找尋。不但如此，人類不論在生理上或心理上，隨時隨地都處在「分類的世界」中，所以有謂：「人是分類的動物」。

　　在圖書館學中所說的分類，自係指圖書資料（包括圖書及非書資料）的分類而言。圖書分類的目的在於將圖書資料按一定的標準加以排列，便於找尋使用。而圖書的分類標準和其形態變遷有密切關係，因此，圖書的排列方法很多，有依圖書的語言，有依圖書的裝訂式樣、形式大小、出版年代、出版者、入藏先後和內容主題等標準來排列。這些排列方法，雖然都各有它的理由，但一般都以圖書內容性質做為排列的根據。因為圖書資料的內容是一切圖書資料的本質屬性，如摒棄了此一屬性，那麼這些圖書資料就失去它的意義，和一堆紙張毫無二致，也無法發揮傳遞知

識的作用。

古時藏書樓時代，因爲藏書數量不多，利用頻率不高，個人對於自己的藏書，單靠記憶就可以很容易檢獲所需要的書籍；但是現代圖書館，藏書數量和使用頻率都顯著增加，單靠記憶不足以應付這種問題，於是要考慮方便利用圖書的書架排架和編製目錄等方式了。

圖書分類的目的主要在於組織藏書，便於利用及管理，因此，圖書分類的功用，可以分讀者和圖書館員兩方面來說明：

(一)讀者方面

1.使讀者很容易的瞭解該館藏有那些類別的圖書。

2.使讀者瞭解該館藏有某類別和相關主題的圖書。

(1) 若沒有某一特定圖書，可以得到同類的其他本圖書。

(2) 可輕易的將某一主題圖書，蒐羅殆盡。

(3) 在找尋某一特定圖書時，雖不能確定其書名或著者姓名，也可檢索出來。

3.讀者可以在某一主題的前後，查獲相關主題的資料。

4.圖書分類可做爲知識體系的參考。

5.讀者若能熟記分類號，更可以在治學時，節省不少時間和精力。

(二)圖書館員方面

1.館員根據分類將某一主題圖書，蒐羅殆盡。

2.使館員瞭解藏書各類的分布狀態，便於擬定圖書採訪和補

充的計劃。

3.根據讀者出納的分類統計,可以擬定藏書發展政策。

4.便於編製專題目錄、陳列以及典藏清點工作。

5.使用統一的分類法時,可以和其他圖書館進行各項館際合作工作。

根據圖書的內容性質分類,可以採用兩種方式,一種是圖書分類法, 另一種是標題法。 圖書分類法是將圖書內容的學科屬性,以類碼有系統的揭示出來,組織起來;標題法則是根據圖書內容,採用適當的主題詞句(圖書館學中稱為標題),來揭露和排檢圖書資料。

據此,同樣按內容性質來區分圖書資料而言,二者都可以說是分類, 從表現的方式而言, 分類法的類目和標題法的標目,也都可以說是標題。但如果從它們揭示的方法和性質不同,二者又各有特性。分類法是以學科的分類體系來揭示圖書資料的內容性質,強調的是學科的分類體系。換言之,它的特點,在於分類的系統性;標題法是以主題名稱來揭露圖書資料內容,而且按其標題字順來排檢,強調的是標題的指引,它的特點在於事物的指示性。因此二者異中有同,同中有異,於異同之間,互相補充,彼此相輔相成,從而構成揭示圖書內容性質的完整制度。

二、圖書分類的標準

前一小節, 曾述及圖書的排列方法, 係根據圖書的內容性質,換句話說, 圖書分類就是按照圖書內容的學科, 或其他特性,將圖書館藏書一一加以揭露出來,並且分門別類的將它們有

系統的組織起來。

圖書經過分類以後，性質相同的集中一處，性質相近的也連在一起，而性質不同的就分別開來。因此，圖書分類至少含有下面兩種意義：

（一）就一種圖書而言，根據其內容性質分類，就是將它歸入所採用的分類體系中，確定它在學術上所佔的地位，此爲歸類。

（二）就整個館藏組織而言，將所有圖書依其學科屬性，分別陳列，使同類圖書集在一起，不同類的書予以分開，構成一個有條理的系統，亦卽類集。

將性質相同者歸入同一類，因此，類代表一組性質相同的事物，一類事物相互之間的相同點，就是分類所根據的標準，我們稱之爲分類標準，或分類根據。近代圖書館的分類，大都以圖書的內容爲主要標準，因爲圖書內容是圖書最主要的屬性，爲其他屬性所依附。但此主要屬性有時而窮，需要用其他屬性，包括體裁、地區、時代、語言、字順、入藏先後、版本等七種屬性做爲分類標準，稱爲輔助標準。例如各種文學作品，內容性質屬於文學，我們只能採用體裁來細分。由於採用的分類標準不同，於是產生不同的結果，例如哲學辭典，以其編製的體裁爲標準，可歸入辭典，但如按內容學科爲標準，則應先歸入其所屬學科類目──哲學類。

所以，具體而言，圖書分類的標準可歸納爲主要標準和輔助標準兩大類，現分述於下：

（一）主要標準：亦卽內容的標準，是以圖書的內容屬性來分類，可以使同一學科或相同事物的圖書資料集中在一處，節省讀

者搜集資料的時間，方便研究利用。所以，學科內容的標準，是圖書分類的主要標準。

(二)輔助標準：除了主要標準外，尚需其他次要標準來分類，可再分成下列七種。

1. 體裁的標準：某些圖書資料，除了內容的屬性以外，尚有偏重於其著作形式的體裁，則需要以體裁作為輔助標準，再加以分類。如：教育辭典，先依內容標準歸入教育類，再依體裁標準入教育之辭典目。

2. 地區的標準：某些圖書資料，偏重於某地區，則需要按其地區區分，再加以排列順序。如：中國文學，先歸入文學類，再依國別歸入中國目。

3. 時代的標準：某些圖書偏重於某時代，則需要按其時代先後順序，再加以區分，使資料能按時間先後順序排列。如：唐詩排於宋詩之前。

4. 語言的標準：有關語言的資料，不能以地區來分，而需以語言再加以細分，如：美語會話與英語會話，同屬英國語言，不能依地區分為美國或英國，僅能歸入英國語言中的會話目中。

5. 字順的標準：某些資料性質相近，需要按字順再細分排列者，如：各姓氏族譜，除歸入族譜類外，尚需按各姓氏排列。著者號的功用也是字順的標準的一種，以輔助分類號相同時，區分排列之用。

6. 入藏先後的標準：某些相同性質的資料，歸入相同類目中，尚需依入藏先後，加以區分排列，如：種次號及複本號等，都是輔助內容標準來區分圖書的。

7. 版本的標準：同一種圖書，需要用版本加以區分，通常都以年代號加以區別。

三、圖書分類的界限

圖書分類不管採用多麼周密的分類法，而且多麼謹慎的使用，但能將圖書毫無錯誤的分類，是絕對不可能的，充其量只能說主觀上，相對的正確而已。而且分類工作者的判斷與讀者的觀點不盡一致，我們只能盡可能的將人為的差異，減至最低程度，這就是圖書分類的界限。歸納起來，圖書分類受了下列幾種因素的限制：

(一)人類知識隨時在成長、發展、變化、移動、消失，其代表意義和關係一直在變。因此，要想樹立一種一成不變的分類體系，殆不可能。

(二)圖書資料大量增加，新知識隨時產生，圖書分類工作者限於各種環境因素的限制，無人能精通各學科，所謂隔行如隔山。又無法羅致各學科人才，因此影響了分類工作的正確性。

(三)圖書分類工作是相當主觀的，由於分類工作者受生理上、心理上的影響，或由於對分類體系不盡熟悉及分類規則不夠完備，導致實際的分類工作，產生紛歧矛盾的現象。

第二節　圖書分類法的基本條件

前面一節，我們瞭解圖書分類是根據圖書內容的學術性質，加上圖書的體裁、地區……等輔助標準構成的，也瞭解圖書分類

受到限制，如何調整圖書分類的主要標準和輔助標準，組成一個有步驟、有層次、有秩序的展開體系，這種圖書體系用文字表達出來，就是圖書分類法（表）。

一個理想的圖書分類法，前人李小緣曾認爲：「圖書分類，首重實用，次及理論之系統，務使思想一貫，類別顯豁，層次均勻，子目詳細，號碼簡明，易於引申，無重覆，無蕪雜，然後方可謂盡圖書分類之能事。」❶塞歐氏（W.C. Berwrek Sayers）亦云：「一個眞正實用的分類法，必須具備下列各點：一、包括人類全部知識；若是專門分類法，則包括此專門的知識；二、有一公認的適當的次序；三、事物的陳述要儘量詳細；四、類目應有充分的伸縮性，預留地位，以便適應世界思潮的變化；五、配備一簡單而有伸縮性的標記；六、有一完備的索引。」❷

因此，一個良好的圖書分類法，王省吾氏認爲必須是運用方便，體系完整，類別明確，子目詳細，標記簡明，助記實用，索引完備的分類法。玆據此略爲引申於下：

一、完整的理論體系：

圖書分類法原應學術需要而作，因此分類法自應包括全部人類的知識，卽使爲專門學科分類法，亦應包含該學科的完整範圍，

---

❶　引自中國圖書分類法／劉國鈞編.--南京：金陵大學圖書館，民29.--面1：李序。

❷　引自圖書分類法導論／王省吾編著.--再版.--臺北市：中華文化出版事業社，民53.--面17 引： An introduction to library classification, introduetion, p.22.

而且均必須能容納過去、現在以及將來的學術的發展。因此，編
製分類表時，必須將編製範圍內的全部知識蒐羅殆盡，然後才考
慮類目的結構次序，以及其他標記、助記方法，索引使用法等。

二、明確的類目組織

圖書分類既基於學術分類，因此編製分類表，就是明列類
目，每一類目或爲單字，或爲詞句，都代表一個概念，或一部分知
識，因此各個類目的代表意義，其外延與內涵均應周延而明確，
層次分明，上下關係合乎邏輯，類目合理而實用。

三、詳細的子目

學術研究越來越細，因此，圖書分類表必須列出詳細的子
目，才能適合各專門著作的分類。詳細的子目，可使同一子目的
資料，集中一處，對於讀者及館員都很方便，但若過於詳細，又
易造成類碼過長，且遇有新增類目，不易增加列入。因此，在編
製子目的詳表時，應預留空間及擴充增補辦法，並且使用適當標
記方法，以節省分類表篇幅及清晰。

四、簡明的標記方法

圖書分類法各類目及子目之間的關係，有賴於適當的標記，
才能確定。使分類表上每一類目有一確定地位，以便組織成有系
統的體系，且可以表示某書的類屬，確定在書架上的位置。

標記制度的好壞直接影響圖書的使用及管理，理想的標記方
法應合於以下數個原則：類碼簡明，組合自然，位數簡短，細分

詳盡，易於辨寫，富助記性，富伸縮性。以此原則觀之，「理想的標記是以十進數字爲主的混合符號」❸。

五、實用的助記表

　前面已述及，圖書分類除內容標準以外，尚有其輔助標準，這些輔助標準，常常是各種圖書所共有的。因此，編製分類表時，都將此標準編製爲共用複分表，以供靈活利用，節省分類表的篇幅，此種複分表因通用於各類目，其複分號碼也都一致，故有助記性，所以又稱爲助記表（Menmonic table）。

　　助記表的種類在各種分類表多寡不一，最常見的有形式複分表、地區複分表、時代複分表、語言複分表等四種。此外，尚有在各類目中，仿分的方式，也可算是助記表的另一種形式。總之，良好的助記表以實用，便於記憶爲主。

六、完備的索引

　　詳備的圖書分類法包羅類目及子目，爲數頗衆，爲檢查方便，應編製完備的索引，編製索引有二種方式，一爲相關索引（Relative index），係以不同的所有類目，依字順排列，並將相關的類目附列於其下，如杜威十進分類法的索引卽爲此種索引，另一種則爲列舉索引（Specific index），只將各類目機械地排列在一起，未將相關類目列出，應用上不及相關索引方便，賴永祥氏編訂中國圖書分類法（新訂一版）所編製的索引，卽屬

---

❸　前引書，面18。

列舉索引。

因此，完備的索引應以相關索引較理想，而且編製時應具備下列五點：

(一)包括分類表內所有大小類目，均應編入。

(二)每一類目之後，均附類碼，以利檢索。

(三)相關的類目以「見」、「參見」等組織起來。

(四)類目的排列應用最簡便的檢字法。

(五)各類目排列順序，版面行格，字體大小，均宜清晰醒目，層次分明。

第三節　常用中文圖書分類法介紹

我國圖書分類，歷史悠久，根據文字記載，大約在兩千年前，西元前六年漢朝劉向、劉歆父子，根據秘書監藏書分圖書為七略，完成我國的第一部分類目錄——七略。終漢之世，均依循七略。及至晉秘書監荀勖更著新簿，又分羣書為四部，七略法便漸衰微。經南北朝至隋，二法互有消長，至此便成為我國古代圖書分類史上兩大系統。自唐以後四部法幾乎定於一尊，直到清初四庫總目的編纂，達於顛峯時期，清代學者如孫星衍祠堂書目又復七略舊制，晚清時期更受西洋諸分類法衝擊，產生了極大的變化。今略述於後。

一、中國古代圖書分類法

漢朝自高祖統一中國以後，改採予民休息政策，加強文化建

設。史記云:「高祖入咸陽,蕭何先收秦圖書。」武帝時更「改秦之敗,大收篇籍,廣開獻書之路」(漢書藝文志序╱(漢)班固撰)。漢成帝河平三年(西元前26年)「使謁者陳農求遺書於天下,詔光祿大夫劉向校經傳、諸子、詩賦,步兵校尉任宏校兵書,太史令尹咸校數術,侍醫李柱國校方技……會向卒,哀帝復使向子侍中奉車都尉歆卒父業,歆於是總羣書而奏其七略」(漢志序)。

劉向父子主持漢朝國家圖書館分類編目工作凡二十餘年,所輯七略爲中國第一部分類目錄,玆據班固漢書藝文志所載,列其分類表如下:

　　輯　略

　　六藝略:易、書、詩、禮、樂、春秋、論語、孝經、小學

　　諸子略:儒家、道家、陰陽家、法家、名家、墨家、縱橫
　　　　　　家、雜家、農家、小說家

　　詩賦略:屈賦、陸賈賦、孫卿賦、雜賦、歌詩

　　兵書略:兵權謀、兵形勢、兵陰陽、兵技巧

　　數術略:天文、曆譜、五行、蓍龜、雜占、形法

　　方技略:醫經、經方、房中、神仙

以現代分類術語來說,七略計分編例(輯略)和六大類,下分三十八小類,各略各有分類標準,如六藝略按專書分類;諸子略按學術派別分類;詩賦略按文學作者及體裁分類;數術、方技兩略則按學科分類。其層次分明,條理清楚,兼採學術分類與圖書分類,並有形式分類之法,類目分配亦屬平均,而無偏頗之失。

玆將七略分類優點說明如下:

（一）合理適用——七略的分類體系層次嚴整，能根據實際藏書情形而編訂，類目自然適合當時學術環境及藏書情況。

（二）系統嚴密——各類目體系嚴密，大類與子目條理清楚，子目分析極爲細密。

（三）組合標準——融合圖書內容及形式體裁兩種分類標準，爲分類技術上重大創見。

（四）互著別裁——採用互著別裁的方法，使一書充分揭示其內容，發揮主題分類的最大功能，如太公、管子均互見於兵權謀及縱橫家。

七略的缺點：

（一）類名混淆——類目名稱有雷同，混淆不清的情形。如諸子略有陰陽家，兵書略也有陰陽。

（二）錯雜矛盾——爾雅、小爾雅應入小學卻入孝經，詩賦略的歌詩與六藝略的詩相同卻不入六藝略。

（三）類目欠當——同一學科分隔過遠，如陰陽家的「敬順昊天，歷象日月星辰」與數術略的天文、曆譜相近。又一部分「舍人事而任鬼神」亦與數術略中之五行、蓍龜、雜占無異，分隔過遠。另史書未單獨成類，而附入春秋。

七略至唐已失傳，其詳細內容已不可考，僅得自漢書藝文志略知其概貌。魏晉間四部分類法雖興，而七略漸衰，但至南北朝隋間七略法又盛，如宋王儉七志，梁阮孝緒七錄，隋許善心七林，都是仿七略，僅部次稍有更動而已。

茲據隋書經籍志及廣弘明集所載，列七志七錄之類目於下：

七志——經典志　　　　　七錄——經典錄

諸子志	**紀傳錄**
文翰志	子兵錄
軍書志	文集錄
陰陽志	技術錄
術藝志	佛法錄
圖譜志	仙道錄
附道經	
附佛經	

七錄分內外二篇，內篇有五（經典、紀傳、子兵、文集、技術），外篇有二（佛、道），若去外篇則剩五錄，與梁劉孝標文德殿五部目錄爲後來四部法定下基礎，又文集錄亦爲四部法之集部開了先河，因此阮孝緒的七錄在我國古代分類史上，實居承先啓後的地位。

二、四部分類法

我國古書分類法除七略法以外，尚有現仍在流行的四部分類法。三國時代魏人鄭默始制中經，惜中經早已亡佚，據隋書經籍志記載：「魏秘書郎鄭默始制中經，秘書監荀勖又因中經更著新簿，分爲四部，總括羣書。」所以四部法實創於鄭默、荀勖。荀勖根據中經編制「中經新簿」，據隋志分爲四部：

甲部：六藝、小學

乙部：古諸子家、近世子家、兵書、兵家、數術

丙部：史記、舊事、皇覽、簿、雜事

丁部：詩賦、圖贊、汲冢書

　　東晉著作郎李充編四部書目時 ， 將乙 、 丙兩部內容次序交換，改爲甲經、乙史、丙子、丁集。 自此，「秘閣以爲永制」（晉書），四部的「經史子集之次始定」（見元史藝文志／（清）錢大昕）。

　　四部法創於荀勗而定於李充，隋書經籍志始用經史子集的類名及細目，但隋志除四部外猶附道經及佛經，共六部，與阮孝緒七錄頗近，至舊唐書藝文志立甲經、乙史、丙子、丁集之名，以佛道入子部之道家，至此四部之制始完全確定。

　　隋書經籍志四卷，唐長孫無忌等撰，實魏徵等編，爲我國現存第二部有系統之國家分類目錄，收錄自漢至隋公私書目所載現存書籍，玆錄其類目如下：

經部：易、書、詩、禮、樂、春秋、孝經、論語、緯書、小
　　　學。

史部：正史、古史、雜史、霸史、起居注、舊事、職官、儀
　　　注、刑法、雜傳、地理、譜系、簿錄。

子部：儒、道、法、名、墨、縱橫、雜、農、小說、兵、天
　　　文、曆數、五行、醫方。

集部：楚辭、別集、總集。

附道經：經戒、服餌、房中、符籙。

附佛經：大乘經、小乘經、雜經、雜疑經、大乘律、小乘
　　　律、雜律、大乘論、小乘論、雜論、記。

　　由上述可知隋志分經史子集四部四十類，另附道、佛二經十五類，雖有分類太重主觀，爲排架而簿錄及子目分析標準不一等缺點，但在史志中仍屬最爲精審，唐以前典籍均賴以考見源流，

辨別眞僞，以及四部分類之最早最詳目錄。梁啓超評爲：「本志
善，又爲十志冠也。」（見圖書大辭典簿錄之部，隋書經籍志條）。
自唐至淸，整理圖籍，幾全採用四部分類法，如唐之羣書目錄、
宋之崇文總目、明之文淵閣書目。又如晁公武郡齋讀書志、唐書
經籍藝文志、八史經籍志，都使用了四部分類法，千餘年間始終
居我國分類史之領袖地位，雖有宋鄭樵通志藝文略的十二分法，
仍無損其地位。

　　淸代四庫全書總目的出現，將四部分類法推展到最完備階
段。四部法自此改稱四庫法，對子目頗多增刪，計經部十、史部
十五、子部十四、集部五，凡四十四類。類以下分爲屬，凡六十
五屬。其部類別屬頗爲細密，兹將四庫的分類體系詳列如下：

經　部：

易類

書類

詩類

禮類：周禮、儀禮、禮記、三禮通義、通禮、雜禮。

春秋類

孝經類

五經總義類

四書類

樂類

小學類：訓詁、字書、韻書。

史　部：

正史類

編年類

紀事本末類

別史類

雜史類

詔令奏議類：詔令、奏議。

傳記類：聖賢、名人、總錄、雜錄、別錄。

史鈔類

載記類

時令類

地理類：總志、都會、郡縣、河渠、邊防、山川、古蹟、雜
　　　　記、遊記、外記。

職官類：官制、官箴。

政書類：通制、典禮、邦計、軍政、法令、考工。

目錄類：經籍、金石。

史評類

子　部：

儒家類

兵家類

法家類

農家類

醫家類

天文算法類：推步、算書。

術數類：數學、占候、相宅相墓、占卜、命書相書、陰陽五
　　　　行。

藝術類：圖畫、琴譜、篆刻、雜技。

譜錄類：器用、食譜、草木鳥獸蟲魚。

雜家類：雜學、雜考、雜說、雜品、雜纂、雜編。

類書類

小說家類：雜事、異聞、瑣語。

釋家類

道家類

集　　部

楚辭類

別集類

總集類

詩文評類

詞曲類：詞集、詞選、詞話、詞譜詞韻、南北曲。

四庫分類法，據其凡例及類目表可得其長處：

（一）體系嚴謹，層次分明——四庫全書總目以經 史 子 集 為
部，部下再分類，類下為屬，且所列諸書，均依時代複分，歷代
帝王之著冠各代之首。

（二）綜合各家類表之善——參考自隋志以下各家類目，加以
編訂，擇善而從，使類目更臻完善。

(三)類目分配適中——各類均酌分子目，其餘瑣節則概爲刪併。

(四)四部之首冠以總序——各部之首，冠以總序，述其學術流變，以挈綱領，四十四類之首，亦有小序，詳述分併改隸以析條目，復可爲分類之指引。

(五)蒐羅完備——凡文章流別，歷代增新，均以網羅，但於怪力亂神則予刪削。

但四庫法其弊亦有三：

(一)推崇儒道，褒貶得失——四庫分類法「以闡經學，明王道爲主，不以百家雜學爲重」（四庫全書總目凡例），過於偏頗，有碍學術發展。

(二)類目不以學術爲主——四庫於類目編配，系統調整有欠公允，且無視學術源流，如併名、墨、縱橫之家入雜家。

(三)子目分析，體系不純——四庫法大致以體裁爲主，但亦有以內容爲主，標準不一，使性質相同書籍列入不同類目。

四庫法自編訂以來，卽爲二百年來我國圖書分類法的典範，但也有突破其窠臼，另立新法。如：

孫星衍的祠堂書目，不依四庫而分圖書爲經學、小學、諸子、天文、地理、醫律、史學、金石、類書、詞賦、書畫、小說等十二類。

張之洞的書目答問於經史子集四部之外，另立叢書一部，國立中央圖書館善本書目循之。

繆荃孫的藝風樓藏書記大致本祠堂書目，但繆氏併天文、醫律入諸子類，復書畫爲藝術。

三、我國近代常用圖書分類法

自鴉片戰爭以後，西學東漸，激起中國的自強運動，新書紛紛出現，四部法已經不能適應新的需求，因此出現新分類法，這些新法大致可分成改革四部、酌採杜威和創造新法三派❹。

(一)改革四部派

因四部法不能容納新書，乃突破更張，當以南通圖書館、江蘇省立圖書館、古越藏書樓書目及南洋中學書目爲代表，其中尤以後二者最具代表性。

古越藏書樓爲浙江紹興徐樹蘭創辦於清光緒 28 年，越二年刊印「古越藏書樓書目」，混經史子集及新學爲學政兩部。其類目如下：

學部：易學、書學、詩學、禮學、春秋學、四書學、孝經學、爾雅學、羣經總義學、性理學、生理學、物理學、天文算學、黃老哲學、釋迦哲學、墨翟哲學、中外各派哲學、名學、法學、縱橫學、考證學、小學、文學。

政部：正史兼補表補志考證、編年史、紀事本末、古史、別史、雜史、載記、傳記、詔令、奏議、譜錄、金石、掌故、典禮、樂律、輿地、外史、外交、教育、軍政、法律、農業、工業、美術、稗史。

---

❹ 本小段參考圖書分類法導論／王省吾著，第六章.--面92。

由上述類目來看 ， 確實跳出四庫法的範圍 ， 但只求新舊兼容，忽略類目編排的合理性 ， 故有將金石、 樂律 、 美術列入政部，耶穌教附列入於墨翟哲學內，均屬不當。

民國 八 年南洋中學陳乃乾編印南洋中學書目 ， 它與越目不同，越目爲求新舊書籍共同使用一分類表，而此南洋書目則完全爲分類中國書籍而設。全書共十四大類，下再分若干細目。其類目如下：

周秦漢古籍、歷史、 政典、 地方志乘、 小學、 金石書畫書目、記述、天文算法、醫藥術數、佛學、類書、詩文、詞曲小說、彙刻。

此分類表除將羣經拆開，併入各類，打破自漢以來以經爲首之分類體系，類目名稱也有不妥之處。

處此新舊交替之際，乃有人主張新舊書籍分別使用不同分類法，即舊籍仍用四庫法，新書則自創新法。如孫毓修氏即主張此法，採用此種方式的有無錫圖書館、浙江公立圖書館……等。

(二)酌採杜威派

清末我國圖書館界處於新舊並行時期，宣統二年孫毓修首先主張舊書仍用四庫法，新書則採用杜威法，乃在教育雜誌第一次將杜威法介紹到中國，不數年仿杜威法的新分類法紛紛出現，其中比較重要的有民國六年沈祖榮、 胡慶生的 「 仿杜威書目十類法」。茲列其類目如下：

0 經部及類書　　　　5 科學

1 哲學宗教　　　　　6 工藝

2 社會學與教育　　　　7 美術

3 政治經濟　　　　　　8 文學及語言

4 醫學　　　　　　　　9 歷史

　　書後附檢字索引，此為第一本仿杜威法，採用數字標記的中文分類法，類目名稱也頗合新學科，且有檢字索引，使用方便，被譽為「第一個為中文書而編的新型分類法」。

　　民國十一年杜定友根據杜威法改編而成「世界圖書分類法」，民國十四年改稱「圖書分類法」，民國二十三年改為「杜氏圖書分類法」，其目的在同時容納中西文書籍，全書分三冊，上冊為說明(未出版)，中下冊為正文，附有中西文索引，其大類體系如下：

0 普通（後改總類）　　5 自然科學（純粹科學）

1 哲理科學　　　　　　6 應用科學

2 教育科學　　　　　　7 語言學

3 社會科學　　　　　　8 文學

4 美術　　　　　　　　9 歷史地理

　　杜氏將中國舊書除儘量入各類外，特將經部列入總類第二目，將教育提升為一大類，茲將杜氏圖書分類法之優缺點簡述於下：

　　優點：①首先提出中外統一分類的構想。

　　　　　②在類目編配上兼顧新學科及中國舊籍。

　　　　　③編有助記表及中西文索引，使用方便。

　　缺點：①中國舊籍分類沿用四庫子目，並無改進。

　　　　　②提升教育為一大類，頗覺唐突，致遭類目編配不當之譏。

4

③子目不夠細密。

　民國十七年王雲五編「中外圖書統一分類法」，爲使中外圖書統一分類，因此對杜威法「加上了小小的點綴，使更適於中國圖書館的應用」（該書第二章），王氏乃發明了「十」「卄」「土」等三個符號，加在杜威法類號之前，以安排中國圖書，使中西文同主題書籍得以並列，旣便於檢閱，亦便於圖書館員管理。

　『十』讀作十，用在絕對相同類號之前。

　　　　如：　015 各國書目　＋01中國　01美國

　　　　　　　＋02日本　02英國

　『卄』讀作二十，用在與杜威法十位相同類碼之前。

　　　　如：卄110中國哲學

　　　　　卄111易經

　　　　　110形上學

　『土』讀作土，用在與杜威法整數相同類號之前。

　　　　如：土327　中國外交

　　　　　土327.1 中美外交

　　　　　土327.2 中日外交

　　　　　327　外交

王氏的中外統一法確同時可處理中外圖書的分類。

　民國十八年南京金陵大學圖書館的劉國鈞氏，編訂了中國圖書分類法，其目的是感於外國分類法不適合中國圖書的分類，而四庫分類法亦不適用於外文圖書，「故決定採新舊書一統之原則，試造一新表」，發表之後，獲得如金陵大學圖書館等二百多個圖書館採用，尤以國立北平圖書館採用，發行印刷卡片，影響頗大。

民國二十五年再版。大陸變色後，有民國47年熊逸民氏增訂本。
民國四十三年國立中央圖書館在臺北復館後，採用此法。臺大圖
書館亦改採此法，因此普遍爲臺灣地區各圖書館所採用。民國五
十三年賴永祥氏爲之增訂並編索引，此後民國五十七年、民國七
十年兩次增訂，類目擴充，與劉氏初版已相差很大，因此有取而
代之的趨勢，而賴氏增訂版因有中國圖書館學會的推動及國立中
央圖書館的採用，獲得臺灣地區百分之八十三的圖書館使用，因
此另設專節介紹，詳見本章第四節。

　　民國二十三年出現皮高品編訂「中國十進分類法」，及何日
章、袁湧進合作編訂「中國圖書十進分類法」二部新法，皮氏經
歷八年始編成「中國十進分類法」，其序言云：「釐制類目，使
適中外文籍。」可見皮氏亦主張中外合一制，其大綱小目多譯自
杜威法，並略作增刪，以適合於我國需要，其大類如下：

0	總類	5	自然科學
1	哲學	6	實業工藝
2	宗教	7	美術
3	社會科學	8	文學
4	語言文字學	9	歷史

全書兩冊，但下冊索引迄未出版，皮法優點在於子目詳細，且附
有英文譯名，中西文均可應用。但索引及使用說明均缺，而於舊
籍部分仍仿四庫類目，並無改進。

　　何日章、袁湧進合編的「中國圖書十進分類法」，民國二十
三年由北平師範大學印行，民國四十五年何氏在臺灣予以增補再
版，民國五十四年元旦再出版三版，民國六十一年出版第四版。

現據第四版簡介於下：

此法仍仿杜威十進法，參考杜定友之世界圖書分類法，森清之日本十進分類法以及美國之國會圖書館分類法編製而成。全書中英文對照，分類表之後並附編有著者號碼表，不但可以供中文新舊圖書分類之用，而且也可以適用於外國語文圖書。其分類大綱如下：

0 綜合部	5 自然科學部
1 哲學部	6 應用科學部
2 宗教部	7 藝術部
3 社會科學部	8 文學部
4 語言文字部	9 史地部

助記表有十三種之多，詳目如下：

小類表、中國時代表、干支歲陽歲陰表、日本時代表、日本地方區分表、西洋時代表、美國各州表、國別表（附國都；國慶表）、中國區域表（省；區表；附簡稱；省會表）、中國區域詳表（縣；市；局表）、紀念節表、國際原子量表、著者號碼表。

今有政大、師大、輔大等數所圖書館採用。

(三)杜威十進分類法 (D.D.C.)

1.沿革

杜威（Melvil Dewey, 1855-1932）生於美國紐約州傑佛遜城，1874年畢業於麻塞諸薩州的安赫斯特學院（Anhest College）後，歷任該學院圖書館館員，哥倫比亞大學圖書館館長，紐約州立圖書館館長，除創編十進分類法，創立美國圖書館協會及設立

圖書館學校，培養圖書館館員外，尚有其他功績，對近代美國圖書館事業貢獻頗大。肄業期間，創編圖書館圖書及小冊子編目與排列之分類及標題索引（A classification and subject index for cataloging and arranging the books and pamphlets of a library），共有分類表十二面，加上說明及索引全部只有四十二面。1885年出版第二版，改稱十進圖書分類法及相關索引，以後不斷修改，擴充類目，增編一般標準複分表（形式複分表）。1951年出版第十五版，正式定名杜威十進分類法（Dewey Decimal Classification, 簡稱 DDC 或 DC）。1989 年出版二十版，已發展成四大冊的巨著。

各版中以 1942 年第十四版最爲詳盡，共有31,444個類目，適合大型及研究圖書館使用，但因類碼過於冗長，缺乏彈性。因此招致很多圖書館不良反應，終於在 1951 年改變作風，出版了標準版的第十五版，減併類目，僅剩 4621 個，全書亦僅剩六百面，變成適合中小型圖書館使用的分類法，但自第十六版以後，又漸漸擴充類目，又發展到 1979 年的第十九版的 29,528 個類目。

杜威爲使其分類法能不斷修訂、出版，盡量適應世界學術趨勢，科技發展，乃投資創辦「森林出版社」，並創設一基金會，組織一常設機構，以負責杜威分類法的修訂和出版。美國國會圖書館於 1934 年起，定期編印出版「十進分類法使用法說明與決定」， 1961 年杜威法編輯部出版「十進分類法使用方法指引」。

杜威法又另出版節略版（ Abridged edition ），自 1894 年

出第一版至今已出到第十一版（1979年）。因類目較少，號碼簡短，仍附有索引，適合中小型圖書館使用，也便於圖書館學教育時學習分類教學之用。第一版至第九版節略版類目完全是依照全版（Full edition）節略而成，因此可與全版配合使用，使用者對藏書量較多類目，可採用全版的類目，而藏書較少的類目，可採用節略版，運用靈活，富有彈性，因此很受中小型圖書館的歡迎。 1971 年版的第十版，忽然改變方式，和第十八版全版的類目，並非完全配合，其構想是在迎合一般小型圖書館（藏書在二萬種以下）的使用。但這種改變因不能和全版類號配合，而造成混亂現象，因此 1979 年的節略第十一版，又恢復和以前同樣的方式，類目和第十九版全版相配合。

由於杜威十進分類法很受中小型圖書館歡迎採用，已翻譯成十餘種文字，許多國際性書目、美國國會圖書館的國家聯合目錄（National Union Catalog）、美國 OCLC 書目檔、美國圖書出版目錄（American Book Publishing Record, 簡稱 BPR）、書評文摘（Book Review Digest）等都印有杜威分類號，方便參考。我國圖書館之西文書籍也大都採用杜威法，卽使中文圖書的分類也深受影響， 1910 年杜威分類法傳入我國後，卽引起我國圖書館工作的變化，而且出現了模仿、增補或修改杜威法的分類法。如中國圖書分類法、中國圖書十進分類法，都是仿杜威分類法，稍加修改而編訂的；故此處詳為介紹。

2. 構成內容大綱

杜氏把人類知識分為九類，並將無所屬的普通書籍、百科全書及雜誌另成一類，合成十類。每類又分成十小類，每小類再分

成十目，愈分愈細，以致於無窮。惟各小類各目可視學科的繁簡，而靈活決定類目的多寡。

其基本十大類如下：

000 總類　　　　　　　　500 純粹科學

100 哲學及其相關學科　　600 技術科學

200 宗教　　　　　　　　700 藝術

300 社會科學　　　　　　800 文學

400 語言學　　　　　　　900 地理、歷史

現以杜威法技術科學類目為例，說明其類目展開情形❺：

600 技術（應用科學）Technology（Applied science）

610 醫學 Medical science, Medicine

620 工程 Engineering and operation

630 農業及相關技術 Agriculture and related technologies

640 家庭經濟與家庭生活 Home economics and family living

650 管理與服務 Management and auxiliary

660 化工與相關技術 Chemical and related technologies

670 製造 Manufactures

680 特殊製品 Manufacture of products for uses

690 建築 Buildings

---

❺ 參見杜威十進分類法，科技類類目／中國圖書館學會分類編目委員會編譯 .-- 臺北市：臺灣學生，民68。

*　　　*　　　*

610 醫學

614 公共衞生

杜威法除主表以外還有七個複分表，這些複分表是供全部或部分學科共同使用詳細複分的子目及其類號，這些子目及類號只能加在主類目之後，才能組成一完整的類號，絕對不能單獨使用。而且，這些複分表上所列的子目，其類號都具有記憶和助記的特性，現將七個複分表簡述於下：

(1)標準複分表：原稱形式複分表，主要根據資料的形式加以複分，其大小子目共有 150 個，其大綱如下：

-01 Philosophy and theory 哲學與原理

-02 Miscellany 綱要、雜項

-03 Dictionaries, encyclopedias, concordance 字典、百科全書、語詞索引

-04 Special topics of general applicability 一般適用之特論

-05 Serial publications 連續性出版品

-06 Organizations and management 團體機關與管理

-07 Study and teaching 研究與教育

-08 History and description of the subject among groups of persons 羣體人

-09 Historical and geographical treatment 史地

例：103 哲學辭典

109 哲學史

530.06　物理學會

530.7　　物理研究與教育

（2）地區複分表：第十七版以後才增加的複分表，列有國家、地域、地區名。歐美主要國家列名很詳細，直到郡級，其他國家僅列州級，用法有二種。

一是分類表中有「依地區複分」的指示，可逕將地區複分表之類號加在分類號之後。

一是若沒有此指示，則需在分類號之後，先加 "-09" 然後才能加地區複分表的類號。

其大綱如下：

-1 Areas, regions, places in general 一般地理、區域

-2 Persons regardless of area, region, place 一般人物

-3 The ancient world 古代世界

-4-9 The modern world 近代世界

-4 Europe 歐洲

-5 Asia, Orient, Far East 亞洲、東方、遠東

-6 Africa 非洲

-7 North American 北美洲

-8 South American 南美洲

-9 Other parts of world and extraterrestrial worlds
　　Pacific Ocean islands (Oceania) 其他、大洋洲、地球以
　　外地區

（3）文學複分表：全部用在文學類 810-890 特別註明有星號（*）者，此表可再依標準複分表 -01-09 複分，因此既可反映文

學上的時代特點，亦可集中多種體裁作者的作品，其大綱如下：

-1 Poetry 詩　　　　-5 Speeches 演說詞

-2 Drama 戲劇　　　-6 Letters 書信

-3 Fiction 小說　　　-7 Satire and humor 諷刺與幽默

-4 Essays 論文　　　-8 Miscellaneous writing 其他寫作

例：820 英國文學

　　821 英詩

　　821.08 英詩選集

(4) 語言複分表：全部用在語言類 420-490 內特別註明有星號 (*) 者，其大綱如下：

-1 Written and spoken codes 寫與說符號

-2 Etymology 字源學

-3 Dictionaries 字典

-5 Structural system (Grammar) 文法

〔-6〕Prosody 韻律學（分入 808.1）

-7 Nonstandard language 非標準語言

-8 Standard usage (Applied linguistics) 標準用法

例：420 英國語言

　　425 英國文法

　　425.08 英國文法論集

(5) 人種、種族、民族複分表：若分類表中，註明「依民族複分表複分」者，才可使用此複分表直接複分，其大綱如下：

-1 North Americans 北美洲人

-2 Anglo Saxons, British, English 盎格魯薩克遜人、英國人

-3 Nordis 北歐人

-4 Modern Latins 近代拉丁人

-5 Italians, Romanions, related groups 義大利人，羅馬尼亞人

-6 Spanish and Portuguese 西班牙人，葡萄牙人

-7 Others Italic people 古義大利人

-8 Greeks and related groups 希臘人

-9 Others racial, ethnic, national groups 其他民族

例：-951 中國人

　　但 -951073 美國華僑（73 爲地區複分表美國號碼）

（6）語系複分表：若分類表中註明「依語系複分表複分」者可使用此複分表直接複分，其大綱如下：

-1 Indo-European languages 印歐語

-2 English and Anglo-Saxon languages 英語及盎格魯薩克遜語

-3 Germanic languages 日耳曼語

-4 Romance languages 羅曼斯語

-5 Italian, Romanian, Rhaeto-Romanic 義大利語，羅馬尼亞語，利都羅曼語

-6 Spanish and Portuguese 西班牙語，葡萄牙語

-7 Italic languages 古義大利語

-8 Hellenic languages 希臘語

-9 Other languages 其他語言

例：220.5 聖經之翻譯

220.5951 中文聖經

(7) 人物複分表：分類表若註明「依人物複分表複分」者，才可使用此複分表直接複分，其大綱如下：

-01 Individual persons 個人者

-02 Groups of persons 羣人

-03-08 Persons various nonoccupational characteristics 無職業特性之人

-09 Persons by various occupational characteristics 有職業特性的人

-1 有關哲學者

-2 有關宗敎者

-3 有關社會科學者

-4 有關語言者

-5 有關自然科學者

-6 有關應用科學者

-7 有關藝術者

-8 有關寫作演說者

-9 有關史地者

第 1 表至第 4 表使用普遍，故全版及節略版均使用之，第 5 表至第 7 表則使用範圍比較狹窄，僅在全版才使用。

此外，杜威法的時代複分表，在 900 歷史類，並未單獨列出一複分表。

3.標記制度

杜威分類法類目的標記，原則上採用單純阿拉伯數字，所有

數字均以小數看待，數字爲十進，惟前三位數一律以三位數標記，不足三位數者以 0 補足。

例：300 社會科學

　　370 教育

　　372 初等教育

三位數以下則在三位數之後用小數點隔開，以便醒目。

例：372.3 國小教科書

杜威法除採用阿拉伯數字作爲主類號外，亦規定可使用英文字母，全版的分類表中，有下列三種使用字母的情形：

（1）用字母代替數字，以縮短類號，例如使用 2B 代替294.3（佛教）。

（2）用字母排列某些類目的順序，例如：在文學作家類號下，在分類號之後加作家姓名第一個字母，依字母排列其順序。

（3）在分類號前加注英文字母，以表示圖書資料的特殊形式，便於典藏及管理，例如以 R 代表參考書，以 P 代表期刊，M 代表樂譜。

杜威分類法中採用的類目標記，尚有助記性，亦卽凡屬同一概念者，都用同一類號表示，1 總是代表哲學，原理；9 則代表歷史；地理類號 5 總是代表亞洲，51 總是代表中國。

另外，杜威法爲適應各型圖書館，根據個別藏書情形，決定粗分與細分程度，採用在類號上加撇號（'）的方法，使各型圖書館使用時，對類號的伸縮有一定的規範。

例：621.38'415'1

4.相關索引

　　杜威法分類以學科爲主，因此會將同一主題依其討論的觀點，歸入各種不同學科中，因此杜威分類法在分類表之後，尚編有相關索引（Relative Index）。它將各類目的主題名稱及其同義字，按字母順序排列，便於初學者或對分類主題有疑問者查檢。它不僅包括分類表內各類目名稱，也包括在類目中未被標示爲小類目的許多概念，將同一主題有關各方面的不同學科觀點，以及被此一主題所界定的詞或倒裝詞，都集中列在此一主題下，並且在索引的每條標目後面，註明適當的分類號，不但可供分類者參考，並可以節省很多時間。其樣張見書影5

5.杜威分類法的優缺點及其評價

　　杜威十進分類法自問世以後，被全世界圖書館採用的情形越來越多，除了它能適合當時的學術發展，圖書出版狀況以外，其他還有很多優點，現分述如下：

　　(1)結構合理——類目結構、系統合理，層次井然，因此可以擴延而細分，亦可節縮而粗分。

　　(2)簡單易明——類目以阿拉伯數字爲標記，易記易排，一般讀者應用亦方便。

　　(3)富有彈性——類號可視藏書多寡，決定數字位數，可增可減，靈活運用。

　　(4)有助記性——採用複分號碼，便於記憶。

　　(5)悠久普遍——自此分類法問世以來，歷史悠久，被世界各國圖書館普遍採用，讀者已頗習慣。

　　(6)相關索引——附編有詳細相關索引，方便分類員之運用。

Dewey Decimal Classification

Children's (continued)
outdoor clothing
comm. mf.
prod. econ.   338.476 871 43
    leather & fur   338.476 852
s.a. spec. aspects e.g.
Finance
technology   687.143
    leather & fur   685.2
other aspects see
Manufacturing firms
marketing see Marketing
other aspects see Children's
clothing
parties
indoor amusements   793.21
sermons
Christianity   252.53
other rel. see Preaching
songs see Children's vocal
music
Sunday school divisions
Christianity   268.432
other rel. see Religious
instruction
theater
performing arts   792.022 6
underwear
comm. mf.
prod. econ.   338.476 872 3
s.a. spec. aspects e.g.
Finance
technology   687.23
other aspects see
Manufacturing firms
marketing see Marketing
other aspects see Children's
clothing; also
Underwear
vocal music
recordings   789 913 6
scores & parts   784.8
songs
sacred   783.675
secular
art songs   784.306
gen. songs   784.624 06
Childress Co. Tex.   area-764 754
Chile
country   area-83
saltpeter
fertilizer see Nitrate
fertilizers
mineralogy   549.732
Chilean
literature   860
people   r.e.n.-688 3
s.a. other spec. subj. e.g.
Arts

Chili
production & food see
Condiments
sauce see Sauces
other aspects see Solanales
Chilliwack B.C.   area-711 33
Chiloé Chile   area-835
Chilognatha see Diplopoda
Chilophiurida see Ophiuroidea
Chilopoda see Opisthogoneata
Chilton Co. Ala.   area-761 81
Chimaerae
culture   639.373 8
fishing
commercial   639.273 8
sports   799.173 8
zoology   597.38
other aspects see
Chondrichthyes
Chimborazo Ecuador   area-866 1
Chimeras see Chimaerae
Chimes
inf. tech.   681.819 5
misc. aspects see Musical
instruments
musical art   789.5
recordings   789.913 695
Chimneys
bldg. heating   697.8
steam eng. see Furnaces
steam eng.
other aspects see Roofs
Chimpanzees see Ponginae
China
cabinets see Cabinets
(furniture)
country   area-51
ancient   area-31'
jute
agriculture   633.56
marketing see Marketing
prod. econ.   338.173 56
finance   338.133 56
s. a. other spec. aspects
other aspects see Malvales;
also Jute
Sea see East China Sea; also
South China Sea
Chinaware
table setting
home econ.   642.7
other aspects see Porcelain
Chinchilla cats see Long-haired
domestic cats
Chinchillas see Hystricomorpha
Chinese
architecture   722.1
misc. aspects see
Architectural schools

1798

書影 5　杜威十進分類法相關索引

（7）有節略版——另編有節略版，適合小型圖書館使用。

（8）經常修訂——設有一常設機構，經常修訂，能適應科技的發展及圖書館藏書不斷增加的趨勢。

但是杜威法也存在一些缺點，例如：

（1）十進限制——因受十進法的限制，類目分配不免過於機械，不甚合理。

（2）繁簡不均——由於百多年來科技發展，雖經多次修訂，但因受已編藏書過多的限制，不能做太大變動，類目體系有些顯得陳舊，特別是科技兩類。而且類目繁簡，也不平均。

（3）次序不當——類目次序有很多不合理的地方，如「語言」與「文學」相隔過遠。

（4）類碼過長——因為嚴格的層次編排，類碼有時過於冗長，又小數點有時亦易混淆不清，造成排檢的困難。

（5）本位偏差——具有西方本位傾向，如以英美文化、基督教、資本主義及美國為主，亦造成類目分配不均。例如美國文學佔十位，亞洲各國文學只佔一位，基督教佔七十位，佛教只佔一位。

杜威分類法雖存有上述缺點，但是它在世界圖書分類法史上，仍佔有不可動搖的崇高地位，它不但證明杜威的主張：「實用、經濟而且能解決問題」，同時在圖書分類法範疇上，也有三大貢獻：

（1）它首先採用阿拉伯數字來標記類目，為圖書館作業如圖書排架、目錄編輯和典藏流通，奠定簡便的排列系統，對近代圖書館事業的發展影響深遠。

(2) 它首先採用小數的標記制度，並且用助記性的複分表和原有類碼配組，構成精細的類目體系，也是後來的各種分類法所師法的。

(3) 它首先編製相關索引，使分類表與主題名稱相輔相成，增加主題分類的工作效率，也是圖書館技術服務上重大的改進。

(四)國際十進分類法 (U. D. C.) ❻

國際書目學會 (Institut international de bibliographie) 在 1895 年布魯塞爾召開會議決議編訂一正確而統一的分類法，因而產生了國際十進分類法 (Universal Decimal Classification 簡稱 U. D. C.)，1923 年該學會停止活動以後，這項工作即由國際文獻處理聯盟 (Federation International de Documentation, 簡稱 F. I. D.) 繼續推動。

1899-1905 年首次出版法文版(Classification bibliographique decimale)，1907年出版使用手冊，1927-1933年再版，1930年臺北帝國大學圖書館（國立臺灣大學圖書館前身）採用，1934-1948 出版第三版（德國版），1943 年出版國際第四版（英文版），1946 年出版日文版，1962 年出版俄文版，1967 年有德法文中間版，1974 年日文中間版，1984 年日文中間版第 2 版。國內原採用該法的臺大圖書館自民國40年以後即改採中國圖書分類法，民國46年電信局技術圖書館亦採用了國際十進分類法，而國際商

---

❻　本小節請參見國際十進分類法日本語中間版第 2 版，及 UDC, a brief introduction/Geoffrey Robinson. Nelherlands, Hague: FID, 1979.

品分類亦均參考此分類法，可見在國際上普遍被重視和採用。

國際十進分類法爲適應國際上編輯目錄的分類需要，採用十進分類法，阿拉伯數字記號，根據杜威十進分類法改編而成，因此類目大致和杜威十進分類法相同，且增補了一些細目，使用聯結符號以表示各主題學科間的關係，使類號增加很多。形式也不像杜威法，只限於三位數爲基準，一位、二位均可使用。因此應用時比杜威法靈活很多，可以處理數量龐大的資料，並可適應電子計算機資料處理。

但是國際十進分類法由於所使用之聯結符號很複雜，不易記憶；另外各種共同複分表有八種之多，使用起來也很繁雜，因此不適合中小型圖書館。

國際十進分類法所使用的聯結符號，共有十一種，其用法和共同複分表的構成，簡介如下：

1. ＋(Plus) 添加符號　　例：59＋636　動物學與動物飼養

2. ／(Stroke) 延長符號　例：592/599　動物學全部

　　　　　　　　　　　　　　（卽包括從 592 至 599 全部類號）

3. ：(Colon) 關係符號　　例：17：7　　　藝術與倫理關係

4. ＝(Equals) 語言複分符號

　　　　＝20 英語　　　　＝71 拉丁語

　　　　＝30 德語　　　　＝82 俄語

　　　　＝4　法語　　　　＝9　東方語

　　　　＝5　義大利語　　＝951 中國語

　　　　＝6　西班牙語　　＝952 日本語

　　　例：59＝20 英語動物學

5. （0…）（brackets-nought）形式複分符號

（01）理論	（06）學會刊物
（02）綱要	（07）敎育與研究
（03）字典、百科全書	（08）叢書
（04）論文、講詞	（09）歷史
（05）期刊	

例：59（05）動物學期刊

6. （1/9）（Brackets 1 to 9）地理複分符號

（11）國際	（51）中國
（12）自然地理	（52）日本
（13）古代地理	（53）阿拉伯半島各國
（4）歐洲	（6）非洲
（41）英國	（7）北美洲
（43）德國	（73）美國
（5）亞洲	（8）南美洲
	（9）澳洲、南北極

例：59（4）歐洲動物

7. （＝0/9）（equals-brackets）民族複分符號

（＝20）　盎格魯薩克遜民族

（＝3）　日耳曼民族

（＝4）　拉丁民族

（＝9）　東方民族

（＝951）中華民族

例：17（＝951）中國人倫理

8. "…"（Quotation marks）時代複分符號

   "0" 西元一千年代

   "10" 西元 11 世紀

   "19" 西元 20 世紀

   "1985/1986" 西元 1985 至 1986 年

   "32" 四季

   例：17"19"(05) 二十世紀倫理期刊

9. A/Z（Alphabetic extension）個別複分符號

   在各類號之後，可加 A 到 Z 字母，代表個別意義

   例：75(Chang) 張（大千）繪畫作品

10. .00（Point-nought-nought）觀點複分符號

    .001 理論觀點

    .002 實際觀點

    .003 經濟、財政觀點

    .004 使用觀點

    .005 設備觀點

    .006 地點觀點

    .007 人事觀點

    .008 組織觀點

    .009 社會及倫理觀點

11. -01-9 或 0 或 '（分析複分符號）

    將複雜的主題，按指定的事項加以複分時使用之。

    例：62-1   機械之一般特徵

        624.04   構造力學

547.1′13　有機金屬化合物

其類號及符號排列順序及代表意義再列表如下：

＋	669.35＋669.55	銅合金與亞鉛合金
／	669.35／.37	銅合金、加工
	669.35	銅合金
：	669.35：621.315.5	電機用銅合金
＝	669.35＝82	俄文銅合金文獻
(0)	669.35(083.7)	銅合金叢書
( )	669.35(32)	古代希臘銅合金
" "	669.35"-0200"	西元前二百年之銅合金
A/Z	669.35T	臺金公司製銅合金
―	669.35―462	銅合金管
.00	669.35.004.8	銅合金之回收及再生
.0	669.35.018.27	彈簧用銅合金
′	669.35′5	銅亞銅合金、黃銅

國際十進分類法主要綱目如下：

0　總類

00　知識與文化之基礎

01　書目、目錄

02　圖書館學

03　百科全書

04　普通論集

05　期刊、連續刊物

06　團體、機構

07　報紙

08　叢書

09　手稿本、善本書

1　　哲學

11　　形上學

122/129 形上學各論

13　　精神哲學、精神生活之形上學

14　　哲學系統與哲學立場

159.9　心理學

16　　論理學、認識論、論理學的方法論

17　　倫理學、人生哲學

2　宗教、神學

21　　自然神學

22　　聖經

23　　教理神學、教義學

24　　實踐神學

25　　教牧神學

26　　基督教會

27　　基督教會史

28　　基督教會派別

29　　其他各宗教

3　社會科學

30　　社會學、社會問題

31　　統計

32　　　政治

33　　　經濟

34　　　法律

35　　　公共行政、行政法、軍事

36　　　社會福利、救濟、保險

37　　　教育、休閒活動

389　　度量衡制度

39　　　民俗學、民族學

4　　　（未用）

5　　　數學與自然科學

50　　　自然科學一般問題

51　　　數學

52　　　天文學、天體物理學、太空探測、測地學

53　　　物理學

54　　　化學、結晶學、礦物學

55　　　地球科學、地學、氣象學

56　　　古生物學

57　　　生物學

58　　　植物學

59　　　動物學

6　　　應用科學、醫學、工學

60　　　應用科學一般共同問題、發明專利

61　　　醫學

62　　　工程、工程技術一般

63	農業、林業、畜產
64	家庭經濟
65	經營、管理技術、交通業務
66	化學工業
67	各種工業、產業
68	精密機械、手工業、雜工業
69	建築工業
7	藝術、創作、運動
71	地區計畫、都市計畫、景觀
72	建築學
73	彫塑
74	製圖、設計、應用美術
75	繪畫
76	版畫
77	攝影
78	音樂
79	娛樂、遊戲、運動
8	語言與文學
80	言語學
82	文學
820/899	各語文文學
9	地理、傳記、歷史
902/908	考古學、史前遺跡、古器物、鄉土學
91	地理學

913/919 各國地誌

929　　傳記、系譜學

93/99　歷史、歷史學

930　　歷史學、檔案學

931/939 古代史

94/99　中世史、現代史、各國歷史

第四節　中國圖書分類法

一、沿革與現況

　　民國十八年劉國鈞創編中國圖書分類法，南京金陵大學圖書館出版，雖有民國二十五年增訂版，但自政府播遷臺灣以來，臺灣地區的圖書館才逐漸採用。首先是國立臺灣大學圖書館中文新書分類改用此法，民國四十三年國立中央圖書館在臺北復館也採用此法來分類中文圖書，加上民國五十一年教育部圖書館從業人員暑期研習會亦以此法為教本，講授中文圖書分類，民國五十四年暑期研習會由中國圖書館學會接辦後，仍繼續不變，而在臺灣師範大學社教系圖書館組、臺灣大學圖書館系……等陸續設立的五個大專圖書館科系，講授中文分類編目時，亦大都採用此法為主要教科書，因此在臺灣地區圖書館採用此法日益增多，至民國六十九年臺閩地區已有 83 ％的圖書館採用。

　　年代久遠，政府遷臺，在臺灣久未見此法的新版，民國四十七年及五十一年熊逸民氏應實際需要曾加以修訂，民國五十三年

國立臺灣大學圖書館系主任賴永祥教授據以大幅度的增訂，擴增類目，出版新訂初版，並另編索引一冊。民國五十七年賴氏出版新訂二版，臺灣地區圖書館採用更形普遍，亦在從此時期以後，賴氏已取代劉氏在中國圖書分類法的地位，而此分類法也被習稱爲賴永祥分類法。民國七十年賴氏再出版新訂六版（民國 62 年三版，民國 65 年四版，民國 66 年五版均係重印，而非修訂），修訂自然科學類、應用科學類及亞洲史地、中國文學、藝術部份類目，並增加附表八（各國史地複分表），但索引部份自新訂初版以後，未再有新版出現。民國78年增訂七版出版，其中哲學類、社會科學類、史地類、語言文學類及藝術類，均多所增訂。

現據民國78年新訂七版簡介如下：

英文題名：New Classification scheme for Chinese libraries tables

著者：賴永祥編訂

出版：美國波士頓：編訂者出版，民國78年。

稽核：14,825,2面，有星座圖及非洲地圖各一面，二十四開本，列爲現代圖書館學叢刊第一種，同時發行平裝與精裝二種。

內容：全書前置部份十四面，依序爲書名頁一面，目次三面，凡例二面，圖書分類簡則十一條二面，分類表使用法十條三面，同類書籍排列法八條二面，增訂版附識一面。

正文部份：類表　1面，列十大類，中英文對照；簡表：2-6面，列百位小數，中英文對照；綱目表：7-20面，列千位子目；詳表：21-697 面。

後置部份：有附表十表，　688–797 面，其細目如下：

附　表

一、總論複分表

二、中國時代表

三、西洋時代表

四、日本韓國時代表

五、中國省區表

六、中國縣市詳表

七、分國表

八、各國史地複分表

九、機關出版品排列表

十、中國作家時代區分例

　　甲、按時代排列

　　乙、按作家名筆劃排列

及附錄 5 種，798–825面，其細目如下：

附　錄

國民學校圖書暫行分類法

中國年號筆劃查驗表

干支歲陽歲陰表

四角號碼檢字法

萬國原子量表

二、類目的展開與用法

賴氏編訂此法係仿劉著「中國圖書分類法」（南京金陵大學圖書館，民國 18 年初版）之例，分爲十大類，同樣以數字標記，其大綱如下：

0	總類（特藏、羣經入此）	6	史地類：中國史地
1	哲學類	7	史地類：世界史地（傳記、考古入此）
2	宗教類		
3	自然科學類	8	語文類
4	應用科學類	9	美術類
5	社會科學類		

賴氏法雖仿劉法，但各類子目頗有所增，且綱目儘可能不予更動，每大類下又分成十小類，每小類再分成十目，以層累原則，愈分愈細，惟可依圖書館之性質及藏書多寡決定分類的粗細。

茲以社會科學類之類目爲例，說明其類目展開情形：

500	社會科學	550	經濟
510	統計	560	財政
520	教育	570	政治
530	禮俗	580	法律
540	社會	590	軍事

*　　　　　*　　　　　*

520　教育

521　教育心理學

521.4　教學法、教程及教學

521.42　普通教學法

521.422　問答法

521.423　演講法

521.424　歸納法

　　賴氏法為方便分類者使用，除類號、類目名稱及前置部份的分類表使用法外，分類表中尚有數種註記，補充說明類目的含意、範圍或使用方法。分類者在使用本分類表時，應隨時留意這些註記，因如有稍微疏忽或誤解，常會發生錯誤，不可不慎。

　　範圍註：用以說明該類目所包含的範圍，或解釋類目的含意，凡屬該類目涵蓋範圍內均歸入此類號，而非此範圍者，歸入其他類號。

　　如：012　　總目錄

　　　　　　　凡不限於一種一類或一地之目錄屬之

　　　012.9　索引

　　　　　　　此類祇收總彙各書之索引；其專門之索引如國學論文索引等，分入學科目錄。

　　使用指引註：用以指引分類者使用選用分類的方向，又可分三種，即複分註、仿照複分註和參照註。如：

　　（複分註）：520.12　中國教育學說

　　　　　　　　　　依時代分，依各家姓名排

　　凡表中有此種註者，均可分別依所註明之複分表，再予細分。

　　（仿照註）：525　　高等教育

　　　　　　　525.3-8　照中等教育分

　　凡表中性質相同的類號，爲節省篇幅，以此註，指引仿某類似類目細分。

　　（參照註）：521.3　教育測驗

　　　　　　　　　　參看 179 心理測驗，如智力測驗入

　　　　　　　　　　179.2 性向專門才能測驗入 179.3

　　　　　　　　374　應用植物學，經濟植物學

　　　　　　　　　　參看430 農業各部門；如434農作物……

　　範例註：表中常在類目下舉著名專書爲例。指引分類者將同性質書籍，亦得歸入此類。

　　　　　　　　032　古籍讀法及研究

　　　　　　　　　　如古籍導讀（屈萬里撰）入此。

　　惟上述數種註記常混合使用，而且敍述文字規格不太一致。

三、助記性與複分

　　賴氏法除主表以外，尚有十個複分表，二十九個插表。前者是供全部或若干學科共同使用詳細複分的子目及其類號，後者只能在所附之該段類號內使用，現分述於下：

　　複分表的類號只能加在主類號之後，才能組成一完整有意義的類號，不可單獨使用。而且這些複分表的子目類號，都具有記憶和助記的特性，現將十個複分表簡述於下。

　　(一)總論複分表：英文題 Table of standard subdivision, 可見與杜威分類法的附表，意義是相同的，主要仍根據資料的形式加以複分，其大小類目共 49 個，其大綱如下：

01　理論；方法	06　會社；機關；團體
02　綱要；表解	07　雜文；演講錄
03　教育及研究	08　叢書
04　辭典；類書	09　歷史及現狀
05　期刊；雜誌	

其註記云：各類各目之總論除另行註明外，皆得依表複分之，卽以表中之號碼附加於原有號碼之後；但原來之號碼末位爲0者，除特別註明外，均可省去一0字。例：園藝學爲 435，園藝學之敎學及研究入 435.03

本複分表，在表中大部分只稱「附表一」，按此表名稱應改爲標準複分表或形式複分表爲宜，因總論複分易誤以爲只在有「總論」字樣之類目下才可複分。

(二)**中國時代表**：凡表內註「依時代分」者用之，其大綱如下。

1.先秦	5.宋及遼金元
2.漢及三國	6.明
3.晉及南北朝	7.清
4.唐及五代	8.現代：民國

斷代史（620）及文學別集（840）得用此表，卽依各朝代再細分。惟若主表中，若無註「依時代分」者是否可用此時代表？使用此表是將此表號碼直接加於主類號之後，或者須先加0再加此類號？在附表一「-09 歷史及現狀」下，未註明「依時代分」不知是否可依此表複分？凡此均不無疑問。又時代詳表只限於620 **斷**

代史及 840 文學別集才可使用，顯然與事實需要不合，而此附表二中時代詳表與 620 斷代史重複，實無單獨設此中國時代複分表的必要。

（三）**西洋時代表**：凡表中註「依西洋時代分」者用之，其大綱如下：

1. 古代及希臘
2. 羅馬
3. 中世紀（476—1453）
4. 近代（1453—　　）
5. 十七世紀
6. 十八世紀
7. 十九世紀
8. 二十世紀

惟此時代表與西洋史地中的斷代史區分不一致，使用時易生困擾。

（四）**日本及韓國時代表**

日本 1. 太古及上古：神代
　　 2. 中古：大化-——平安
　　 3. 平安時代
　　 4. 近古：鎌倉-——桃山
　　 5. 室町及安土
　　 6. 近世：江戶德川時代
　　 7. 現代：明治維新以後

韓國 1. 太古
　　 2. 上古
　　 3. 中古
　　 4. 高麗時代
　　 5. 李朝時代
　　 6. 日本統治時代
　　 7. 大韓民國

附表二至四，只列中西日韓四個時代表，而其相互之間斷代並不一致，使用時不能相混，若世界史需依時代分，則依西洋時代分。

(五)中國省區表：表中註「依省區分」者用之，其大綱如下：

1. 黃河流域（華北）　　　　5. 塞北地域

2. 長江流域（華中）　　　　6. 西域西疆

3. 珠江流域（華南，含臺灣及海南島）　7. 臺灣，或用32

4. 東北地域（滿州）

表後備考說明1949年以後，省區變動情形。

(六)中國縣市詳表：此表專爲排列方志、遊記與金石志之用；必要時得以府治所在縣之前一號碼爲府之號碼。其號碼繁多，玆不詳列。

惟事實上，表中如註明依省區分，依縣市排，均可用之，而縣市號碼前應用一斜撇與省區號碼分開。

如：-32/101 臺北市；-11/203 天津縣；-11/202 天津府

(七)分國表：表中註「依國分」者用之，本表列有各洲、國家、地區名稱。

例：375　　　植物地理

　　　　　　依國分

375.2　　中國植物志

375.31　　日本植物志

其大綱如下：

1. 世界　　　　5. 美洲

2. 中國　　　　6. 非洲

3. 亞洲　　　　7. 澳洲、大洋洲、極地

4. 歐洲

此分國表所用國家號碼都有助記性，如中國爲2，日本爲31，美國爲52，惟主表中常將中國提出置於8，而將各國置於9。

如：557.98　中國航空狀況

557.99　各國航空狀況

（八）**各國史地複分表**：這是新訂六版才由挿表提升爲複分表者，除 610-690 中國史地，730 東洋史地，740 西洋史地及特別註明者外，各國史地均依此表複分，其大綱如下：

1. 通史　　　　　　6. 地理總志
2. 斷代史　　　　　7. 地方志
3. 文化史　　　　　8. 類志
4. 外交史　　　　　9. 遊記；指南
5. 史料

此複分表後亦可用附表一複分

如：752.1　　美國通史

752.104　美國歷史辭典

（九）**機關出版品排列表**：凡學術團體、圖書館、博物館等依其名稱排列者，除另有規定者外，均得依此表複分，以此表號碼加於名稱號碼之後，自爲一節。本表大綱如下：

1. 概況、要覽　　　6. 專刊
2. 規程　　　　　　7. 叢刊
3. 組織　　　　　　8. 期刊
4. 事業　　　　　　9. 雜件

5.報告

(十)**中國作家時代區分例**：本表分兩種，甲表按時代排列，乙表按作者名筆畫排。本表時代區分以作家卒年為準。但在朝代更換時，不願仕新朝者，仍入前朝。小型圖書館得免去「‧」以下之細分。其例如下：

附表十　中國作家時代區分例

本表時代區分以作家卒年為準。但在朝代更換時不願仕新朝者仍入前朝（如謝枋得入5.26，張煌言、朱之瑜等入6.9之類）。本表之時代細目，備卷帙浩繁大圖書館之用，小圖書館得免去‧以下之細分。

（例：劉獻廷之時代細目分為7.2，但小圖書館用7即可）

甲表　按時代排列

2	**漢及三國**				3.53	丘遲	沈約	江淹
2.1	李陵	賈誼	揚雄			何遜	蕭統	
	東方朔	蘇武	董仲舒		3.54	徐陵		
	司馬相如				3.65	庚信		
2.2	班固	蔡邕	孔融	郭憲	4	**唐及五代**		
2.4	王粲	阮籍	曹丕	曹植	4.11	王績		
2.5	諸葛亮				4.12	王勃		

2.6 韋　昭

3　晉及南北朝

3.1 潘岳　陸機　陸雲　嵇康

3.2 陶潛（淵明）

3.51 鮑　照　劉義慶　謝瞻　謝靈運　顏延之

3.52 謝　朓

4.13 駱賓王

4.14 王昌齡　陳子昂　張九齡　張　說

4.15 王　維　杜　甫　李　白　孟浩然　皇甫冉　柳宗元　顏眞卿

4.16 李　賀　李　沁　李　絳

　　乙表則照作家姓名筆畫排列，本作家時代表實際只能用在中國文學 840 及 850 二小類，不能適用於中國哲學家，故本表應列爲附錄而非複分表爲宜。

　　此外，在分類詳表中，各類中更附有挿表 29 個，這些專類複分表只限於各該專類使用，這 29 個挿表要目如下：

挿表要目

　　　　經書複分表

　　　　中國哲學家著作複分表

　　　　各宗派複分表

　　　　各種農產物複分表

　　　　學校出版品排列表

　　　　各鐵路複分表

　　　　省政複分表

　　　　中國斷代史複分表

　　　　中國與外國外交史複分表

　　　　方志複分表

臺灣分區特表

各國史地複分表

日本分區表

韓國分區表

美國分區表

加拿大分區表

分傳詳分表

各國傳記複分表

各國語言複分表

各國文學複分表

莎士比亞作品分類表

英國文學時代區分表

美國文學時代區分表

德國文學時代區分表

法國文學時代區分表

意國文學時代區分表

西班牙文學時代區分表

葡萄牙文學時代區分表

俄國文學時代區分表

四、標記制度

　　賴氏分類法類目的標記和杜威分類法一樣，原則上仍採用單純阿拉伯數字，因此所有數字均以小數看，數字為十進，惟前三位數一律以三位數標記，不足三位數者，以 0 補足。

例：500 社會科學

520 教育

523 初等教育

三位數以下，則在三位數之後以小數點隔開，例：523.2幼稚教育

賴氏法除採用阿拉伯數字做為類號主要標記外，尚規定可使用英文字母等符號代替類號，在分類表使用法第七條中有關規定如下❼：

(一)小說類往往以一種符號（如 F）代替類號以省手續。

(二)在專門圖書館中，對於其專門之圖書，亦得做此意，減省其號碼，或省去首二位或三位數字，例如在佛教圖書館佛書得用卍字代替22。

(三)為圖書之分置、典藏方便起見，得應用各種特別符號，如參考工具書 R(或△)，線裝書ㄠ，地圖 M(或廾)，大型圖書 L（或大），中小學教科書 T（或 X），兒童用書 J（或＋，低年級廾），日文書刊（日），韓文書刊（韓）、西文書刊（西）。

但在分類工作實務上，相信很少圖書館會如此加上此類號碼，尤其在中文圖書分類時，使用第 1、2 項的情形更少。因為若用此字母符號，排列順序將成問題。第 3 種所使用各種特別符號，既非全為英文字母，亦非中文字，一般打製書標的中西文打字機無法打出這些符號。

五、索　引

賴氏法之民國五十三年編訂初版曾編有索引一冊，另行出

---

❼　見該書前置部分，面 9。

版，將各類目按各字之四角號碼排列，後列該類目的類號，以供工作者查檢，初學者參考之用。此本索引類似標題表，但只有單詞，而無複分標題及參見、反見等註記，亦非相關索引，僅供就類目查檢類號之用，雖然如此，此本索引其功用也很大而且實用。惜新訂二版以後，索引未再隨之增訂。茲列此索引之凡例及第一頁於後，以供參考。

索引凡例

壹、為便利使用「中國圖書分類法」新訂本（民國五十三年六月賴永祥編印）起見，特編印本索引。

貳、四角號碼索引係將分類法詳表所載之類目及實例，按首字之四角號碼列出，並註明其分類號碼者。如使用者欲查諺語之分類號碼者，則諺字之四角號碼為 0062_2，於此號碼之下，即可檢得「諺語 539.9」，而知其分類號碼為 539.9。項目如在詳表中有數處，索引亦儘可能表示其觀點不同之處。例如優生學之分類號碼，在索引 2124_7 優字之下可檢得兩行：

優生學（生物學）　　363.5
優生學（社會學）　　544.45

由此可知用生物學觀點討論優生學者其分類號碼為 363.5，但用社會學觀點討論者，則為 544.45。

叁、西洋人名索引係將分類法詳表所載西洋人名，按姓氏之英文字母排列，並註明其分類號碼者。

肆、本索引特附錄王雲五發明「四角號碼檢字法」及「單字筆劃檢查四角號碼表」於後；凡未諳四角號碼檢字法者，可依各單字之筆畫部首，檢得各單字之四角號碼。另收附錄有「中國年號筆畫檢查表」及「干支歲陽歲陰表」等。

賴　永　祥　識
於國立臺灣大學圖書館

中國圖書分類法四角號碼索引

0

0010₄ 主

主日	244.1
主日學	247.7
主日禮拜	244.2
主計處	564.124
主義	
人文主義	810.135
三民主義	005.12
	或571.68
大同主義	571.288
工團主義	549.3
民生主義	005.128
民族主義	005.124
民族主義（泛論）	571.11
民權主義	005.126
世界主義	571.28
古典主義（文學）	810.131
功利主義	143.87
史大林主義	549.414
自由主義	143.61
自然主義	191.1
自然主義（文學）	810.132
共利主義	549.6
共產主義	549.4
列舉主義	549.412

社會主義	549.2
門羅主義	578.5218
折衷主義	143.42
法西斯主義	571.192
帝國主義	571.27
納粹主義	571.193
恐怖主義	571.73
馬克斯主義	549.4
孫文主義	005.1
浪漫主義	810.136
國際主義	571.28
唯理主義	191.5
唯美主義	810.137
基督教社會主義	549.88
基爾特社會主義	549.5
傅立葉主義	549.83
無政府主義	549.9
聖西門主義	549.82
奧文主義	549.84
過激主義	549.48
資本主義	551.5
實驗主義	143.73
寫實主義	810.138
主僕	193.8
主禱文	241.69
主權	571.161

六、評　價

賴氏分類法自民國五十三年新訂初版問世以來，使中國圖書分類法在原有基礎上更加發展，普遍獲得國內圖書館的採用，就圖書分類的理論及技術而言，自有其特點，現列舉於下：

一、分類體系適合國情——本分類法創編時，卽融合了漢書藝文志、通志藝文略、文獻通考經籍典、國史經籍志、書目答問及四庫總目等書的分類體系和杜威法、美國國會圖書館分類法、布朗氏分類法、克特氏展開分類法。專為中國書籍而設，故能適合國情❽。

二、標記單純易於排列——標記亦仿杜威法，用阿拉伯數字為標記，易記易排。

三、層累分明富於彈性——各類下有十小類，有不足十小類。小類以下再逐級細分，層累分明，有十進法的簡明，而無十進法之限制，類號伸縮自如。

四、類目註釋參照方便——類目加以註釋，並且使用互見、參照類目，使類目表更靈活。

五、複分仿分便於展開——全分類表中，大量使用了複分表，計有十個複分表和二十九個揷表（限於某小類複分使用者），還有數處仿分，方便類目的展開細分。

六、推行普遍參考容易——在民國三十八年以前大陸卽有二百餘圖書館採用，尤以國立北平圖書館的使用影響最大。政府遷

❽　見圖書分類法導論／王省吾著.--面 105-111。

臺以後，由於國立中央圖書館、臺大圖書館的採用，中國圖書館學會舉辦研習會重點推行，造成在國內有83％的佔有率，尤其以國立中央圖書館發行「中華民國出版圖書目錄」自民國五十九年起刊有其分類號碼，方便各圖書館分類編目的參考，影響深遠。

賴氏法能在國內的中文圖書分類工作實務上有如此成績，固然有其上述主客觀的有利因素，但不可諱言的，賴氏法也有些許缺點。

一、類目分配，繁簡不均：十大類中史地卽佔兩大類，而180 美學，250-280 回教、猶太教、神話等小類，資料不多卻各佔一小類。

二、複分仿分，缺乏助記：由於複分、仿分過多，而且複分與主表中類號常不能用相同類號，減低了助記性，如史地類為 6 及 7，附表中歷史卻是 -09，時代區分表也與分類表中各國歷史的斷代史也不一致。

三、久未修訂，不合新知：自新訂一版出版以來，僅民國57年、民國70年、民國78年修訂三次，頗多新學科無法容納。

四、缺少編輯相關索引：除新訂一版編有一冊索引外，其他各版未見再編索引，且該索引亦非相關索引，參考功能較低。

五、參見太多，易生困擾：分類表中對兩可類目應決定一處，但本表常用互見，或兩法供分類員採擇，易生分類員的困擾，而且各圖書館使用常生分歧，不易達到統一分類的目標。

但綜合而論，此分類法仍是瑕不掩瑜，廣被採用的優良分類法。為將來發展，似宜仿照杜威氏之例，由賴氏設置或授權成立一非營利性的常設機構（如基金會），專責修訂發展以及出版發

行事宜。相信對於延續此分類法的生命，而發展全國的圖書館合
作事業都是一件很有意義的事。

國立中央圖書館曾於民國六十七年加以修訂，經二年而成
中國圖書分類法（試用本），因類號變動太大，該館至今無法使
用，但某些類目較新穎，頗可參考。

七、各類分類實例

茲根據中國圖書分類法／賴永祥氏編訂七版，民78（以下簡
稱賴氏表）試爲分類之實例二十則於下，並略爲分析其類號之結
構，再附說明，以供讀者參考。

1.三民主義學報／中國文化大學三民主義研究所編印

　　分類號：005.05

　　分　析：005　　　　　　革命文庫

　　　　　　　-05　　　　　期刊（附表一）
　　　　　　　─────────────────────
　　　　　　005.05　　　　　革命文庫期刊

　　說　明：綜合性期刊入050，各學科期刊入各類，以附表一
　　　　　　（總論複分表)-05複分，例如：豐年月刊入430.5

2.唐代小說敍錄／王國良撰（政大中國文學研究所碩士論文）

　　分類號：008.81

　　分　析：008　　　　　　畢業論文

　　　　　　　.8　　　　　　碩士論文

　　　　　　　-1　　　　　　文學碩士（仿.1-.7各學士複分）
　　　　　　　─────────────────────
　　　　　　008.81　　　　　文學碩士論文

說　明：008 畢業論文爲收編學位論文而設，已出版發行
　　　　　者，得歸入各類。又碩士論文及博士論文可仿
　　　　　.1-.7，依獲得之學位性質複分，如文學碩士仿
　　　　　.1 文學士，加1於 .8 之後而得 008.81。

3.臺灣地質文獻目錄／鄧雪瑩編

　分類號：016.356232

　分　析：016　　　　　學科目錄（依學科分）

　　　　　　.356　　　區域地質（取自分類表）

　　　　　　　-2　　　中國（附表七）

　　　　　　　-32　　臺灣（附表一）

　　　　016.356232　臺灣地質目錄

　說　明：016 爲學科目錄，可依學科分，將本分類表中學
　　　　　科的類號加於 016 之後，即爲該學科目錄之分類
　　　　　號，本例加 356（區域地質）於 016 之後，即爲
　　　　　區域地質目錄，接著 2 代表中國（與附表七分國
　　　　　表中之 2 同），中國之下再依省區分，依附表五
　　　　　（中國省區表）得臺灣爲32。如欲將各學科目錄
　　　　　歸入各類，可在學科類號之後，以附表一中-021
　　　　　（目錄）複分，例如： 520.21 教育目錄。

4.圖書館哲學之研究／高錦雪著

　分類號：020.11

　分　析：020　　　　　圖書館學

-011　　　原理；哲學（附表一）

020.Q11　　　圖書館學哲學

說　明：圖書館不屬任何學科，故入總類，個別學科之原
　　　　理哲學入各學科，以附表一之 -011 複分，如有
　　　　二個 0，可省略其中一個 0；如泛指各學科之觀
　　　　察、思維、推理者，則入哲學類 100。

5.中華藝林叢談／文馨出版社編.--8冊

分類號：030.8

分　析：030　　　國學

　　　　　-08　　　叢書（附表一）

030.Q8　　　國學叢書

說　明：各學科之叢書，以附表一中 -08 複分之，如有二
　　　　個 0，可省略一個 0。

6.十三經古注／高時顯，吳汝霖輯校

分類號：092.8

分　析：092　　　羣經註疏箋釋（附本文）

　　　　　.8　　　十三經（仿 091.1-.8 細分）

092.8　　　十三經註疏

說　明：090羣經第一法將各經入各類，如易經入121.1，
　　　　詩經入 831.1 等，本書為十三經總註疏，故入
　　　　092。如用第二法，可將各經書集中於 090，則

本書入 098.5。

7. 老子道德經／（漢）河上公章句

分類號：121.311

分　析：12　　　　中國哲學

1　　　　先秦

.31　　　　道家老子

-1　　　　註釋（中國各哲學家著作複分表）

121.311　　　道德經註釋

說　明：道德經入 121.31 ，其註釋得再依中國各哲學家

著作複分表 -1 複分（見賴氏表第 47 面）

8. 權力的慾望／羅素著

分類號：144.71

分　析：144　　　　英國哲學

.7　　　　二十世紀

1　　　　著名哲學家專號

144.71　　　羅素的哲學

說　明：哲學家著作先依國分，再依時代分，故羅素的哲

學著作先入 144 英國哲學，再分入 7 二十世紀，

1 爲羅素的專號。故本書入 144.71。

9. 美術心理學／黃國彥編.--（應用心理學類；4-3）

分類號：177.9

分　析：177　　　　應用心理

　　　　.9　　　　美術（學科類號）

177.9　　　　美術心理學

說　明：如欲將與心理學有關之學科，集中置於一處，可
　　　　用 177 應用心理，後面加學科類號複分。但各學
　　　　科之心理學以入各類爲宜，除敎育心理學入521，
　　　　社會心理學入 541.7 等另有規定外，可以附表
　　　　一中之 -014 加於學科之後複分，即爲該科心理
　　　　學，如美術心理入 901.4，佛敎心理入 220.14。

10.相宗史傳略錄／梅光羲著

分類號：226.29

分　析：226　　　　佛敎各宗派

　　　　.2　　　　法相宗

　　　　-9　　　　傳記（各宗派複分表）

226.29　　　　法相宗傳記

說　明：226 收佛敎各宗派著述， .1-.9 依各宗派分，
　　　　各宗派之下，依各宗派複分表複分（見賴氏表第
　　　　88 面），如不限於某宗派之傳記，則應入 229
　　　　佛敎傳記。

11.科學天地／沈君山主編

分類號：307

分　析：300　　　　科學總論

　　　　-07　　　　論文集（附表一）

300.7（＝307）科學論文集

說　明：論述自然科學與應用科學，宜入自然科學，-07
　　　　為附表一論文集之複分號，二個 0 可省略一個。

12.花蓮地區強震調查報告／中央氣象局編

分類號：354.49232/137

分　析：354.4　　　　地震

　　　　-09　　　　歷史及現狀（附表一）

　　　　-2　　　　中國（附表七）

　　　　-32　　　　臺灣（附表五）

　　　　/137　　　花蓮縣（附表六）

354.49232/137　　花蓮地震誌

說　明：地震誌入 354.49，先依國分，由附表七取 -2 為
　　　　中國，再依省區分，由附表五取 -32 為臺灣，最
　　　　後依中國縣市詳表（附表六）取花蓮縣為 137，
　　　　與省區號碼之間，以斜撇（／）隔開。其方法比
　　　　照分類表中，670 中國方志 671-676 各省方志之
　　　　用法。

13.齊民要術／（三國）賈思勰撰

分類號：430.112

分　析：430.11　　古農書（1800年以前所撰中國古農書）

　　　　　-2　　漢及三國（附表二）

430.112　三國之農書

說　明：　430.11 古農書之下，得依時代分，故依附表二

　　　　（中國時代表）取三國之時代號碼爲-2。若農政

　　　　全書／（明）徐光啓輯，則入 430.116。

14. 水稻病蟲害／邱人璋主編

分類號：434.118

分　析：434.11　　　稻

　　　　　-8　　　病蟲害（各種農產物複分表）

434.118　　　稻作病蟲害

說　明：434 爲農作物，以下各作物得依各種農產物複分

　　　　表複分，取 -8 爲病蟲害。

15. 大學生知多少？／自由青年月刊社編

分類號：525.78

分　析：525　　　　高等教育

　　　　.78　　　　學生（仿 524.78 中學生分）

525.78　　　大學生

說　明：525.3-.8仿中等教育細分，故高等教育仿524.78

中學生分，大學生入 525.78

16.禮記正義／（唐）孔穎達疏

分類號：531.22

分　析：531.2　　　禮記

　　　　-2　　　　附本文之註疏（經書複分表）

———————————————————————————

531.22　　　禮記註疏（附本文）

說　明：凡經書必要時均可用經書複分表（見賴氏表第44
　　　　面），附本文之註疏箋釋複分號爲-2。

17.中烏貿易協定／外交部編

分類號：558.62683

分　析：558.6　　　通商協定

　　　　-2　　　　中國與各國締結之約款

　　　　-683　　　烏拉圭（附表七）

———————————————————————————

558.62683　　　中烏貿易協定

說　明：雙邊關係可以對方地區號碼，加在一方地區號碼
　　　　之後。

18.臺南縣志／吳新榮纂

分類號：673.29/129.1

分　析：670　　　　方志

　　　　3.2　　　　臺灣（附表五）

　　　　-9　　　　各地方（方志複分表）

　　　　/129　　　　臺南縣（附表六）

　　　　.1　　　　志書（方志複分表）

673.29/129.1　　臺南縣志

說　明：671-676各省方志，依附表五(中國省區表)取-32

　　　　爲臺灣，縣爲省之地方，故依方志複分表（見賴

　　　　氏表第 523 面）第二法取 -9 爲縣志號碼，再依

　　　　附表六（中國縣市詳表），取臺南縣號碼爲129，

　　　　志書再仿方志複分表取-1，與臺南縣號碼以圓點

　　　　（・）隔開。如用第一法方志複分表，則本書分

　　　　類號應爲673.25/129。

19.杜甫／汪中著

　　分類號：782.8415

　　分　析：780　　　　　傳記

　　　　　　-2　　　　　中國（附表七）

　　　　　　-8　　　　　分傳（各國傳記複分表）

　　　　　　-415　　　　唐（附表十）

　　782.8415　　　唐人分傳

說　明：中國傳記入 782 ，若 爲二人以上傳記爲總傳入

　　　　782.1；個人傳記爲分傳，則入782.8，此依各國

　　　　傳記複分表複分（見賴氏表第 613 面），杜甫爲

　　　　唐初時人，依附表十（中國作家時代區分表）查

　　　　得時代號碼爲 415。

20.星星的故鄉／崔仁浩著

分類號：862.57

分　析：862　　　　韓國文學

　　　　-57　　　　小說（各國文學複分表）

862.57　　　　韓國小說

說　明：800-880 為各國語言與文學，820-850 為中國文
學，860-880 為其他各國文學，860 為東方（亞
洲）各國文學，861-868 仿附表七 -31 至 -38 亞
洲各國複分，此時 32 韓國號碼應改為 62，僅取
2 即可。-57為各國文學複分表（見賴氏表第638
面）之小說複分號，故韓國小說入 862.57。

第五節　分類作業與分類規則

一、分類工作的意義與目標

圖書分類工作時使用分類表來整理圖書館藏書的工作，透過
這種整理，使得藏書根據各書的屬性，有系統的組織，揭示出
來，而便於讀者的利用、館員的管理。

分類工作既是揭示藏書及組織藏書的重要手段，它就要充分
而且正確的分類，迅速而且一致，唯有如此，才能使讀者服務維
持良好的水準，因此，圖書分類工作的目標，具體而言有下列四
個目標。

(一)充分正確——圖書經過分類，使其內容的主題，充分而正確的揭示出來。

(二)迅速有效——爲提供最佳的讀者服務，分類工作應做到合乎迅速且高效率的要求。

(三)一致固定——分類工作應根據同一分類表，同一標準原則，前後一致的將圖書加以分類，如此才能將藏書有系統的組織起來。

(四)配合需要——分類工作應隨時要以圖書館的任務及讀者的需要爲依歸，而將圖書歸入用處最大，讀者最容易檢索的類號。

二、圖書分類前的準備工作

認識了分類工作的意義，而且想要達到工作的目標，事前必須做好準備工作，才能使分類工作順利的進行。否則，必會使分類工作紛亂而遲緩，事倍而功半。事前的準備工作，可以分述如下列幾項。

(一)認清圖書館情況：一個分類員在從事分類工作前，應具備有廣泛的知識水準，對於圖書館學有深切研究，熟悉所使用的分類表，嚴謹而精密的工作態度，而且不斷進修，另外還要充分瞭解圖書館的情況，根據圖書館的類型、任務、規模及其藏書特點、服務對象、服務方式，決定分類工作的政策，因此認清情況是一切準備工作的基礎。

(二)選擇圖書分類法：目前已經出版的圖書分類法很多，但是分類工作者，應根據圖書館情況，愼選適當的分類法，不但

要合目前的需要，也要配合將來的發展，尤其是新建的縣市立文
化中心或鄉鎮圖書館更要慎重選擇，一般圖書館與國立中央圖書
館採取同一種分類法，不失爲穩當的作法，好處很多。

（三）決定分類的詳略程度：選擇了圖書分類法，接下來就需
依照上述圖書館的情況，決定分類的詳略程度，原則上，小型圖
書館可以粗分，大學或大型圖書館需要細分，專門圖書館則在其
專門的相關學科細分，其他則予粗分，決定以後就要一貫遵守，
以免造成藏書紛亂的情況。

（四）調整圖書分類法：決定分類的詳略程度以後，對於所使
用的分類表要作一番調整工夫，需要更詳細區分的類目，則予局
部擴充（增註細目、類號，加註使用附表，加註仿分或參考其他
分類表細分），局部集中（專門圖書館將相關學科，局部集中於
專門學科下細分），修改或調整類目，和增補新類目。

（五）熟悉圖書分類法：分類法既經選定，又經調整補充以
後，就要理解其結構體系和使用方法，除了分類法上原有註釋說
明外，可根據已編的範例，或工作經驗，加強註釋，以爲以後工
作的參考，這樣一方面也保持分類工作的一貫性，一方面也可減
少工作的錯誤，一般圖書館員認爲分類困難，或不會使用，或者
分類錯誤，大部份都是因爲對圖書分類法認識不夠而引起的，並
不能全部託責於所使用的分類法。

（六）制定圖書分類規則：爲保持同屬性的圖書，前後分類
的一致，事先要做一些原則上的統一規定，以爲圖書分類的準
則。

三、圖書分類的工作程序

有了以上的準備，就可以開始分類工作，一般而言，分類工作的程序如下：

(一)複本處理

一書到手首先要在公務目錄（一般是利用書名目錄）查檢，是否複本書，不同版本書或是新書，如果是複本書卽將該種書的索書號抄在書名頁內側上端，加上部次號，並在原來卡片上加註複本登錄號。

檢查複本應就書名、著者項、版本項、出版項、稽核項，逐項查對，其判斷標準有二①各項完全相同者②除裝訂方式與册數外，完全相同者。除此之外，卽爲不同版本書或新書。

如爲不同版本書，則抄錄其索書號再加註版次號(年代號)，而另編一張卡片。如爲新書，則要進行內容的分析，加以歸類了。

(二)辨　類

一書經檢查認爲屬新書時，就要進行內容分析，加以歸類。此內容分析也稱爲主題分析，經過內容分析後，辨別該書所屬的門類，以做爲歸類的依據，因此內容分析也可稱爲辨類，卽正確的分析圖書內容，辨別其門類，可採用下列方法：

1.分析書名──書名大都可以代表一書的內容，因此分析書名的含義，可以幫助瞭解書的內容性質。但有的圖書書名並不能

正確的表達內容性質，尤其是文學、哲學和社會科學等類的圖書，因此還要依靠別的方法來瞭解。

2.參考內容簡介──如果書本的扉頁有內容簡介，或者摘要，也可以幫助瞭解內容，即使是封面的廣告詞，對於內容分析，多少也有些幫助。

3.檢閱目次──目次是全書章節內容的綱領，從目次中我們可以看出這本書論述的範圍，並且可以從目次各章節的份量，以判斷該書較偏重二個以上主題中的那一個主題，而歸入那一個主題的類目。

4.閱讀序跋凡例──從序言、後跋及凡例，可以瞭解著者寫作的動機目的、內容範圍、編製過程以及對該書的評價等，有時在序跋中可看出舊書版本流傳經過，對於舊書分類有很大幫助。

5.閱讀導言總論緒論──書的導言、總論或緒論中，著者將會扼要敍述該書的要旨，與各科關係，或適合閱讀的對象，閱讀這些導言等，也有助於內容主題的瞭解。

6.閱讀正文──將全文簡略劉覽一遍，或從目次檢挑一些章節做重點翻閱，當可進一步瞭解該書內容性質。

7.參考其他書目或請教專家──如果經以上方式後還無法決定學科類別時，可以參考其他書目，如中華民國出版圖書目錄；或寫信、打電話向專家請教。此外，平常對於著者的研究專長或出版社的學科性質如能稍加留意，累積起來的經驗也可供將來歸類的參考。

由以上七個步驟，對於該書的內容性質應有較充分的瞭解，

不過圖書分類除了主要學科屬性的標準外，對其次要屬性如形式、語文、地區、時代等還要配合分類法同時一併予以考慮。

　　當然，由於分類員的各學科知識有限，因此常常會遇到不瞭解或單獨無法決定情形，應隨時查閱參考工具書或和同事討論，或請教其他專家，平時分類員如能勤於吸取新知，留意出版狀況，研讀學科史及概論，累積這些經驗，不僅對分類工作很有幫助，自己本身的知識水準也可不斷提昇。

　　(三)歸　類

　　根據圖書的內容性質，歸入最恰當的類目，稱為歸類，也就是根據辨類的結果，結合分類規則，在所採用的分類法中，選擇最適當類目做為該書的主要類目，以確定該書的分類號，決定在分類排架時的位置。

　　可見歸類的過程是要就辨類的結果，結合分類規則以及分類表使用法來取分類號碼，決定類目的方法有四：

　　1.從分類表結構——首先根據該書的主題，在分類表的類表（大綱）找出所屬大類，再從簡表中找該大類內適當的小類，然後再從綱目表中該小類內，找出適當的目，逐級尋找下去直到最恰當的類目為止，如果還要進一步依形式、語文、地區、時代等複分時，得需再查複分表加以歸類。

　　2.從分類表體系——

　　(1) 分類標準——根據分類規則，先內容、性質等主要標

準，後形式等次要標準，在分類表中尋找類目，例如：老子道德
經註釋一書，首先就其內容言它是屬於哲學，再根據哲學的體
系、國別、時代、個人、體裁，在賴氏法中找到 100 哲學，120
中國哲學，121 先秦哲學，121.31 老子，121.311 老子注釋。

（2）類目關係——分類表的類目，都互相存在某些關係，我
們可以從其關係來決定類目，這些關係有從屬關係、並列關係、
交叉關係和否定關係。

如：340　　化學

348　　物理化學

348.3　光化學

348.4　熱化學

348.5　溶液

物理化學和化學二個類目之間有從屬關係，光化學和物理化
學也有從屬關係，因此光化學可從此幾個類目的從屬關係，找到
348.3 光化學的類目。

同時，光化學、熱化學、溶液之間，存在共同性，而又各不
相同，但具有並列關係，因此這種並列關係也是決定類目的佐證。

另外，336.4 物理光學與 348.3 光化學二個類目卽有交叉關
係，雖共同關於光，但是研究的角度不同。因此分屬於不同的小
類，所以在分類時要先弄清該書研究對象的研究角度。

還有類目間存在否定關係，如 448.32 直流電和 448.33 交流
電，遇到此種關係的類目，可比照並列關係的類目處理。

（3）類目的排列原則——分類表類目的排列，大都先總體後
部分，先一般後特殊，先抽象原理後具體應用，先低級後高級，

先古後今，先近後遠。先總體後部分如：585 刑法在 585.1 刑法總則之前；先一般後特殊如：585.1 刑法總則在 585.2-4 分則之前；先抽象後具體應用如：447.91 太空飛行原理與問題在 447.93 無人飛行之前；先低級後高級如：376.1 被子植物在 376.2 雙子葉綱之前，而有關時代類目，莫不按時間先後排列如：626 明史 627 清史，至於地區類目則是先中後外，先近後遠如：592.92 中國戰史，592.931 日本戰史，592.952 美國戰史。

3.從類目的註釋——分類法的許多類目，常有註釋，說明類目的內容範圍的範圍註，使用指引註、範例註等，可參見本（第三）章第四節中國圖書分類法之二類目的展開與用法。

4.從分類法的索引——若分類法編有索引，甚或相關索引，對於難於決定的類目或初學者決定類目，都頗有幫助，但是要瞭解的一點是，索引所提供的類號只供參考，分類員仍需實際查對分類詳表，才可決定正確的類目和類號。

(四)編　號

當確定一書適當的類目後，就要立即將代表該類目的號碼用鉛筆寫在該書的適當位置，一般都寫在書名頁或蓋登錄號頁之上端靠書背不易磨損撕破的角落，如此決定了主要類號亦即決定了排架的類號，如果還有分析分類的類號或互見分類的類號，可寫在主要類號之後或下端，前面以「＋」表示之。如此主要類號加上分析分類號或互見分類號，合稱為完全分類號。

(五)核　對

　　爲了避免重號、分類前後不一致，在決定了主要類號後，應核對公務目錄中的分類目錄或排架目錄，因此除主要分類號外，尚要依序給予著者號、種次號、版次號、冊次號、複本號及其他附加號，組成該書完整的書碼（又稱索書號），其詳細編法請見本章第六節書號的配置。

　　最後連同編目草片和圖書一起交由分類部門主管或資深分類員審核，以求愼重及作品質控制。

四、一般分類規則

　　圖書分類工作進行時，常會遇到一些困難問題，例如一本書同時含有兩個不同的性質，旣可歸入這一類又可歸入那一類，對於這些問題，就需要編訂一些分類規則，以免造成目錄和排架的混亂，保持分類前後的一致。

　　圖書分類規則分述於下：

　　1.圖書分類應先以圖書內容性質爲主要標準分類，然後依地區、時代、體裁等次要標準分類。

　　　例如：中國文學史入820.9　8爲語文類，2爲中國，09爲歷
　　　　　　史。

但文學作品和綜合性圖書，應先依體裁再依時代或地區分類。

　　　例如：源氏物語入 861.542

　　2.圖書應依據著作者的寫作目的分類。

　　　例如：三國演義入小說，而三國誌入中國歷史三國時代。

3.圖書應分入最大用途的類目。

例如：工程數學，在數學專門圖書館應入 319 應用數學，但
在土木工程圖書館應入 440.1 工程基礎學。

4.圖書應入最切合其內容的類目。

凡討論專門主題的圖書，應入最恰當類目，不可入包括此類
目的上位類目。

例如：幼稚教育應入 523.2 不可只入 523 初等教育

本圖書館決定不要細分的類目，不在此限，但應先註明。

5.圖書分類應與編目一致。

分類與編目應保持一致，如一套叢書，若編目時是按單本編
目，則分類時亦應依單本的主題分類。

惟有時爲顧慮排架方便，不願將一套專題叢書分開排列者，
可用「給叢書號，單本編」的方式處理。僅在冊次號予以區別，
這種叢書只限於「有系統的專題叢書，版本與裝訂一致，並有連
貫冊次編號者」。

6.機關團體的年刊、研究報告、紀錄、彙報等連續性出版
品，如有順序編號者，應依其研究的學科性質分類，如無編號，
則依單本的內容主題分類。

7.有關一書的研究、注釋、考證、批評、增編、翻譯、索引
等，均應隨原書分類。

例如：紅樓夢研究入 857.49

四書集註入 121.25

8.新的主題，若在分類表中沒有明確的類目可歸類時，可暫
時歸入相近類目的上位類。

9.不可單憑書名或臨時需要分類。

一般圖書固然大部分可以書名來分類,但文藝作品的書名常不能代表內容,尚需參考目次、序言等辨類。另外按臨時需要分類,長期易造成混亂。

10.單一主題的圖書,應依其內容性質歸類。

例如:哲學概論　入 100 哲學

11.從不同學科或不同方面研究同一事物的書,則依研究的學科歸入相關的類目。

例如:石油價格　入經濟,石油工業　入工業

石油探採　入礦產

12.同時論述一主題的二個以上方面的綜合性書,如論述各方面屬於同一類別,則歸入其上位類,否則就按書中所要說明的主要方面(重點)歸類。

例如:石油問題　入經濟

13.若討論一主題的正反兩方面或比較二個對立主題,應依著者贊同的一面歸類。

例如:善與惡　入善

14.論及二個以上有並列關係的主題書籍或 二 書合訂,按在前、篇幅較多或重點的主題歸類,如並列主題在三個以上又同屬於一較廣泛的類目,歸入此上位類。

例如:物理與化學　入物理

彗星、行星、衛星及宇宙的起源　入天文學

15.論及二個以上從屬關係主題的圖書,一般應歸其上位類,如重點在較小主題則歸入下位類。

例如：顏料與塗料　入顏料（塗料屬於顏料一種）

宇宙與彗星　入彗星（重點在彗星）

16.論及二個以上因果關係主題的圖書，一般應歸結果主題的類目，但如論一主題多方面結果，則歸入原因的主題。

例如：從計算機到電腦　入電腦

17.論及二個以上影響關係主題的圖書，按受影響的主題歸類，但如論一主題在各方面的影響，則歸入發生影響的主題。

例如：氣象與健康　入健康

實施加值營業稅之後　入賦稅

18.論及二個以上應用關係主題的圖書，按應用到的主題歸類，但如論一主題在各方面的應用，則歸入該主題的類目。

例如：鐳射光在醫學上的應用　入醫學

科學與人生　入自然科學

19.凡參考工具書如詞典、百科全書、類書、年鑑、目錄、索引、手冊等，內容是綜合性的歸入總類，再按體裁細分，若內容是專門性先按其學科性質歸類，再依體裁複分。

例如：中華民國年鑑　入年鑑再入中國

教育年鑑　入教育再入年鑑

但如願將此類工具書集中，可在索書號前加參字或R字等特殊符號，而集中排架於參考書室，或集中在總類再依學科細分。

20.各種特殊體裁的書籍如地圖、圖片、畫冊、連環圖書、通俗讀物等，一般均入其相關類目，若為專門學科者則先歸入各學科，但可在索書號前加特殊符號，集中管理。

例如：中華民國地圖　先入地理類再入中國

經濟地圖　先入經濟類再以地圖複分

21.連續性出版品，如雜誌、報紙等，單獨存放，按學科性質或按刊名排。

22.各學科教科書及自修書，凡適合大專以上程度者，按其學科分類，中等教育程度以下者，則先入教育類各級教育中，再依學科細分。

23.凡專門供給特定對象使用圖書如兒童讀物，盲人讀物等，一般均宜單獨處理，索書號可和普通書相同，但可加特殊符號，分開排架。

第六節　書號的配置

圖書館的圖書，以圖書分類法分類以後，同內容性質的圖書將會集中在一起，但同類號的圖書很多，還需要將同類號圖書再加細分，直到各種圖書都能有別於其他圖書爲止，才便於管理和利於檢索。因此每一種圖書除分類號外，尚有其他號碼，此種號稱爲同類區分號，也可稱爲書次號，簡稱書號，與分類號總稱索書號（Call number）。

同類區分號通常採用五種方法：

一、按到館先後順序排列

類號下再加到館先後順序號碼(卽登錄號)並以登錄號排列，此方法取號簡單，節省書庫空間，適合於閉架式圖書館，缺點是同類書、同著者同種圖書的不同版本、複本不能集中，不利於開架式圖書館的利用。

二、按分編先後取種次號

在同類號下，按分編先後順序加該類的種次號，二者合併排列順序，此法雖可將同類圖書集中，但仍不能將同一著者，同種書不同版本的圖書集中。

三、按書名排列

在同類號下，再按書名字母取號碼（如四角號碼），此法仍不能將同類號同著者圖書集中，而且容易重號。

四、按出版年月排列

在同類號下，再按出版年月取號，此法缺點與前二種相同。

五、按著者姓名字順排列

在同類號下，再取著者號，一併排列，此法可將同一類同著者的不同二著作、同著作的不同版本、不同冊次等等，都集中在一起，對讀者閱覽、圖書出納都很方便，因此絕大部分圖書館都採用這個辦法。

一、索書號

索書號又稱排架號，它由分類號及著者號、部次號、版本號、書名號或特藏號等所組成，這些號碼決定了該書排架的位置，成為圖書排架、讀者索書和清點藏書的依據。

索書號通常著錄於目片的左上角，與書名標目同一行上，並且在書名頁上端靠書背處，用鉛筆寫上索書號，憑此打製書標，也方便日後換補書標。

茲舉例說明索書號的組成及其書寫、排架順序於下：

參	說明：參	特藏符號	參考書
520.4	520.4	分類號	教育大辭典
8734:2-2.3	8734	著者號	教育部編
75	:2	著者區分號	同類書不同著者
v.1	-2	同著者種次號	同類同著者第二種著作
	.3	續編號	本書為第三續編
	75	年代號（版次號）	
	v.1	冊次號	

要注意的是書寫時左邊須對齊。

現在除特藏符號及分類號在上節已介紹過外，其他各號碼，分別介紹於下面：

(一)著者號——在國內中文圖書的著者號，有很多種方法，各有不同的規定，但其取著者號的原則仍大致相同，現在就介紹這些取著者號的基本原則。

首先要根據編目規則確定一書用來取著者號的著者，再分別依下列情況處理：

1. 只有一個著者，就依此著者取號。

2. 有二個以上著者，就依第一人取號。

3. 機關團體著者，依著錄的名稱（或簡稱）取號，例：行政院文化建設委員會就「文建會」三字取號。

4. 無著者的圖書，則依書名取著者號。

5. 分類表已有專號圖書，不再依原著者取號，而依編者、註釋者、研究者甚至出版者取號，如：賴氏法中 857.4 紅樓夢，則高陽的紅學研究即以高陽取著者號。

6. 著者已被用為類名，則依書名取號，例：（宋）朱熹撰近思錄、朱子語類等應取書名以區別之。

7. 傳記圖書先依傳主取著者號，再依著者取號，以使同一被傳人的傳記圖書集中。

8. 同類號不同著者而著者號恰巧相同者，應依編目先後，在後編的著者號後加著者區分號，以資區分，例：陳永生、林永仁同為 8766，則林永仁應取 8766:2。

在此需要強調說明的是，著者號只是用以區分同類號圖書的次序而已，因此著者號並不能代表固定的著者，即使在不同分類號裏，不同的著者，卻具有相同號碼是完全無妨的。如果在同分類號裏，同名同姓的不同著者，仍要取著者區分號加以區分。

國內中文圖書的取著者號碼法很多，有何日章的中國圖書十進分類法附著者號碼表，王雲五四角號碼法，國立中央圖書館著者號碼編製規則，拼音著者號碼法，其中以四角號碼法及國立中央圖書館著者號碼編製規則最為通行。

1.四角號碼著者號碼法

根據王雲五氏發明之四角號碼檢字法取號，其筆形及代號如下：

第二次改訂　　四角號碼檢字法　　王雲五發明

第一條　筆畫分為十種，各以號碼代表之如下：

號碼	筆名	筆　形	舉　　例	說　　　明	注　　意
0	頭	亠	言主广疒	凡立之點與獨立之橫相結合	0456789各結構由數筆合為一複筆，檢查時遇筆與複筆並列，應使置取複筆。如上作0不作3，中作
1	橫	一乙乀	天士地江无風	包括橫與右鉤	
2	垂	丨丿亅	山月千則	包括直撇與左鉤	
3	點	丶丷	冈宀亠心衣	包括點與捺	
4	叉	十乂	草各皮刈夫扶	兩筆相交	
5	插	扌	扌戈甲史	一筆通過兩筆以上	
6	方	口	圖鳴圓囚甲曲	四邊齊整之形	4不作2，厂作7
7	角	𠃌乁㇄乛	羽門阪陰雷衣犖	橫與垂相接之處	不作2，⺊作8不
8	八	八丷人厶	分頁羊祭巺正午	八字形狀其變形	作32，⺌作9不
9	小	小灬⺍忄	尖氽蒜景雏	小字形與其變形	作33

第二條　每字祇取四角之筆，其順序：
　(一)左上角　(二)右上角　(三)左下角　(四)右下角
　(例) (一)左上角　　端　　(二)右上角
　　　　(三)左下角　　　　　(四)右下角
檢查時按四角之筆形及順序，每字得四碼：
　(例)　顏＝0128　　截＝4335　　臁＝0789

第三條　字之上部或下部，祇有一筆或一複筆時，無論在何地位，均作左角，其右角作0
　(例)　宣　直　首　冬　軍　宗　母
　每筆用過後，如再充他用，亦作0
　(例)　干　之　持　掛　犬　汁　軍　時

第四條　由整個包圍門鬥所成之字，其下角取內部之筆，但上下左右有他筆時，不在此例
　(例)　衍＝2210　囚＝6043　開＝7724　關＝7712
　　　　衡＝4422　菌＝4460　瀾＝3712

取著者號碼規則如下：

① 個人著者，姓取左上及右上，名二字各取左上，合為四碼。如：陳若曦的號碼為 7546 ；單姓單名則姓名各取左上及右上，亦為四個號碼，如胡適的號碼為4730；複姓著者，取各字左上，如司馬中原的號碼為 1757 。

② 團體著者得據其簡稱取號碼，或取前四字。

此法的優點在方便易學 ， 可不必每字查表 ， 缺點在容易重號，而且四角號碼檢字法例外情形多。

2.國立中央圖書館著者號碼編製規則：

本法又稱首尾五筆著者號碼法，其全文如下：

① 著者號碼之功用，在協調部別，類次圖書。故其編製，卽就部類相同之書，再以著者號區分之，使其時代有先後，名氏無雜厠。

② 著者號首位數字，係表示著者之時代，乃按中國圖書分類法附表二中國時代表排列。1.為先秦，2.為兩漢三國，3.為兩晉及南北朝，4.為唐及五代 ， 5.為宋及遼金元 ， 6.為明，7.為清，8.為民國。自第二位以下之數字，為著者姓名所組成。

③ 著者號多數為四位數字，若著者為單字名，則時代姓名祇為三位數字，若複姓複名，或以機關學校作著者時，則祇取其前三位或簡稱，以不超過四位數字為原則。

④ 著者姓名之編號，係探國立北平圖書館中文目錄檢字表所用之永字八法 ， 以字之首尾兩筆數字相加為號 ， 故亦可稱為「首尾五筆著者號」。其分別次序如下：

點「、」其數爲一。

橫「一」其數爲二，而フフ 乙了等皆屬之。

豎「｜」其數爲三，而亅レㄅ丶し等皆屬之。

撇「ノ」其數爲四，而ノㄑㄥ等皆屬之。

捺「丶」其數爲五

⑤ 著者號之編製，旣先定其首位時代號後，再將著者姓名每字之首筆數與尾筆數相加，合而爲著者號，例如明代王守仁，明代之數字爲6，王之首尾筆皆「一」，爲 2＋2 成 4，守之首尾筆皆「、」，爲1＋1 成2，仁之首筆「ノ」爲4，尾筆「一」爲2，相加成6，故王之著者號爲6426，餘皆類推。

⑥ 我國字體向有篆隸行楷之分，而楷書又有印刷體與書寫體之不同。本著者號之編製，槪以楷書之書寫體爲準。

⑦ 首尾五筆著者號之編製，有時或發生相同數字，若類號同而著者號亦同者，則酌量情形附加號碼以區別之。

本法取號先要對中國字的筆順相當熟練，才能運用自如而正確。

此法優點是簡單易學，不必每字查表，且首號爲年代號，輔助分類號使圖書著作年代一目了然。缺點是重號太多，況且現代著作都是 8 ，因此所能區別者只剩三位， 而各號碼也都集中於2到9，所能區別號碼只有八字。另外中國字的筆順常因書寫習慣不同，難有一定準則，也是造成困擾的原因。

(二)典藏記號，卷冊次號等

決定分類號和著者號後，若二者仍有相同者，尚需再取種次號、續編號、版次號（年代號）、冊次號、複本號等加以區別，

現分述於下：

1.種次號

當同一著者撰寫幾種同類圖書時，分類號與著者號自然相同，就需要按編目先後加種次號在著者號之後，以資區別，其取法爲同類號同著者號第一種不取，從第二種取-2，第三種取-3，餘類推。

例如：494/8487　　管理行爲／雷動天著

　　　494/8487-2　企業管理／雷動天著

　　　494/8487-3　最新企業管理／雷動天著

2.續編號

用以區分同種書之續編，其取法自續編開始取 .2 ，三編取 .3，餘類推。

例如：013.28/8656　　　中華民國出版圖書目錄彙編／國立中央圖書館編

　　　013.28/8656.2　　中華民國出版圖書目錄彙編續輯／國立中央圖書館編

　　　013.28/8656.3　　中華民國出版圖書目錄彙編三輯／國立中央圖書館編

3.版次號（年代號）

用以區分同種書的不同版本。凡同種書之修訂版、增訂版或影印新版或不同年度應在上述號碼之後，再加版次號，以資區別。其取法以出版之年代，另起一行書寫，同年代不同版次則在年代後再加-2，-3等號區別。因版次號取自年代故又稱年代號，若版次以年度表示，則應取資料年爲版次號，而非出版年。

例：494　　　反敗爲勝／艾科卡（Iacocca, Lee, 1924-　）
　　8874　　　　著
　　73

　　494　　　反敗爲勝／艾科卡（Iacocca, Lee, 1924-　）
　　8874　　　　著，民74（皇冠版）
　　74

　　494　　　反敗爲勝／艾科卡（Iacocca, Lee, 1924-　）
　　8874　　　　著，民74（天下版）
　　74-2

　　013.28　中華民國出版圖書目錄（七十年度）
　　8656
　　70

　　013.28　中華民國出版圖書目錄（七十一年度）
　　8656
　　71

4.册次號

　　用以區別多册書的不同册次，其取法爲第一册取 v.1 第二
册取 v.2……餘類推，另起一行書寫。册次號除記在書名頁及書
標等處外，在目片上登錄號後面，註記對應的册次號。

例：047　　　中華兒童百科全書　第一册
　　8445　　　　　　　　　　　　　　698334　v.1
　　v.1

　　047　　　中華兒童百科全書　第二册
　　8445　　　　　　　　　　　　　　698346　v.2
　　v.2

在目片上的册次號，為節省空間，可隨登錄號簡化記錄。
如：

942.04
8673

698434-40
　v.1-7

5.複本號（部次號）

用以表示同種書，同版本或同册次的該館所入藏的複本數，
書寫在索書號的最後一行，其取法為第一本書不記，第二本（卽
第一本複本）起，依次標記用"c"表示，其記法與册次號大致相
同。如：

857.7
8446

694325
-26 c.2

6.特藏符號

用以表示不同的資料類型，以便於收藏管理，其法以「參」
（或△）代表參考書，「線」代表線裝書，「縮」代表縮影資料
……，這種符號一般標記在索書號的上方。

例如：參　　　辭海
　　802.39
　　8664

二、排架目錄

排架目錄是一種按藏書排架順序編列的目錄，排架目錄上，除註明基本目錄資料外，尚有索書號，以及最重要的，在登錄號後面，註明一圖書館收藏的冊次號或部次號和典藏位置。因此，排架目錄可以用來查閱一書在圖書館的部數及書架上位置等，同時也是清點圖書不可缺少的工具。

排架目錄的目片，雖然是由編目部門在製片時，同時複製出來，但是其編排以及維護工作，卻需由典藏部門來負責，其道理簡而易明，主要是因爲排架目錄要反映藏書的位置，藏書既然由典藏部門來排架，則其排列及維護，自以由典藏部門承擔爲宜。

排架目錄的排列方法，基本上是按照索書號排列。所以在性質上，它是分類目錄，但是二者的功能和記載的資料，容有些許不同，首先排架目錄是屬於公務目錄，是館員控制館藏排列的工具；而分類目錄是公用目錄，爲供讀者即類求書的重要檢索途徑。其次，排架目錄可以按語文，或特殊形式，如大型圖書、卷軸、地圖、視聽資料、連續性出版品、兒童讀物、盲人資料等，分櫃單獨排列；而分類目錄則純依索書號排列。只要同學科資料，不論何種類型，都可排列在一起。第三，排架目錄上要詳記圖書館收藏一書的冊次號、複本號，及典藏位置；而分類目錄只要註明冊次號卽可，至於複本號，對於讀者並不太重要，通常可以不必增塡註明。

每當新書完成編目，移典藏部門時，應隨時將新增的排架目片，排入排架目錄內，如係複本書，或一部書的另外冊次，則需

將其登錄號加註在排架目錄該書的目片上。

三、分類排架法

　　圖書館的藏書，經過編目與分類後，確定索書號，使每一本圖書都具有一個目錄上明確位置，照此位置排列在書架上，既方便排架，也易於檢索。即使圖書館有各種排架方式，如分類排架、登錄號排架、固定排架、字順排架等，但一般的圖書館資料，除了特殊類型資料如縮影資料，採用登錄號排架以外，大都採用分類排架。

　　分類排架就是按圖書的分類號和著者號等組成的索書號排列在書架上。因此照分類號排架的書藏，就反映了分類法的邏輯體系，便於館員的管理，也便於讀者的利用。而且分類排架在組織書藏時，也比較靈活。它可以將特藏資料分開排架；或按學科排架，組成專科閱覽室；也可以將讀者常用的幾個學科，移放閱覽室附近，方便取書，節省時間，提高圖書的利用率。

　　不過，分類排架有一些缺點：㈠較佔空間：為容納新到各類圖書，書架上常要預留空間；㈡經常移架：當預留空間的書架書滿為患時，就需要移架，而且常常要牽一髮而動全身，增加人力物力的負擔；㈢排架困難：由於索書號有時過長，排比困難，取書及歸架易生錯誤。但儘管如此，如能適當控制預留的空間，簡化索書號碼，克服這些缺點，分類排架仍不失為最佳的排架方式。

　　分類排架是按索書號碼，逐字排比。圖書在書架上排列的原則是：以每個書架為單位，寬約為90公分，從第一架的第一層，

由左而右排列，再第二層由左而右，再第三層、第四層……，第一架排完，接著從第二架第一層續排，餘照此類推。

　　不能或不願按索書號順序排架的大型圖書、小冊子、卷軸、地圖、畫冊、兒童圖書或抽出的巡廻車圖書等，可以單獨排架，但應在該書索書號順序的架位上，放置一「代書板」，標示該書存放的位置。另外，圖書館尚可將許多藏書的排架次序，按照需要加以變化，尤其是開架式書庫，常將最常用的某些類藏書，排列在最近書庫出入口附近，可節省讀者或出納員從書架上取書的時間。通常可考慮另行排列的藏書，如小說、傳記、參考書、新書、讀者預約書，及時下最熱門的暢銷書、通俗讀物。這些另行排列的藏書，自然無法按照索書號排列，則需在排架目錄內，以鉛筆註明其存放位置，若該書的排架位置有所改變，則排架目錄應隨時配合修改。

四、排架說明

　　藏書完成排架後，為使讀者自開架式書庫的書架上取書，或館員自閉架式書庫提書、歸架，需將書架的類別標示出來，另外製作一排架說明，或書庫平面圖，引導讀者或館員迅速了解各類藏書在書庫中書架的位置。這種標示牌可採用包夾式，隨移架而移動調整。並且在排架目錄中，各類別前置一張排架說明片，列出排架的數量及放置位置。

第四章　目錄排列法

　　目錄卡片製成以後，應按照一定的排列原則，分別或混合排列成為一套有系統的目錄，以便館員和讀者的檢索，這項工作，稱為目錄組織工作。

　　目錄組織的工作內容包含以下四方面：

　　一、目錄的排列：按照一定的分類體系、檢字方法、及其他原則，將各種款目排列成分類目錄或書名目錄等。按書名片之書名標目的字順排列而成的，稱為書名目錄；按著者片之著者標目排列而成的，稱為著者目錄；按標題片之標題字順排列而成的，稱為標題目錄。書名目錄、著者目錄及標題目錄三者混合按字順排列，稱為字典式目錄。僅書名目錄與著者目錄混合排列，標題目錄單獨排列，則稱為分列式目錄。分類片與排架片，則按索書號的數序排列，排架片加註排架位置，即分別成為分類目錄及排架目錄，其詳細功用與區別請詳見第一章第五節。

　　二、目錄的裝飾：在各種目錄中編製導片，以及在目錄外部編製目錄使用說明，及標示目錄抽屜編號與目錄櫃標簽。

　　三、目錄的檢查：各種目錄片須隨時檢查，如發現有誤排，或誤編的情形，應及時予以修正，以保持目錄的品質。

　　四、目錄的維護：要及時更換破損，或補充遺失卡片，以保持目錄的完整性。

現卽就目錄組織工作內容的四方面詳述於下面各節，但由於目錄的排列必需面臨中國文字的檢字法，故加中文檢字法於第一節，然後再依順序介紹。

第一節　中文檢字法

中國字的構造及排列順序比較複雜，故其檢字法共有二十八種之多，在此僅介紹四種一般人比較常用的檢字法：

一、部首檢字法：先按字的部首先後排列，同部首次依筆畫多寡排比，一般辭典字典如辭海等常用此法，由於部首之筆畫與次序雖有一定規則可尋，但不易捉摸，例如：竟在音部，而意在心部，有些字典，竟意歸在立部；楊在木部，相在目部，難有確定的標準，因此一些字典採用此法檢查單字尚勉強可以應付，若要用來排比書名，著者目片的字順，勢必相當不易。因此圖書館都不用部首檢字法來排片。

二、四角號碼法：王雲五氏發明的四角號碼法，按漢字的四角筆形取號，分別取左上、右上、左下、右下，每字取其四位數，字順目錄卽以各字的四位數字順序排列，取號方法固然簡單，但其缺點是漢字的宋體字與楷書有別，如礻與示、曽與曾，同號字頗多，取號規則例外太多等等，如稍有疏忽，卽易生錯誤，影響排檢，讀者難予接受。編目作業以四角號碼法來取中文著者號碼情形較爲普通，但很少圖書館會以四角號碼法取各字的四位數字，然後以此排列成字順目錄。因爲四角號碼法對於一般讀者而言，還是一種不易使用的檢字方法。

三、**拼音音序法**：將漢字按其發音，按其注音符號的順序排列，以排列目錄，這種拼音音序法可分成兩種，一種是羅馬拼音法，以羅馬字母拼音，而按此羅馬字母順序排列。另一種是國語注音符號法，即以漢字的國語注音符號聲符與韻符的順序排列，聲符、韻符相同則按陰平、陽平、上聲、去聲、輕聲的順序排列。前者爲各歐美國家東亞圖書館普遍採用，後者則爲中華兒童百科全書，重編國語辭典／教育部編，以及電信局電腦查號所採用。拼音音序法的缺點在於漢字同音字很多，拼音系統又很紛歧，漢字的破音字爲數不少，若遇上不認識或難讀的字，即發生檢索困難。

例：(一)羅馬拼音音序法（以韋傑士法 Wade-Giles system of romanization 爲例）

Ai Chiang-nan fu chu（哀江南賦注）

An-hui ts'ung shu（安徽叢書）

An-nen hsing chi（安南行記）

Chan kuo ts'e（戰國策）

Chang shih i wen（張氏藝文）

Chang ts'ao k'ao（章草考）

Chang tzu ch'üan shu（張子全書）

Che-chiang t'ung chih（浙江通志）

Han shan shih（寒山詩）

(二)國語注音音序法

巴貝多（ㄅㄚ ㄅㄟˋ ㄉㄨㄛ）

巴比倫（ㄅㄚ ㄅㄧˇ ㄌㄨㄣˊ）

巴拿馬市（ㄅㄚ　ㄋㄚˊ　ㄇㄚˇ　ㄕˋ）
巴拉圭河（ㄅㄚ　ㄌㄚ　ㄍㄨㄟ　ㄏㄜˊ）
拍案驚奇（ㄆㄞ　ㄢˋ　ㄐㄧㄥ　ㄑㄧˊ）
排球入門（ㄆㄞˊ　ㄑㄧㄡˊ　ㄖㄨˋ　ㄇㄣˊ）
皮　　蛋（ㄆㄧˊ　ㄉㄢˋ）

　　四、筆畫筆順法：按照漢字的筆畫數多寡排，同筆畫者，再依各筆的筆形、一｜ノ丶筆順序逐字逐筆排比，直至可以區別先後爲止。此種排檢法，雖筆畫筆順難有定論，但其簡單易學，只要認識中國字，卽可卽學卽會，故爲國內絕大多數圖書館所採用。

　　使用此法，尚可將特殊符號與外國文字排於一畫之前，可解決上述其他三法所無法克服的排列問題。因此，本章以下各節關於字順目錄排列法概以筆畫筆順法說明目錄的排列法。

　　中國字之筆順，原是習慣寫法，但細加研究，仍有若干原則可尋，玆列舉如下以供讀者參考❶：

　　(一)由上而下
　　　　　如：丁、三、石、言、且、亨
　　(二)由左而右
　　　　　如：人、川、以、江、礙、獄
　　(三)由外而內
　　　　　如：日、用、固、閃、雨、風
　　(四)由中而左右

---

❶　見楷書筆順研究／顧大我著.--教學研究專題報告第二輯.--臺北市：市立女師專.--面25-36。

　　　　如：山、小、水、興、樂、戀

(五)先橫後豎撇

　　　　如：十、井、于、右、大、夫

(六)先撇後點捺

　　　　如：爻、刃、丸、又、支、長

(七)先長豎後短橫

　　　　如：上、店、作、非、長、馬

(八)先主後附，由近及遠

　　　　如：上、蕭、學、樊、匙

(九)右上之一點，右下之彎鉤，中穿之一筆，外框之橫底，左下之彎筆爲末筆

　　　　如：犬戈；九冗；中册子；國回；七匹

(十)點捺優先作收筆

　　　　如：刃、太、刄、健

第二節　書名、著者、標題目錄排列法

一、書名目錄：

　　書名目錄是將書名片第一行所載書名標目按筆畫筆順排列而成，它包括正書名款目、其他書名款目、書名分析款目、書名參照片及導片等，其排列規則如下：

　　(一)所有中國文字，悉依常用國字標準字體表（民國 72 年教育部公布）爲準，異體字應製見片，以供參考。

例：五畫

　　主計法概要

　　正德君遊江南

　　囘　見　回　六畫

　　四書新編

　　氷　見　冰　六畫

　　幼稚園的工作

（二）每字先排比其筆畫，筆畫相同，再依筆順排比，逐字排比（Word by word）。

例：六畫　　　　　　　　七畫

　　宇宙的奧秘　　　　　完美的幼兒教育

　　宇宙論　　　　　　　汪洋中的一條船

　　守父靈一月記　　　　社會工作

　　米勒傳　　　　　　　孝經章義

　　夷谷考　　　　　　　每日一字

　　考古學論集　　　　　八畫

　　光譜學簡介　　　　　社　見　社　七畫

　　朱九江集　　　　　　尚書義考

　　任伯年人物畫集

（三）只按正題名排列，卷數、副題名及資料類型標示均不計，但編次項按空一字後繼續排比，若編次項爲一系列數序，不論其以何種文字寫成，均按其數序排列。

例：中華民國出版圖書目錄

　　中華民國出版圖書目錄·　五十八年度

中華民國出版圖書目錄·　五十九年度

中華民國出版圖書目錄·　六十年度

中華民國出版圖書目錄續輯

中華民國出版圖書目錄三輯

中華民國出版圖書目錄四輯

四書讀本

四書讀本〔錄影資料〕❷

四書讀本·　論語

　(四)若書名中含有非文字之符號不計，阿拉伯數字及日、韓、英字母排於中文一畫之前。

　　例：3分鐘體操

　　ＡＢＳ塑膠電鍍技術

　　Ａ型人

　　一畫

　　一〇一個遊戲

　　「一二三」自由日

　　二畫

　　十億個掌聲

　　「人」到底是什麼？

　(五)書名相同者，按著者排列，必要時再依出版日期，出版者排列，如為分析片，應排於相同書名的單行本之後。

---

❷　資料類型標示可酌按中國編目規則中各章圖書、連續性出版品、善本圖書、地圖資料、樂譜、錄音資料……等順序排列。

例：乙亥叢編

乙亥叢編（在四部分類集成三編，第八種）

作業研究／姚景星著

作業研究／黃光明著

作業研究／劉一忠著

佛典泛論／呂　澂．--臺北市：三人行，民63

佛典泛論／呂　澂．--臺北市：九思，民66

原採用國立中央圖書館中文圖書編目規則編目的舊書名片中，冠有「欽定」、「御批」、「增廣」、「詳註」、「箋註」、「重修」、「校訂」、「選本」、「足本」、「繡像」、「繪圖」等字樣，已照省略此類字樣之題名排列者，應再複製一張照錄的書名片排入，或於排入相同書名遇到此類情形時，才加以補製。也可以照中國編目規則第廿五章：劃一題名之規定，予以建立劃一書名，但該章有關規則，尚未研訂完成，致目前未見採用劃一書名以供集中檢索。

二、著者目錄：

著者目錄由各種著者標目按字順排列而成，包括著者款目、其他著者款目、著者分析款目、著者參照片及導片等，其排列規則如下：

(一)著者姓名，不論單姓、複姓、筆名、團體著者，概依其著者標目之筆畫筆順排列，逐字排比，姓名前所冠朝代及著者之職責敍述如著、譯、編等不計，但帝王后妃、諸侯貴族、以廟

號、謐號、封號爲標目者，朝代照排❸。

　　例：李連春著

　　　　李區（Leach, Edmund Ronald）著

　　　　（宋）李誠編

　　　　唐高祖

　　　　釋弘一　　　（僧尼以釋爲姓照排）

　　(二)姓名相同之不同人，應照其朝代先後排比，或加註之籍貫排列❹。

　　例：（漢）蔡邕（上虞人）

　　　　（漢）蔡邕（圉人）

　　　　（清）戴震

　　　　戴震　　　（民國人習慣上不註朝代）

　　(三)機關團體著者，冠有簡單性質字句者，如國立、省立、縣立、市立等予以照排，但其他不重要者，如私立、財團法人、股份有限公司等，已依中國編目規則規定，著者標目不予著錄❺。

　　(四)外國人姓名概依中文譯名之筆畫、筆順排列，若不同人而譯名相同，則再依原名之姓名字母排列，原名不詳者排於前，日韓人有漢字姓名者，依其中國文字排列。

　　例：泰勒（　　　　　　　　　　　　　）

　　　　泰勒（Taylor, Kenneth Nathanial）

　　　　泰勒（Taylor, Leona Elizabeth）

---

❸　參見中國編目規則 22.1.4 及 22.2.2.4 條，面184,186。

❹　參見中國編目規則 22.3.1 條，面186。

❺　參見中國編目規則 24.2.1 條，面191。

泰勒（Taylor, Maxwell Davenport）

崔仁浩〔최인호，韓籍，星星的故鄉著者〕

崔載陽

船戶英夫（ふなと　ひでお）

(五)同一著者，應再依書名排列，必要時，應再依出版日
期、出版者排列。

例：朱自清著

　　荷塘月色

　朱自清著

　　經典常談（臺北市：臺灣東華，民45）

　朱自清著

　　經典常談（臺北市：三民，民61）

三、標題目錄：

標題目錄由主要標題款目、標題附加款目、標題分析款目、
標題參照片、標題導片組成，其排列規則如下：

(一)按標題的筆畫筆順排列，逐字排列，標點符號不計，視
為一空格，餘同書名目錄。表示朝代的標題，則依時代次序排
列。

例：中國——歷史——東漢（25—220）

　　中國——歷史——三國（220—280）

　　中國——歷史——宋（960—1279）

　　中國——歷史——元（1260—1368）

　　中國詩

中國詩──詩韻

中國語言

中國語言──方言

中國語言──文字

中國醫藥

內科

水──污染

水力發電

　(二)標題相同者，應再依書名、著者、出版日期、出版者之順序排列。

　例：戲劇──中國──歷史

　　　中國戲劇史　（徐慕雲.--影印本.--臺北市；世界，民66)

　　　戲劇──中國──歷史

　　　中國戲劇史　（徐慕雲.--影印本.--臺北市：河洛，民66)

　　　戲劇──中國──歷史

　　　中國戲劇史研究

　　　戲劇──中國──歷史

　　　中國戲劇發展史

　(三)標題目錄中之參照片，按其不同性質依說明片、見片、參見片、主標題片、主標題──副標題片等順序排列。

　例：教育

　　　依國分　　　　　　　　　　　　　（說明片）

各學科及主題下，可以「教育」複分

教育　　　　　　　　　　　　　　（標題片）

教育——行政

　參見　學校管理　　　　　　　　（參見片）

教育——行政　　　　（標題附複分標題片）

教育——社會方面

　見　教育社會學　　　　　　　　（見片）

教育社會學

　△　教育——社會方面　　　　　（反見片）

教育社會學　　　　　　　　　　　（標題片）

第三節　分類目錄排列法

分類目錄由分類款目、分類分析款目，以及導片組成。分類目錄按目錄卡片在左上角所載代表分類款目及分類分析款目之索書號（其組成結構，及書寫順序詳見第三章第六節）排列，均以左邊位數，按其數值逐字排比，其排列要點如下：

一、特藏號不計。

例：　參
　　　340.4　　化學大辭典

　　　370.9　　植物史

　　　參
　　　380.4　　動物辭典

　　　期
　　　413.05　中國醫藥

二、分類號從左邊位數，按數值大小逐字排比。

例： 340.22　　　　非　　　342

340.5　　　　　　　340.5

340.9207　　　　　341.1

341.1　　　　　　　340.22

341.67　　　　　　341.67

342　　　　　　　　340.9207

三、分類號相同，依著者號逐字排比。

例：　008.81
　　　8727

　　　008.81
　　　873

　　　008.82
　　　8342

　　　008.82
　　　835

四、分類號、著者號均相同，著者同一人時，依種次號排列。

例：　008.81
　　　8727

　　　008.81
　　　8727-2

　　　008.81
　　　873

五、分類號、著者號均相同，著者不同時，依著者區分號排列。

例：　008.81
　　　8727

008.81
8727-2

008.81
8727:2

008.81
8727:2-2

六、同一種書，不同版本，依版次號（年代號）排列。

例：　008.81
8727:2-2

008.81
8727:2-2
74

008.81
8727:2-2
75

七、同一書含有二册以上，依著者號下之册次號排列。

例：　008.81
8727:2-2
75 v.1

008.81
8727:2-2
75 v.2

八、同一書有若干複本時，依著者號下之部次號（複本號）排列。

例：　008.81
8727:2-2
75 v.2

008.81
8727:2-2
75 v.2 c.2

分類目錄排列時，大都按一至六項情況排列目片，七與八項

情況爲書架排架時，根據書標所載索書號加以區別時的排列法。通常冊次號及部次號均記在目片左邊登錄號之後。只在打製書標時，才根據登錄號將對應的冊次號或部次號打在該書的索書號之下。

第四節　中外文目錄排列問題

由於目前國內圖書館常將圖書館資料按語文區分，將中文及外文各自分開分類與編目，因此所編製成的書名片，著者片及分類片，也都各自分別排列，各自成爲不同體系，影響所及，使典藏與出納檢索也自成系統。但根據中國編目規則，並列題名，及其他外文題名，均立題名標目以供檢索，則此類外文題名標目的卡片自當排入外文書名目錄中，其排列法從其外文目錄排列法，其要點如下：

一、西文按英文字母順序排列❻。

二、所有文字，均以單字排列法（Word by word）排列，逐字排比。

三、縮寫字照其寫法排列，冠詞在首字不計，標點符號、阿拉伯數字均排於英文字母之前。

四、題名中含有數字者依其數序排列。

五、題名相同，則依其著者，出版年，出版者排列。

六、如爲一書之中譯本，則其外文題名副片排於原書目片之

---

❻　詳見美國圖書館協會排檢規則／吳明德譯註.--臺北市：書棚，民74。

後。

例❼：

4 biomedical research Dr. Pollak helped to start at Yang-
    ming medical

An alternative mathematical approach to movement as
    complex human beha

Analysis and design of computer network

The anatomy of the noxious weeds in the cultivated
    land of Taiwan

Automatic design for software system

BMW 1978-83

Cost analysis of management in natural forest in Taiwan

Design and implementation of programming language

Drying of powder materials

English Chinese dictionary of acarina

English Chinese dictionary of bryophytes

Ford 1974-83

IBM PC/XT FORTRAN 77

Sport and society

Study on polymer impregnated fiber concrete

Synthesis, characterization and application of titanium
    compounds

---

❼　摘自中華民國出版圖書目錄：75 年 5 月號之書名索引。

Synthosis of 1-phonyl-3-menthyl-5-pyrazolone

System reliability optiurization problems

Ten thousand mountains

Thick film varistor

　　相反的，若外文圖書中有中文題名者，亦宜製一張中文題名卡片，排入中文書名目錄中，其排法參照中文書名目錄排列法。見本（第四）章第二、三節。

　　如中外文圖書採用相同分類號及作者號，則其分類目錄及排架目錄卽可排成同一個系統，按其採用之分類法及著者號碼法排列。惟其書名目錄，著者目錄，標題目錄仍需分別排列。

　　如中外文均採用同一分類號及作者號，而且採用同一編目規則與標題表，其目錄排列法從其編目及標題用語之排列法。玆不贅述。

第五節　參照片寫法❽

　　爲便於檢索，目錄中得立下列參照款目，其格式如下：

　　一、「見」參照：稱爲單純參照，又稱直接參照，指引讀者由未被採用之題名標目、著者標目、標題標目，或分類類目，「見」目錄中選用之標目。其格式如下：

---

❽　本節參見中國編目規則. 第二十六章，參照 .--面196-199。

石頭記 見 紅樓夢 ◯	書名見片
（唐）李淵 見 唐高祖 ◯	人名見片
金石學 見 金石學——文字 ◯	標題見片
482.8　木材業 見 436.47　木材貿易 ◯	分類見片

其寫法爲將未被選用之標目寫在第一行第二縮格寫起,「見」字寫在第二行第二縮格縮進一字,選用之標目則從第三行第一縮格寫起。

二、「參見」參照:又稱互相參照,指引讀者由一標目「參見」其他相關之標目,其寫法格式同「見」參照。例:

四書 　　參見 大學 中庸 孟子 論語 　　　　○	劃一書名 參見片
英國鳥類學家協會 　　參見 英國鳥類學家聯盟 　　　　○	著者標目 參見片
社會保險 　　參見 公務員保險 軍人保險 勞工保險 　　　　○	標題參見 片

```
┌──────────────────────────────────────────┐
│                                          │
│         587.7   商標法                     │        分類參見片
│           參見                            │
│         492.5   商標                      │
│                                          │
│                                          │
│                   ◯                      │
│                                          │
└──────────────────────────────────────────┘
```

　　三、說明參照：又稱一般參照，凡僅以「見」或「參見」等款目無法給予讀者適當之指引時，得以簡潔之文字加以說明。如果編製得法，可帶給讀者很多方便，充分發揮目錄的檢索功能。

　　例：

```
┌──────────────────────────────────────────┐
│                                          │
│         鴻烈經                            │        書名說明片
│           見                             │
│         淮南子                            │
│           按鴻烈經爲淮南子內篇之            │
│         稱，漢淮南王劉安著，凡二十           │
│         一篇，言大明禮教也。               │
│                   ◯                      │
│                                          │
└──────────────────────────────────────────┘
```

于右任
　　本館不用于敬銘、于伯循、騷心
　、劉學裕、太平老人、大風、剝果
　、六誌齋、神州舊主等名

〇

著者說明片

教育
　　依國分。如：教育──中國，各
　學科及主題下，以「教育」複分。
　如：農業──教育

〇

標題說明片

第六節　導片製法

　　各種目錄的目片，依照排片規則，分別排入目錄匣中以後，
爲方便查檢，應另製一種導引卡片，插排入目錄每一段落之前，
這種導引的卡片稱爲導片（Guide card）。

　　一般導片都是硬卡紙，長寬與標準目片（7.5公分×12.5公
分）相同，惟上端突出部分高1公分，稱爲導耳，將指引的符號

或詞句記載在導耳，以資醒目。導片再套以透明塑膠套，更可保持清潔，而且耐用。惟加上塑膠不宜超過 12.5 公分寬。

導片可依導耳的寬窄及位置，變化成若干種形式，可視需要搭配，組織成適當的目錄。通常分成全分卡（全部均突出者）、二分卡（二分之一突出者）、三分卡（三分之一突出者），及五分卡（五分之一突出者）等四種。除全分卡外，其餘二分卡、三分卡、五分卡的導耳位置又分別有左右中等位置，編製導片以前應估算各式數量，訂製備用。

編製導片時，以導耳的大小來分別標記的層級，例如在分類目錄中，以全分卡記大類（如：500 社會科學類），二分卡記類（如：520 教育），三分卡記小類（如：525 高等教育），五分卡記目（如：525.8 各大學誌）。相隔的導片，再以導耳的左右位置錯開，並視目片的多寡酌予合併或細分。如圖13

如在字順目錄中，全分卡記筆畫別（如：十四畫）二分卡記起筆筆順（如：、一｜／等），三分卡記單字（如：臺），五分卡記常用或專有名稱（如：臺灣），若再將二分卡、三分卡、五分卡分成四種顏色，每種顏色代表一種起筆，如白色用於、，黃色用於一，天青色用於｜，淺紅色用於／等，將更能醒目。

另有一種傾斜式導片，其導耳改以傾斜45°的三角形中空之硬質透明塑膠，導片所要標記的標目可另以紙條標籤填寫後，插入此三角形透明塑膠中，如需更換或修改標目，可將舊標籤抽出，改換新標籤即可。此種新型導片，可隨時抽換標籤，常保導片的清潔，並且耐用。傾斜45°的導耳，也較適合使用者的視線角度，至為理想。

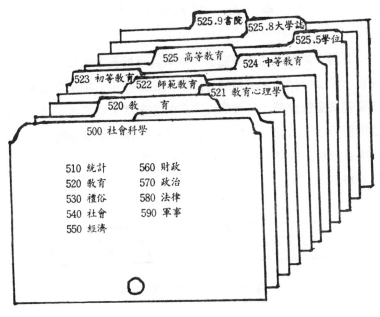

圖13　導片製法

　　目片及導片排列入目錄屜後，應編製標籤，載明該屜所存放目片的起訖範圍，插入屜前標籤框內，以便讀者的使用。標籤上至少包含下面三項：(1)目錄名稱，(2)起訖範圍，(3)目錄屜編號。如下圖：

2	中文書名目錄 四畫（、～一）

3	中文標題目錄 四畫(一)

第七節 目錄使用說明

目錄卡片及導片編製完成，排入目錄屜後，應製作目錄使用說明，簡要介紹讀者使用的目錄種類、分類法、排片方法，及特藏圖書典藏位置等。可製成大字體的告示牌，懸掛於目錄櫃上方牆壁明顯處，以指引讀者利用目錄卡片，檢尋圖書資料。另外，可在目錄櫃上放置立體三角形木版或亞克力版，標示目錄種類，如圖14：

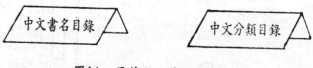

中文書名目錄　　　　中文分類目錄

圖14　目錄櫃三角形指標

目錄使用說明應視圖書館本身的目錄編製情況、典藏位置及出納方式加以編寫。茲以國立中央圖書館（民國 70 年製作）及桃園縣立文化中心（民國 73 年製）之目錄使用說明為例，列舉如下，以供參考：

國立中央圖書館卡片目錄使用說明

一、凡欲借本館圖書，請先瞭解本館中西文圖書所用的
　　分類表，以及各種目錄的使用方法。

二、中文圖書的卡片目錄有分類目錄、書名目錄、著者
　　目錄三種。

三、中文圖書依「中國圖書分類法」分類，其分類大綱
　　如右表（略）所列，分類目錄按書碼（在卡片左上
　　角；包含分類號和著者號等）排列。

四、中文圖書書名目錄片及著者目錄片依書名及著者的
　　首字筆劃多少排列，首字筆劃相同者以起筆點（、）
　　橫（一）、直（｜）、撇（／）、捺（＼）之筆順
　　為序，凡外國文字均置於一劃之前，若首字相同
　　的，依第二字，逐字排比，餘類推。

五、西文圖書的卡片目錄有標題目錄及書名--著者目錄
　　二種。

六、標題是根據一書的內容，用簡明扼要的字句表示該
　　書的主題，西文圖書標題目錄採美國國會圖書館標
　　題表。

七、西文圖書依美國國會圖書館分類法分類，其分類大
　　綱如左表所列。（略）

八、西文圖書卡片目錄均依英文字順及單字排列法排
　　列。

九、中西文目錄卡片左上角為書碼（又稱索書號碼），借
　　圖書時應將此號碼填在借書單上，經館員到書架取
　　書。

十、凡書碼上有「參」「R」標記的為參考書，請逕至參
　　考室查閱，凡卡片左下角標明「目錄室」「官書股」字
　　樣的表示該書收藏地點，請逕至各收藏單位查閱。

十一、凡法律及美術兩類目(法律分類號中文/580，西文/
　　　K；美術分類號中文/900，西文/N，請分別到法律
　　　室及美術室查閱。

桃園縣立文化中心圖書館目錄使用法

一、圖書的排列：中文圖書按賴永祥氏中國圖書分類法，西文圖
書按杜威十進分類法，由小到大，由左至右排
列。

二、目錄片的種類：中文圖書製有分類片、書名片、著者片三種
；西文圖書製有分類片、書名片、著者片三
種。

三、目錄片之排檢：

   (一)中文圖書——

      1.分類片依分類號碼先後順序排列，號碼相同再按著者
號先後順序排列。

      2.書名片依書名第一個字筆劃之多寡順序排列，筆劃相
同的字按該字首筆之點「、」、橫「一」、直「｜」、
撇「／」、捺「＼」順序排列。

      3.著者片依著者姓名第一字筆劃之多寡順序排列，排法
和書名片相同。

   (二)西文圖書——

      1.分類片依分類號碼先後順序排列，分類號相同者再按
著者號先後順序排列。

      2.書名片及著者片係按書名、著者姓氏或機關團體名稱
的第一字字母順序排列，其查檢法除每一書名之冠詞
如 The．A．An 等不被採用外，其餘皆與查英文字
典相同。

四、實例說明：

    1.讀者欲找一本張迅齊先生編譯的中國名詩，則可從著者片
的十一劃中找到張迅齊的目錄片（見例一）。

    2.從書名片四劃中找到中國名詩的目錄片（見例二）。

    3.從 800 號文學類找到 821 詩論（見例三）。

例一　作者片

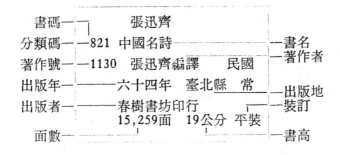

書碼—┐　　　　張迅齊

分類碼——821 中國名詩————————書名

著作號——1130　張迅齊編譯　　民國————著作者

出版年————六十四年　臺北縣　常

出版者————春樹書坊印行————————裝訂

　　　　　　15,259面　19公分　平裝

面數————————————————書高

例二　書名片

```
821      中國名詩
1130      張迅齊編譯    民國
      六十四年  臺北縣  常
      春樹書坊印行
      15,259面 19公分 平裝
```

例三　分類片

```
821      中國名詩
1130      張迅齊編譯    民國
      六十四年  臺北縣  常
      春樹書坊印行
      15,259面 19公分 平裝
```

第八節　目錄的檢查與維護

圖書館的圖書目錄經排片人員排入目錄屜中，可暫時豎起，或置於目錄屜的鐵條上，俟編目人員檢查無誤後，再予放正，或整平後以鐵條貫穿固定。編目人員在檢查目片時，應注意下面幾點：

一、目片排列是否正確，應與前後數張目片的關係位置比較，然後再予確定。如有誤排，應隨時更正，改排正確位置。

二、目片是否有錯字或缺失。

三、在分類片中，是否有重號（索書號碼完全相同），種次號中間是否有空號；書名片中，相同書名是否複本，如非複本，分類號是否相同；著者片中如相同著者，著者號是否相同。如發現上述情形，均應分別作適當處理。

四、導片、參見片等的編製是否正確，目片過多是否須增製導片等。

凡經檢查有誤排情形時，應卽時予以改排，如發現目片錯誤，應將全套目片各張一併修正。如書標已製好，而索書號需改動時，亦應將書標一併改正。因此在工作實務上，最好先排公務目錄的所有目片，經檢查修正無誤後，再排公共目錄的目片，以及移書。

至於目錄的安全與維護，也是很重要的。一個圖書館的目錄卡片最好編製兩套，一套公務目錄，一套公用目錄。公用目錄因使用頻繁，一段時間後，常有破損或遺失等情形，如能及時發

現，應隨時予以抽換或補充。另外定期將公務目錄與公用目錄核
對，以便進行全面汰舊補缺的維護工作，以保持目錄的完整性。

如果經費許可，可將目錄卡片編印成書本目錄，一方面便於
傳布利用，一方面亦可保存該時段的館藏記錄，也方便目錄的維
護，了解館藏的發展歷史。更有甚者，有一些歐美圖書館更將目
錄卡片，攝製成縮影捲片或單片，保存在保險櫃中，以防目錄卡
片遭意外損失後，無法補救。

另外，遇有編目方法改變情形時，編目人員應在目錄卡片方
面進行以下維護工作：

一、當使用的分類法部分類碼改動時，應將相關的類碼所有
目片，予以調整修正。

二、凡目片的標目如著者名稱更改，標題表的標題改變，或
因編目規則改變，均需重編目片，如果變動太大，需要改變的標
目太多，可在新書編目遇到需要改變標目時，才予改正。亦可以
增製參見片，使新舊標目並存，新編目片採用新標目，而在舊標
目前增製參見片，導引讀者亦至新標目查檢。

三、如因發現誤編，而需重編更改目片時，應將該書全部目
片以及書標一一改正。

四、若排片規則改變，則應根據新規則予以重新調整。

第五章　特種資料編目法

第一節　連續性出版品著錄法

連續性出版品（Serials）是指在一個總書名之下，分成一系列的種、冊、期、號等，定期或不定期連續出版的出版品。通常可分成三種情形：一、具有一個總書名，而每一種著作，具有單獨書名的出版品，稱爲叢書（Series），又可稱爲叢刊；二、一種著作，分爲二冊或二冊以上出版的出版品，稱爲多冊書；三、具有一個總書名，分期連續出版的出版品，稱爲期刊。連續性出版品編目時，根據這一特性，旣要表現整套出版品的情況，也要表現其中各部分的情況，這樣才能滿足讀者各方面的要求。因此，除一般的基本著錄外，尚需增加一些特別的著錄事項。現就分成這三種情況來說明。

一、叢書著錄法

叢書是集合多種單獨著作，組成一套具有總書名的出版品，其著錄法有二種，第一種是分散編目，係將叢書中每一種作爲一著錄單元，單獨予以著錄，而將叢書名及編號著錄在叢書項，其著錄法參見第二章各節；第二種是整套著錄，係將一部叢書視爲著錄單元，以叢書名爲總書名，各單行本書名著錄在內容註，必

要時，還可將各子目著錄於內容註的各單行本款目，另作分析款目，此分析編目方法，請參見第二章第七節分析編目。

一套叢書如果具有下列二種情形之一者，可以考慮採用整套著錄法。

一、有總書名及總目錄者，並有系統的出版，册次連貫或編有號次者，如四庫全書珍本初集。

二、按一特定主題、時代、地理或其他一定體系編纂，並有明確編纂計劃，一次出齊，或有總目錄者，如：筆記小說大觀二十編，中國近代史料叢刊。

除了這些情形以外，範圍廣泛，各子目間開本形式不一，鮮有某種關連，但陸續出版者，如三民文庫，人人文庫，科學圖書大庫，均以用分散著錄為宜。

整套著錄法最大的優點就是可以將全套叢書的子目，列於內容註內，使讀者能瞭解全貌，如再編分析檢索款目，更可從子目的書名、著者等去檢索。但是如果一套叢書內容龐大，讀者在檢閱一長串的內容註時，會覺得很不方便，如例 116。若編目時，全套叢書，尚未出齊，出版年和册數和內容註常需空著，或暫時以鉛筆著錄，經常修正，如例 117，造成編目作業上和讀者使用上許多的不方便。

國立中央圖書館編目組有鑑於此，近年來發展出另外一種著錄方式，即分散著錄，集中分類。換句話說，就是採取「叢書號單本編目」的方式，將應整套著錄的叢書，編目採取分散著錄，分類號則據叢書分類，著者號取叢書名，而各子目以叢書編號（册次號）來區別，這種著錄法有下列好處：

```
944.908    中國的繪畫／何恭上編.--臺北市：藝術圖書，民58
8735          4冊：圖；20×18公分
                  內容：1,隋唐五代繪畫／馮振凱撰--2,中國宋元繪
462701-04   畫／何恭上編--3,中國明清繪畫／何恭上編--4,中國
v.1-4        歷代名畫精選／何恭上編
             新臺幣200元（精裝）


             1.中國繪畫—歷史與批評  I.何恭上編
```

　　例116　已出齊叢書

```
523.08     臺北市立女子師範專科學校國教輔導叢書／臺北市立
8573         女子師範專科學校編.--臺北市：編者，民65—
                  冊：21公分
462821  v.1  內容：第1冊，美勞科教學的理論與實際
             （平裝）


             1.初等教育—叢書 I.臺北市立女子師範專科學校編
```

　　例117　未出齊叢書

一、分散著錄，可使各子目的著錄較詳細。

二、集中分類，可使分散著錄的各子目，集中排列在書架和分類目錄中。

三、分散著錄，可隨到隨編，每一種編目單元的目片都是完全著錄，無須增補。

四、可增製叢書名片，排列起來，仍可使讀者檢閱所有的子目。

這種著錄方式，初看會讓人誤以爲分類和編目方式不一致，其實雖然是集中分類，但是其索書號仍能由叢書號構成的册次號來區別，因此，還是各有各自的索書號。如例 118

944.908	隋唐五代繪畫／馮振凱撰.--臺北市：藝術圖書，民
8656	58
v.1	205面：圖；20×18公分.--（中國的繪畫／何恭上編；1）
462701	新臺幣50元（精裝）

　　　　　　1.中國繪畫—歷史與批評—隋　I.馮振凱撰　II.叢書名：中國的繪畫；1 III.何恭上編

例118　分散著錄，整套分類叢書

整套著錄時，索書號只包括分類號和著者號，將册次號記在登錄號之後；而分散著錄，整套分類，索書號除分類號和著者號

外，將各種子目的冊次號直接記在各分散著錄目片的索書號之下。請比較例 116 與例 118 中，著錄方式與索書號的差異。

二、多册書著錄法

多册書是指一種書分裝成二册以上出版。除有一總書名外，通常各分册都沒有單獨書名，如果有，充其量也僅為篇章名稱，尚不能構成單獨書名。著錄時，應視同單行本（Monograph）處理，其出版年份跨年者，應註明起訖年代，並將其册數記於稽核項，不必記其面數，除非其各册的面數連貫。如有分册的篇章名稱，可註明於內容註，不必做分析款目，如例 119。如果編目時，全套書尚未出版齊全，則其最後預定出版年代應空著或以鉛筆記錄，隨時修正，册數亦應暫時以鉛筆記錄，惟若已確定要出版的册數，則可予以正式著錄。內容註也要預留適當的空白，

578.1 8334	國際關係概論／賈湖亭撰.--臺北市：大風，民64-65 3册；21公分 大學用書 每册末附參考書目
562324-26 v.1-3	內容：上册：討論國際關係的基本原理動力--中 册：研究國際組織並檢討其得失--下册：分析國際 現勢與動向 新臺幣180元（平裝） 1.國際關係 2.國際組織 I.賈湖亭撰

例119 已出齊多册書

719	環遊見聞／楊乃藩著 .-- 臺北市：九歌，民 67-<u>68</u>
8665	2冊；19公分.--（九歌文庫；12）
	內容：第1冊：歐洲之部
673021 v.1	新臺幣65元（第1冊：平裝）.--新臺幣100元（第2
	冊：平裝）

1.遊記　I.楊乃藩著

例120　未出齊多册書（畫底線表示以鉛筆書寫）

供填註續出的內容註。如例120

　　多册書與叢書的分別，主要在於多册書沒有子目的單獨書名，在銷售時通常以全套為單位。在性質上，它是一單行本，只是分裝二册以上而已；叢書則是各個單行本的集合體，各個子目具有相當的獨立性。

三、期刊著錄法

　　期刊是指具有一總名稱，分期繼續刊行的出版品，內容大都是許多短篇文章編輯而成。期刊可分成定期刊物和不定期刊物，定期刊物有日報、雙日刊、周刊、旬刊、半月刊、月刊、雙月刊、季刊、半年刊、年刊等，如中央日報、時報周刊、大同月刊等；不定期刊物，出版間隔不定，一些學術機關的學報、研究報告、集刊等卽常屬之，如國立臺灣師範大學國文研究所集刊。

期刊編目時，應根據首期予以編目，如無首期，可參考其他目錄著錄，若首期無可考，則根據館藏最早一期著錄。期刊編目原則上與一般圖書相同，可參考第二章各節的說明，所不同的特點是要反映全套期刊的情況，和個別卷期的特點，因為在出版過程中，刊名、編輯、出版者、刊期及刊行旨趣都可能會發生變化，因此期刊編目應隨著刊物的成長，而作「有機性」的著錄，另外，館藏情況也是需要多費一點工夫去著錄。

期刊著錄的基本項目有刊名及著者敍述項、版本項、卷期編次項、出版項、稽核項、叢刊項、附註項、標準號碼及其他必要記載項、追尋項等。其格式和實例如例 121 及 122。

期刊的刊名以書名頁、封面、卷端列名、刊頭編輯頁等等所題者著錄，若一團體名稱或其簡稱，一再出現於其封面，或刊頭等處；或編目時，該名稱已以此樣式出現於索引、摘要或其他書

分類號	刊名．部分刊名〔資料類型標示〕：副刊名＝並列刊
著者號	名．部分刊名：並列副刊名／著者敍述．--版本項
	.--卷期編次項.--出版地：出版者，出版年
登錄號	册數：插圖；高度尺寸＋附件.--（叢刊名；編
	號，副叢刊名；副叢刊號）
	附註項
	標準號碼及其他必要記載項

1.標題2.標題　I.檢索款目　II.檢索款目

例121　期刊基本格式

```
期
020.5    教育資料與圖書館學＝Journal of educational
8732        media & library sciences  .--第20卷第1期（
            民71年9月）-          .--臺北縣淡水鎮：淡江大
307821      學教育資料與圖書館學出版社，民71—
v.20:1-4      冊：圖；21公分
309830    季刊
v.21:1-4  繼續：教育資料科學
          卷期續前


         1.圖書館學—期刊 2.視聽資料—期刊  L並列刊名
```

例122　期刊實例

目之中，則團體名稱視爲正刊名著錄。如：

　　國立臺灣大學校刊

　　國立中央圖書館館訊

　　若一期刊是屬於另一期刊的一部分或補遺、補篇、附册時，
著錄來源所題刊名，包括總刊名及其部分刊名或補篇刊名，則先
著錄總刊名，後記部分刊名，二者之間以一圓點一空格隔開，若
部分刊名前冠有編次，則二者以逗點隔開，如：

　　中華民國期刊論文索引.　1,人文、社會科學部分

　　淡江學報.　理工學門

　　若主要著錄來源未記載總刊名，僅記載其部分刊名或補篇刊
名，則刊名應直接以部分刊名或補篇刊名著錄。而將總刊名視爲
叢刊項記載，但補篇之總刊名則註明在附註項。如：

　　書和人.--（國語日報）

　　若刊名中含有每期更動的日期或編號（如屆次者），應予略去日期或編號，代以刪節號（…），但日期或編號若冠於刊名之首，則逕予省略，不加刪節號，此省略之日期或編號可移至卷期編次項著錄。如：

　　中華民國臺閩地區 … 人口普查總報告書 .-- 第 1 次至第
　　　　次

　　臺灣省國中畢業生就業輔導工作專輯.--第 1 屆至第　　屆

　　若期刊有副刊名或並列刊名 ，可記載在刊名之後 ，以冒號（：）或等號（＝）隔開。如：

　　思與言：人文社會科學雜誌

　　教育資料與圖書館學＝Journal of educational media and
　　　　library sciences

　　期刊的著者敍述，著錄法與一般圖書相同，若著者的全名或簡稱已出現在刊名或副刊名之中，則省略其著者敍述，不必重複著錄。但若著者名稱與主要著錄來源上的刊名，是分開敍述時，則不得省略，仍予著錄在著者敍述內。如：

　　臺中商專學報

　　教育部公報／教育部秘書處編

　　期刊的個人編者，通常無需著錄於著者敍述中。編目員如覺得有其重要性，則註明於附註項。如：

　　中華雜誌
　　　胡秋原主編

　　期刊的版本敍述，著錄於刊名及著者敍述項之後，以分項符號（.--）隔開。如：

時報雜誌.--海外版

國中英語文摘.--教師版

三民主義.--點字版

光華.--英文版

兒童文學周刊.--重印本

期刊的卷期、年份著錄於版本項之後，與前項之間以分項符號（.--）隔開，編次或首期編號，或年份之後，加一連字符號（一），卷期之後的年份，置於圓括弧（ ）內，卷期號依首期所載字樣著錄，但數字均改用阿拉伯數字記載。連字符號之後，預留適當空格，約與連字符號前之卷期號相同空格，以供記載末期編次之用。如：

中華民國出版圖書目錄.--民59年1月號— 年 月號

教育學刊.--第1期（民68年4月）—

國立中央圖書館館刊.--新1卷1期（民56年7月）—

若刊名變更，而卷期延續，應以新刊名另外重新編一目片，卷期著錄新刊名出版之卷期，並在附註項中註明。如：

教育資料與圖書館學.--第20卷第1期（民71年9月）—

　繼續：教育資料科學月刊

　卷期續前

若首期僅載創刊號，而未載其他任何卷期編次，則比照第二期寫法著錄，加方括弧或逕以〔第1期〕著錄，不以創刊號著錄。如：

書目季刊.--〔第1期〕（民55年9月）—

弦歌.--〔第1期〕（民66年10月）—

　　若期刊同時採用兩種以上編次系統時，則依書上記載的順序記載之，中間以等號（＝）隔開，如出版中途，刊名未變，而編次系統改變，則先記載舊編次系統之起訖、編次，並以分號（；）引出新編次系統之首期編次。若刊名改變則應另行編目。如：

　　國立中央圖書館館訊．--第1卷第1期（民67年4月）—

　　今日佛教．--第1卷第1期（民46年4月）—第 2 卷12期（民48
　　　年4月）；25期（民48年5月）—

　　若期刊已全部出齊，或停刊，則應將末期之卷期編次填上。如：

　　書評書目．--第1期—第100期

　　圖書館學季刊．--第1卷第1期--第11卷第4期

　　若卷期編次很複雜或很不規則，在卷期編次項不能載明時，可在附註項中註明之。如：

　　教育資料科學月刊．--第1卷第1期（民59年3月）—

　　　每年1卷，每卷8期，除1月，2月，7月，8月外，每月出版

　　明倫雜誌

　　　除第1期外，尚有○刊號

　　若首期之卷期不詳，其卷期編次項，暫不著錄，但預留20個字以備日後查明補填。同時在附註項中註明所據以編目的卷期。如：

　　今日財政．--　　　　　　　　　　　　　．--臺北市：今日
　　　財政社，民67—

　　　據第6期著錄

　　期刊如其刊名變更，應作新期刊另行編目，將舊刊名註明於

附註項中，冠以「繼續：」字樣，卷期編次項依新刊名首期之卷期著錄，如卷期繼續舊刊名，可在附註項中註明「卷期續前」字樣；卷期另起一系統，則註明「卷期另起」字樣，其例亦如例122。而在舊刊名目片上，將末期之卷期編次項、出版年及總冊數補填。必要時，並可在附註項中，註明新刊名，冠以「改名：」字樣。如例123

```
期
020.5        教育資料科學＝The  bulletin  of  educational
8732-2          media science.--第1卷第1期（民59年3月）-第19
                 卷第8期（民71年6月）.--臺北縣淡水鎮：淡江文理
307811          學院教育資料科學月刊社，民59-71
v.18:1-8        19冊：圖；26公分
309812          月刊
v.19:1-8        改名：教育資料與圖書館學



             1.圖書館學─期刊  2.視聽資料─期刊  I.並列刊名

                          ◯
```

例123　改刊名的舊刊名目片

若一期刊與另一期刊合併時，刊名未改，則於附註項中註明併入的刊名及日期，而於被合併之原期刊上註明所併入的刊名，冠以「併入：」字樣，並將末期的卷期及冊數等做停刊處理。如：

1.四海之友

　　僑務月報，函校通訊於民國64年4月併入本刊

2.僑務月報

　　併入：四海之友

若合併後，改用新刊名，則以新刊名另行編目，在附註項中，註明「由×××及×××合併而成」字樣，而在原來刊名目片的附註項中，註明「與×××合併成×××」字樣，並做停刊處理。如：

1.土木水利

　　由土木工程及水利合併而成

2.土木工程

　　與水利合併成土木水利

若一期刊衍生成另一新期刊，應將新期刊另行編目，並在附註項中註明原期刊名，冠以「衍自：」字樣。相反的，應在原期刊目片的附註項中註明所衍生各部分刊名，冠以「衍成：」字樣，如原刊名不繼續使用，並應做停刊處理。如：

1.商標公報

　　衍自：標準

2.標準

　　衍成：專利公報、商標公報、標準公報

重印一期刊，照重印本之期刊編目，若原期刊的刊名、出版地、出版者、刊期、標準號碼等與重印本不同時，均應註明於附註項中。如：

圖書館學季刊.--重印本.--第1卷第1期─第11卷第2期.--臺北市：臺灣學生，民58

　　據北平市：中華圖書館協會，民15─26之季刊影印

　　館藏卷期可記於登錄號之後 ， 期刊之登錄號通常是在裝訂後，才給予的。登錄號與其卷期若過多，可用續片，專供記載登錄號及館藏卷期。

　　有的圖書館將未裝訂期刊按刊名筆畫順序排架陳列，俟一定份量時，才予裝訂，然後編目。因此，在未裝訂編目前，常利用登錄卡，加在該期刊之刊名目片之後，以記錄新收到的刊物。讓館員瞭解收到的情形，易於催缺，也使讀者知道館藏卷期，而迅速借閱。期刊的登錄，依刊期可分二種，分別登記不同刊期的期刊。如例 124 及 125

　　年刊本如年報及年鑑之刊物，通常可依單行本處理，而不依期刊方式編目，在著錄正書名時，應將年度移至正書名之後，置於編次項，卽與正書名以一圓點一空格隔開。如：

名　稱																														來　源	
出版者及地址																															
年	1	2	3	4	5	6	7	8	9	10	11	12	13	14	15	16	17	18	19	20	21	22	23	24	25	26	27	28	29	30	31	打
一　月																																
二　月																																
三　月																																
四　月																																
五　月																																
六　月																																
七　月																																
八　月																																
九　月																																
十　月																																
十一月																																
十二月																																

V. 已到：×，臨時停刊。　　　　　　　　○

例124　月刊（不含）以下登錄卡

名　稱														
出版者及地址														
刊.														
年	卷	一	二	三	四	五	六	七	八	九	十	十一	十二	合	訂
											○			No.

定價		裝訂		式樣		顏色	
訂購	開始	滿期	發單	實價	來	源	裝　訂 送出｜收回

例125　月刊以上登錄卡（上正面，下背面）

中華民國年鑑. 民國74年

如果不欲爲每年編製一張目片，可比照多冊書著錄法，編製一張總目片，則可節省很多麻煩。如例 126

```
參

058.2    中華民國年鑑.  民國40年—  ／行政院新聞局編.--
8444        臺北市：中國出版公司，民41-
              册：圖；22公分

093125  44
124531  45
   ⋮
697324  74
```

例126　年鑑著錄法

至於不定期連續性出版品的著錄法 ， 可依下列三個原則處理：

一、只有總刊名，而各分册無專名，其性質較類似期刊，則照期刊著錄法處理。

二、具有總刊名，而另有一部分分册具有專名，如欲與期刊一起典藏，則照期刊著錄法著錄，如欲與圖書一起典藏，則照多册書著錄法著錄。

三、具有總刊名，而各分册均各有專名，則比照叢書著錄法著錄。

四、期刊論文索引著錄法

　　期刊報紙的各篇論文，是學術研究的重要文獻，而且具有新穎性。因此編製論文索引，可以更深入的揭示期刊的內容，可說是編目工作的延伸，編製論文索引甚至比期刊編目更有價值。一般圖書館都把編製索引的工作歸參考部門，其實書目與索引有時是難以劃分清楚的，就編製的技術而言，二者也是很相近，並且從讀者利用的需求而言，書目與論文同樣重要。因此，實有必要將圖書目錄與論文索引合編在一起。如漢學研究資料及服務中心編印之漢學研究論著選目，即為一例。

　　編製論文索引時，也與圖書目錄一樣，可以編製分類索引、篇名索引、著者索引和標題索引等數種。在中國規則中的分析著錄，應可完全適用於論文索引的編製，因此在編製專題資料目錄

026.22　　國立中央圖書館的意義與回顧／蔣復璁著.--民67年6
8493　　　月
　　　　　1-5面；26公分.--（大陸雜誌；56卷6期）

　　　1.國立中央圖書館一歷史 I.蔣復璁著 II.叢刊名

例127　論文分析編目

時，書目與索引合編在一起，在「技術」上應該沒有任何困難。如
將中國規則第十四章分析中「在分析」的格式稍加改變，就可適
用於論文之分析編目，卽將所分析部分之出處，置於叢書項。在
性質上，分析部分的出處——期刊，也是屬於叢書的一種，所以
置於叢書項，應無不妥。茲試擬論文分析編目格式。如例127

第二節　善本圖書著錄法

　　根據中國規則第四章善本圖書的說法，下列八種圖書，屬於
中國的善本圖書：

　　一、明弘治（西元 1505 年）以前之刊本，活字本。

　　二、明嘉靖（西元 1522 年）以後至近代，刊本及活字本之
精者或罕見者。

　　三、稿本。

　　四、名家批校本。

　　五、過錄名家批校本之精者。

　　六、舊鈔本。

　　七、近代鈔本之精者。

　　八、高麗、日本之漢籍古刊本，鈔本之精者。

　　由於善本圖書與現代圖書的形制，差異很大，因此其著錄來
源從寬解釋爲：凡本書上所載各項資料，均得視爲著錄來源，附
註項可取自任何地方。善本圖書與近代一般圖書著錄時，最大不
同爲版本敍述、稽核項、以及附註項特別增加之附註，其他著錄
項目均同一般圖書，請參閱第二章各節。此處僅就此三項，加以

說明。

版本敍述著錄朝代、紀元、刊刻處所及版本之種類,據書上所載資料,依此順序組合著錄,紀元為干支或其他字紀年者,應查明註記於後,置於圓括弧內。如無版本記載,宜考證之,並將考證所得記於附註項,必要時,註明考證之依據。版本的種類請參閱第二章第四節基本項目著錄法之三版本項叙述。版本敍述若已包括了出版地、出版者及出版年,則出版項可省略不必著錄。如例128:

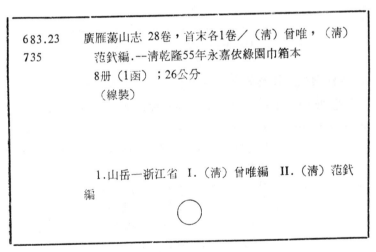

```
683.23    廣雁蕩山志 28卷,首末各1卷/(清)曾唯,(清)
735       范鏻編.--清乾隆55年永嘉依綠園巾箱本
          8冊(1函);26公分
          (線裝)



          1.山岳—浙江省 I.(清)曾唯編 II.(清)范鏻
編
```

例128 善本圖書版本敍述

惟為區分版本敍述與出版項,仍可將二者分別著錄。如例129(請比較例128與例129)。

稽核項中高廣之後,記載刊本之版框,置於圓括弧內,卷子之高量其全幅,寬量其全卷之長,記如:(全幅長×寬),梵夾

683.23　廣雁蕩山志 28卷，首末各1卷／（清）曾唯，（清）
735　　　范鍰編．--巾箱本．--永嘉：依綠園，清乾隆55年
　　　　　8冊（1函）；26公分
　　　　　（線裝）

　　　　　1.山岳—浙江省 I.（清）曾唯編 II.（清）范鍰編

例129　善本圖書之出版項

本之版框則量其摺疊後之寬度，記如：（框長×寬）。

　　附註項中，對於下列六項，應優先註明。如例130：

春秋經傳集解　30卷／（晉）杜預撰．--明覆刊元相臺
岳氏本
15冊；26公分（框20×14公分）
正文卷端題：杜氏註春秋經傳集解
　8行，行17字，小字雙行字數同．雙欄．版心白
口，雙魚尾，上方記刻工姓氏

　　1.經部—春秋類—左傳—傳說 I.（晉）杜預撰

例130　善本圖書之附註

一、批校題跋

二、殘缺卷葉

三、印記

四、版式行款

五、紙墨裝訂

六、考證校勘

第三節　圖片與地圖資料著錄法

　　圖片資料與地圖資料，雖然其內容和形式頗為特殊，和一般圖書差別很大，但同樣為圖書館的重要收藏資料，因此，仍要加以妥為編目，提供給讀者利用。圖片資料和地圖資料大部分為畫面，通常只有少量的文字，甚或沒有文字。圖片資料包括不透明類型（如平面藝術品畫片、圖表、照片及工程圖等）、靜態放映類型（如幻燈捲片、幻燈單片、透明圖片、放射線照片等）亦稱靜畫資料。地圖資料則包括各類型地圖資料，如地圖集、單張地圖、摺地圖、地圖模型、天體圖及地球儀等。這些資料編目時，應根據資料本身，或盛裝的紙夾、封套及球體支架等，或所附的說明書所載為主要著錄來源。

一、圖片資料

　　其著錄法與一般圖書大致相同，如例131。惟應在正題名之後，註明資料類型標示，並加方括弧。圖片資料如為藝術原件，或未出版的照片等，出版年記載其創作年代。圖片資料稽核項

幻燈　　　國際百科資料庫 ORBIT　電腦檢索法〔幻燈單片〕
028　　　　／師大圖書館製作.--臺北市：製作者，民69
8425　　　　27張幻燈片：有聲，彩色＋1捲卡式錄音帶(30分：
　　　　　7/8吋／秒，單聲道)

　　　　1.國際百科資料庫　2.資料檢索法　I.國立臺灣師
範大學圖書館製作

例131　圖片資料（幻燈單片）

中，數量由阿拉伯數字及適當單位名稱組成，常用的物質單位名
稱如下列：

藝術品原件	明信片
拓印藝術品	提示卡
複製藝術品	海報
圖表	放射線照片
幻燈捲片	立體單片
幻燈單片	工程圖
照片	透明圖片
圖片	掛圖

如：10張藝術品原件

100張照片

3捲幻燈捲片

1幅掛圖

幻燈捲片宜註明匣式或盤式，以及幅數，置於圓括弧內，如：

1捲匣式幻燈捲片（36幅）

立體單片除註明匣式或盤式，對幅數外，尚宜註明其商標或其他技術規格。如：

1張盤式立體單片（Viewmaster）（7對幅）

如幻燈捲片之題名張數單獨計數，則與其他部分分別記其幅數。如：

1捲幻燈片（41幅，題名4幅）

數量之後，應記明其他稽核細節，如作畫媒體、色彩、複製方式等。若發音資料為其主要組成資料，則應單獨編目；但若非主要組成資料，則應視為附件處理。如：

1捲幻燈捲片（41幅，題名4幅）：彩色

2張拓印藝術品：石版，套色

2捲幻燈捲片（65幅）：有聲，黑白

1捲幻燈捲片（70幅）：有聲，彩色；35厘米＋1捲卡式錄音
　帶（30分鐘：$33\frac{1}{3}$轉，雙聲道；12吋）

圖片資料除幻燈捲片，立體單片外，其餘均錄其長寬，立體單片且不錄其高廣，但幻燈片若是 5 × 5 公分，則省略。如：

16張提示卡：彩色；28×10公分

1張圖片：黑白；20×25公分

1張幻燈片

工程圖及掛圖錄其展開後尺寸，亦記述其摺疊後尺寸。如：

1張掛圖：彩色；244×26公分摺成30×26公分

二、地圖資料

地圖資料之著錄與一般圖書大致相同。如例132

地圖　中華民國全圖〔地圖〕／中正理工學院廿九期測量工
709.2　程學系製圖組繪製 .-- 比例尺　1:13,000,000-1:
8644　18,000,000；郎伯特正形圓錐投影（E65°-E145°/
　　　　N50°-N20°）. --臺北市：中正理工學院，民 58
　　　　〔1969〕
　　　　1幅地圖：彩色；58×45公分
　　　　該地圖"南海諸島圖"之比例尺爲1:18,800,000

　　　　　1.中華民國-地圖 I.中正理工學院廿九期測量工程
　　學系　製圖組繪製

例132　地圖資料

地圖資料題名之後，應註明資料類型標示，如缺題名，應據
其他資料著錄題名，或編目員自擬題名，加以方括弧，此時兩個
方括弧並列，不可合併。如：

〔臺灣省地質圖〕〔地圖集〕

　　題名佚失，據臺灣文獻資料目錄補

〔世界全圖〕〔地球儀〕

　　不著題名，由本館自擬

製圖細節項著錄在版本項之後，中間以分項符號隔開，此項

包括比例尺、投影法、座標、晝夜平分點等。其順序及標點符號
用法如下：

　　.--比例尺；投影法（座標；晝夜平分點）.--

　　比例尺應依圖面所示著錄，若原來以文字敍述，著錄時改以
阿拉伯數字表示，應加方括弧，圖上不著比例尺，但可估算出
者，冠「約」字樣，若無可考者，則著錄「比例尺不詳」。如：

臺灣地質圖
　　.--比例尺1:250,000

中華民國全圖
　　.--比例尺〔1:250,000〕

　　.--比例尺約1:63,360

　　.--比例尺不詳

　　同一地圖作品中，若用多種不同比例尺，則錄其最大與最小
比例尺，中間以連字符號隔開。如有兩個比例尺，併錄之。若最
大與最小不能確定者，則記「比例尺不等」，如：

比例尺1:15,000-1:25,000

比例尺1:15,000及1:25,000

比例尺不等

　　天體圖、計劃圖、鳥瞰圖及非線形比例尺之地圖，若圖上已
載有比例尺，則照錄。若非根據比例尺繪製，則應著錄「非據比
例尺繪製」。如：

比例尺2公分表示1呎

非據比例尺繪製

　　地圖模型或立體地圖，若有垂直比例尺，應錄於水平比例尺

之後，如：

.--比例尺1:250,000.垂直比例尺1:1,000,000

地圖資料的投影法據作品所載資料著錄，此外，若尚有其他補充資料，亦宜著錄之。如：

圓錐等距投影法

方位等距投影法，尼科西亞為中心

地圖之座標以由西而東，由北而南順序著錄之，以度（°）分（′）秒（″）表示之。經緯度中間以斜撇（／）隔開，經度或緯度之間以連字符號隔開，座標置於圓括弧內。如：

（東經15°00′00″－東經17°30′45″/北緯1°30′12″－南緯2°30′35″）

天體圖著錄圖中心之赤緯，或其南北緯度，赤緯之前冠「區」字，北半球之緯度前冠一加號（＋），南半球之緯度前冠一減號（－），亦以圖中央之赤經或東西之時度，分度記之。如：

（區＋30°，2時18分）

晝夜平分點（又稱春秋分點）以觀測日期著錄於晝夜平分點之後，其前面與座標之間以分號（；）隔開。如：

（晝夜平分點；1971）

地圖資料之稽核項，數量以阿拉伯數字及單位名稱標示之，其單位名稱常用者如下列，如為手稿形式，則應於下面名詞之前加「手稿」字樣。

空照圖　　　　　　　地圖

航空遙測影像　　　　縱剖面地圖

示意圖　　　　　　　橫剖面地圖

地圖集　　　　　照片鑲嵌圖

鳥瞰圖　　　　　照片圖

街道圖　　　　　計劃圖

天體圖　　　　　地形模型

天球儀　　　　　遙測影像

圖表　　　　　　衞星遙測影像

水文圖　　　　　地面遙測影像

假想圖　　　　　地形描繪圖

地球儀　　　　　地形藍晒圖

如：1幅地圖

2册地圖集

1張照片圖

1張手稿街道圖

約800幅地圖

1幅（4張）地圖

其他稽核細節依序爲數量、色彩資料、框裱或支架。如：

1册地圖集（330面）：100幅彩色

1幅地圖：彩色，木製

1座地球儀：彩色，木製，置於銅架

地圖之高廣均併錄之，中間加以乘號（×），若爲圓型應記

其直徑。如：

1幅地圖：彩色；20×35公分

1幅地圖：彩色；直徑45公分

地圖小於所用紙張的一半　，　或紙張上尚有其他重要說明資

料，則地圖與紙張高廣併錄之。如：

　　1幅地圖；20×31公分印於42×50公分紙上

　　地圖經裝裱，或摺疊，則地圖與裝裱或摺疊後之高廣均錄
之。如：

　　1幅地圖；80×57公分摺為21×10公分

　　1幅地圖；9×20公分裱於10×22公分布上

　　地圖集中，如果圖面有二種尺寸，則兩種均錄；如在兩種以
上，則錄其最大尺寸，並加「或較小尺寸」等字樣。如：

　　60幅地圖；44×55公分及48×75公分

　　60幅地圖；60×90公分或較小尺寸

　　盛裝地圖之匣、盒、袋等可予標明，並記載其大小。如：

　　1座地球儀：彩色，塑膠製，金屬支架；直徑20公分，在40
×25×25公分盒內

　　其他項目的著錄，均依一般圖書的原則著錄，請參閱第二章
各節。圖片資料及地圖資料之索書號上面應加一特藏號，如「圖」
字。

第四節　縮影資料著錄法

　　近代圖書館由於圖書資料急速增加，使用頻繁，爲了節省儲
存的空間，且保存原件的安全，常藉用進步的攝影技術，將資料
攝製下來，縮小若干倍，以供保存備用。這種影印資料稱爲縮影
資料（Microform）。有複印既有資料及原始出版的縮影資料。
其形式包括縮影捲片、縮影單片、不透明縮影片及孔卡等。國內

中文縮影資料大都用於攝製善本圖書及報紙。如國立中央圖書館攝製的善本圖書縮影捲片及報紙縮影捲片。近年來行政院國家科學委員會將每年度研究報告攝製成縮影單片，廣為發行。因此，縮影資料也有其特定的編目法。

　　原則上，縮影資料編目與一般圖書相同。但要留意的是編目的對象是縮影資料本身，而非原作品。因此，著錄時除將縮影資料的各項資料著錄下來外，應將原作品的各書目資料註明於附註項。如例133

```
縮
525.1808   萃取土壤有機物的新方法．（I），利用 Amberllte
8766-3       XAD-4 樹脂萃取土壤有機酸〔縮影資料〕／楊秋
70           忠主持．--臺北市：國科會微縮小組，民74
V.409-5:24  1張單片（29幅）：負片；11×15公分．--（行政
             院國家科學委員會補助專題研究報告；NSC 70-0409
             -B005-24）
M002313     據民70年中興大學土壤系報告攝製
             冠中英文摘要
             附錄：參考文獻


             1.樹脂 2.土壤 3.有機酸 I.楊秋忠主持
                      ◯
```

　　　例133　縮影資料

　　縮影資料的主要著錄來源，通常為資料本身的第一幅或第一片（稱為題名幅或題名片），如無題名幅或題名片者，則依次取自作品其他組件（如捲片的卡、匣）、盛裝物、肉眼可見之文字說明附件或其他書目來源等。

縮影資料稽核項之形式及標點如下：

　　數量：其他稽核細節；高廣

　　數量是以阿拉伯數字表示 ， 著錄於下列適當的單位名稱之前：孔卡、縮影單片、縮影捲片、不透明縮影片。如：

　　20張孔卡

　　1捲匣式縮影捲片

　　3捲盤式縮影捲片

　　3張縮影單片

　　1張不透明縮影片

縮影單片之幅數如能確定，宜註明之，置於圓括弧內。如：

　　1張縮影單片（120幅）

　　其他稽核細節著錄負片之記述，彩色、插圖等之記載，各項之間以逗點隔開。如：

　　1捲匣式縮影捲片：負片，圖

　　1捲盤式縮影捲片：彩圖

　　2捲匣式縮影捲片：彩色，彩地圖

　　高廣以公分或吋量度，凡孔卡、縮影單片、不透明縮影片以公分記其高廣；縮影捲片則以厘米記其幅寬度；盤式縮影捲片直徑在3吋以上者，則以吋為單位記其直徑。如：

　　20張孔卡；9×19公分

　　4張縮影單片；10×15公分

　　3張不透明縮影片；8×13公分

　　1捲盤式縮影捲片；16厘米

　　2捲盤式縮影捲片；5吋，35厘米

　　1捲盤式縮影捲片；35厘米

　　縮影資料之縮小倍數如在16倍至30倍之間，不必著錄，否則應將其倍數註明於附註項中（稽核項註）。如：

　　低倍數　　　　　（縮小16倍以下）

　　高倍數　　　　　（縮小31倍至60倍）

　　極高倍數　　　　（縮小61倍至90倍）

　　超高倍數　　　　（縮小90倍以上，需註明實際倍數，如：超高倍數，150倍）

　　由於縮影資料的儲存需放置於空氣調節房間，因此都另外典藏，並皆採登錄號排架，而不以索書號排列。但分類目錄中，仍記其分類號以供「卽類求書」檢索之用，並標以特藏號，如「縮」字。

第五節　錄音資料著錄法

　　錄音資料包括各種媒體之錄音資料，如唱片、錄音帶（盤式、匣式、卡式）、鋼琴及其他音樂捲帶。錄音資料在圖書館中的收藏，已漸趨普遍。編目時，通常以標籤或捲盤上的資料為主要著錄來源，其次如其他附隨之文字說明（如小冊子）、盛裝物（套、盒等）亦可參考。其著錄規則也大致與圖書相同。如例134。

　　錄音資料的資料類型標示以〔錄音資料〕表示；若包含二種以上資料類型，而且沒有一個類型可作為主要部分時，則標示為〔多媒體組件〕。

```
音      世界24大音樂家名作鑑賞〔錄音資料〕＝Top
910.8    music of top musicians.--臺北市：名山 音樂圖
8587     書公司，民73
         48捲卡式帶 (2880分)：1⅞吋／秒，單聲道；
      7盒 (每盒31×23×5公分)；⅛吋帶＋2冊樂曲精解
      ＋1冊目錄
         內容：第1盒：韋瓦第，韓德爾，巴哈，海頓--第
      2盒：莫札特，貝多芬，帕格尼尼，韋伯--第3盒：
      羅西尼，舒伯特，孟德爾頌，蕭邦--第4盒：舒曼，
      李斯特，華格納，威爾第--第5盒：小約翰史特勞斯
      ，布拉姆斯，比才，柴可夫斯基，第6盒：普契尼，
      德布西，巴爾托克--第7盒：史特拉波斯基

         1.音樂─欣賞 I.名山音樂圖書公司
```

例134　錄音資料著錄法

　　錄音資料的著者敍述取自文詞的撰寫者、音樂的作曲者或各
專輯的採集者；至於表演者、執行或解說者，可註明於附註項。
如：

　　　臺灣鄉村組曲〔錄音資料〕／許常惠輯

　　　梅花〔錄音資料〕／劉家昌曲詞

　　稽核項中數量、單位名稱如下：

　　　匣式錄音帶　　（或簡化爲「匣式帶」）

　　　卡式錄音帶　　（或簡化爲「卡式帶」）

　　　盤式錄音帶　　（或簡化爲「盤式帶」）

　　　唱片

　　　捲帶

　　如：1捲匣式錄音帶

　　　2張唱片

1捲捲帶

錄音資料之放音時間應記於數量之後，置於圓括弧內。時間以分為單位，不足五分鐘 ，則記其分及秒 ；若標籤等未載明時間，可記其大約時間。如：

1捲卡式帶（120分）

1張唱片（3分45秒）

1捲盤式帶（約60分）

其他稽核細節依放音速率、槽紋（唱片）、音軌（錄音帶）、聲道之順序著錄，中間以逗點隔開。如：

1張唱片（約60分）：33⅓轉／分。

1捲卡式帶（120分）：3¾吋／秒，6音軌

1張唱片（5分）：78轉／分，微紋，四聲道

唱片的高度以吋記其直徑 ；匣式帶之標準尺寸為 5¼×7⅞ 吋，¼吋帶；卡式帶為3⅞×2½吋，⅛吋帶；盤式直徑為¼吋，均可不必著錄。如非標準尺寸應依實際尺寸記之，不足一吋以分數表示之。如：

1張唱片（30分）：33⅓轉／分，雙聲道；12吋

1捲卡式帶（60分）：3¾吋／秒，單聲道；7¼×3½吋，

　¼吋帶

1捲盤式帶（120分）：7½吋／秒，單聲道；7吋，½吋帶

錄音資料之典藏亦常單獨排架，且以登錄號排列，並且在分類號之上，註明特藏號，如「音」字。

第六節　電影片及錄影資料著錄法

　　電影片及錄影資料之著錄　，　包括攝製完成之影片與電視節目、集錦、摘輯（如廣告片、新片預告）、新聞報導、紀錄影片、庫存短片及未經剪輯之影視資料等。其著錄規則仍大部分與圖書相同。如例 135

```
影
412.425    砂眼防治在臺灣〔電影片〕／臺灣省衞生處砂眼防治
8647          中心攝製；顏春暉監製.--臺北市　：師大視聽敎育
              館，〔民40-60年間〕
              1捲盤式電影片（22分鐘）：有聲，彩色；16厘米
              製作羣：設計：許子秋，李寶和，楊忠言；攝影：
              陳信忠
              提要：敍述臺灣省各縣市從事砂眼預防及治療之工
              作情形

              1.砂眼-臺灣 I.顏春暉監製　II.臺灣省衞生處砂眼
              防治中心攝製

                              ◯
```

　　　　例135　電影片

　　電影片之著錄來源以資料本身（如片頭）及捲盤上的標籤爲主。如無這些資料，則以附隨文字說明資料（如脚本、拍攝記錄表、宣傳資料等）、盛裝物等爲參考。

　　資料類型標示分別以〔電影片〕及〔錄影資料〕表示，若包含其他媒體，以〔多媒體組件〕標示之。如：

國立中央圖書館簡介〔錄影資料〕

兒子的大玩偶〔電影片〕

　著者敍述以片頭等著錄來源處所載之製作者、導演、卡通繪製者、剪輯者等著錄。其他著者敍述記於附註項。如：

眼睛保護運動〔錄影資料〕／行政院衛生署監製；何立武
　策劃；朱明燦導演

　　配音：駱明道；攝影：董敏

　稽核項之數量單位，以下列名稱記之：

匣式電影片　　　（或匣式片）

卡式電影片　　　（或卡式片）

廻環式電影片　　（或廻環片）

盤式電影片　　　（或盤式片）

匣式錄音帶　　　（或匣式帶）

卡式錄影帶　　　（或卡式帶）

盤式錄影帶　　　（或盤式帶）

影碟

如：1捲卡式片

2捲盤式帶

3張影碟

　使用錄影資料需特殊規格設備，可於稽核項後註明廠牌及規格，或註明於附註項中。如：

1捲盤式帶（Beta）

　放映時間應註明於數量之後，時間不足五分鐘者，記其分及秒；如未標示放映時間，則記其大約時間。如：

15捲盤式片（150分）

1捲廻環式片（3分50秒）

2捲卡式帶（VHS）（約90分）

2捲盤式片（每捲約30分）

其他稽核細節，依投映率及放映特質、聲音、色彩、放映速度順序著錄。如：

14捲盤式片（160 分）：新藝綜合體，有聲，彩色（部分黑白），25幅／分

2捲卡式帶（120分）（VHS）：有聲，彩色

高廣之片幅寬度或帶寬，分別以厘米和吋記之。影碟之直徑以吋記之。如：

1捲卡式片（21分）：有聲，彩色；標準8厘米

1捲匣式帶（30分）：有聲，黑白；½吋

電影片及錄影資料也和其他視聽資料一樣，通常另外單獨典藏，亦按登錄號排架，其特藏號可用「影」字或「MP」表示。

第七節　樂譜著錄法

樂譜的著錄規則亦如一般圖書，請參閱第二章各節。此處僅就其較特殊者加以說明。如例136。

樂譜的題名若爲一般名詞組成，其表演媒體、曲調或作品編號得視爲正題名之一部分；其他情形則視爲副題名。資料類型標示，則以〔樂譜〕記之。如：

第三交響曲，A大調，作品第56號〔樂譜〕

```
譜        年節組曲〔樂譜〕：兒童鋼琴曲集／賴得和作曲.--
917.13        臺北縣新店市：屹齋，民71
8356        21面樂譜；21公分



        1.鋼琴音樂 I.賴得和作曲

                    ◯
```

例136 樂 譜

　　卡門〔樂譜〕：女高音，鋼琴

　　樂譜著錄時，編目員常需自行擬定正題名，則應以劃一題名
記之。如：

　　　　〔三重奏，鋼琴，弦樂，作品第66號，C小調〕〔樂譜〕

　　稽核項亦包括數量、插圖、高廣、附件等。其數量單位名稱
分下列幾種：

　　總譜

　　濃縮總譜

　　縮印總譜

　　鋼琴（或小提琴等）指揮者分譜

　　聲樂總譜

　　鋼琴總譜

　　合唱總譜

　　分譜

　　若作品由數種不同樂曲組成，則依上述順序著錄，各種之間加以加號（＋）。如：

　　　1套總譜

　　　1套總譜＋1套鋼琴指揮者分譜＋16套分譜

　　若各種數量之高廣不同，則分別記之。如：

　　　1套總譜（6,67面）；20公分＋16套分譜；26公分

　　若有附件，加於稽核項之後。如：

　　　1套總譜（6,67面）；20公分＋16套分譜；26公分＋1捲盤

　　　式帶（60分：7½吋／秒，雙聲道；7吋，½吋帶）

　　樂譜如另外單獨典藏，則應加特藏號，如「譜」字或「M」表示之。

第八節　拓片著錄法

　　拓片包括摹本、雙鈎本、影印或石印之拓本，無論其為單幅、冊頁、卷軸等形狀，均屬之。其種類如下：

　　一、甲骨：①龜骨②人骨及獸骨③獸角④象牙（有文字紋飾圖像者）。

　　二、金：①彝器（禮器、樂器）②食器（含烹飪器、食器）③酒器④尋常用器（盤、盂、鏡、鑑等）⑤農具⑥度量衡⑦錢幣（含化、布、制錢）⑧鉢印⑨古兵⑩錢範⑪造像⑫雜器。

　　三、玉：禮器（含殉葬物）②用器③玉飾（含佩玉器及物鑲

配件）④玉像⑤珍玩。

四、石：①石器②碑碣③墓誌④摩崖⑤石經（含釋、道經讚
刻石）⑥塔銘（含經幢）⑦畫像石（含線刻、淺浮雕）
⑧造像（含造像記）⑨雕塑（含圓雕及浮雕之石人、
鳥、獸等物體）⑩銘刻（含詩詞題名）⑪雜刻。

五、匋：①匋器②甎（含墓誌甎）③瓦④瓷器⑤玻璃⑥明器
⑦封泥⑧錢範⑨塑像⑩浮雕（善業埿附）。

六、竹木：①竹器②木器③版片（有刻紋之簡牘附）④版畫
⑤雕像⑥木碑。

七、其他：如髹漆（有刻紋者）

其著錄來源得自其資料本身，附註項則可取自任何地方。著
錄時，常無法照拓片所載字樣著錄，而應以正體字著錄，除非所
釋之字爲該形象者，才照錄之。金屬器之蓋，碑版之陰與側，可

拓 782.84 447 2073	唐處士曹琳墓誌銘〔拓片〕／（唐）李邵南書.--墨 拓本.--河南：唐元和15年 　1葉；120×33公分.--（定鼎堂唐碑集；262） 1.（唐）曹琳－傳記 I.（唐）李邵南書

例137　拓　片

另行編目或視爲附件；碑版中有後人題刻或叢帖者，均應另行編目。其他各種情形，均可註明於附註項中。

　　拓片的資料類型標示以〔拓片〕表示之。著者敍述以下列順序著錄之：撰文者、書寫者、題額者、題蓋者、雕刻者。其著作方式均照拓片上所題；其出版者可以器物收藏者代替著錄之。

　　稽核項中之數量，單片稱葉，裱成稱幅或軸，製訂成冊稱冊，左右捲舒爲卷。其高廣則先記拓片尺度，再記原器物之尺度，置於圓括弧內。如例137。

第九節　立體資料著錄法

　　人工立體資料包括模型、生態立體圖、遊戲用品（如拼圖、拼字等益智性遊戲）、雕塑及其他立體藝術作品、展覽品、機器、服飾等，以及自然生成實物（包括顯微鏡標本、製框之標本等）。立體地圖資料（如模型地圖、地球儀等）之著錄，請參見本章第三節圖片資料及地圖資料。

　　立體資料的著錄來源，依序爲物體本身、附隨文字說明及出版物或製造商爲作品所附之盛裝物。其著錄規則與一般圖書大致相同。如例138。

　　其資料類型標示，通常有下列數種：

　　　生態立體圖

　　　遊戲用品

　　　實物（或標本）

　　　模型

026.22　國立中央圖書館解剖模型〔模型〕／陳柏森建築師事
8656　　務所設計.--臺北市：國立中央圖書館，民70
　　　　1件模型：塑膠，彩色；置於165×80×40公分透明
　　　　盒內＋說明書（24面；21×26公分）。

　　　　1.國立中央圖書館─建築　I.陳柏森建築師事務所
設計

　　例138　立體資料

顯微鏡單片

多媒體組件

　　若正題名已包含有資料類型，則其標示可省略。例138可改
爲：

　　國立中央圖書館解剖模型／陳柏森建築師…

　　若爲自然生成物未經裝框及包裝，與非供流傳之人工製品，
不著錄其出版地、出版者，非供流傳之人工製品逕錄其製作年。
如：

　　臺北市：中華藝術陶瓷，民68

　　稽核項中，數量應含資料特殊類型標示，但若與資料類型標
示相同，則僅錄組件數量卽可。如爲多種組件，則以「多種組
件」字樣著錄，並於附註項中註明。如：

　　智高遊戲〔遊戲用品〕

　　　　1組（100片）

　　　大城堡〔遊戲用品〕

　　　1件（多種組件）

　　　　包括1張圖樣，組合盤，角色卡

立體資料的材料名稱、色彩，可記於其他稽核細節。如：

　　　1件模型：亞克力，彩色

　　　1張顯微單片：染色

立體資料的高廣深按公分計之。如：

　　　1座銅像：青銅；120×45×60公分

如有其他盛裝物時，盛裝容器之名稱及其高廣深亦應著錄。

如：

　　　1件模型（10片）：彩色；15×30×3公分置於18×33×3

　　　公分木箱內

第十節　機讀資料檔著錄法

　　機讀編目檔係指經譯換成字碼後，需藉機器（通常為電腦）
處理之資料檔。包括以機讀方式儲存之資料及其所需之程式，如
儲存於磁帶、打孔卡片、孔卡、打孔紙帶、磁碟、磁卡等，以及
以光學原理辨認字體之資料檔，其著錄規則大致與一般圖書相同。
如例139。

　　機讀資料檔的著錄來源，據資料中有助於使用者識別之記錄
標誌，如無此標誌，則可依序取自創製者發行的相關資料及其他
相關出版資料或其他資料（如盛裝物及其標籤）。

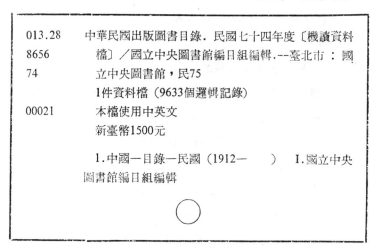

例139　機讀資料檔

　　資料檔的著者乃指負責建立機讀資料檔內容之個人或團體。
至於機讀作業者，如程式設計、製作或改寫者，可註明於附註項
中，其重要者可另立著者檢索款目。

　　其資料類型標示均以〔機讀資料檔〕標示之，若合有二種以
上類型，而且無主要類型可識別時，則標示爲〔多媒體組件〕。

　　稽核項之數量名稱，依其性質分爲資料檔、程式檔和目的程
式三種，而在數量名稱之後註明資料檔儲存的邏輯記錄數量，程
式檔註明所含敍述的數量及程式語言名稱，均置於圓括弧之內；
但目的程式僅註明電腦機型名稱及編號，不必著錄敍述數量。若
其敍述內容不詳，則著錄其約數或註於附註項。如：

　　　1件資料檔（9,843個邏輯記錄）

　　　2件程式檔（1,000,900條敍述，COBOL）

　　　1件目的程式（IBM360/40）

　　　1件資料檔（約10000個邏輯記錄）

　　　2件資料檔

　　　本檔所含邏輯記錄數量不詳

　　資料檔所附隨的程式檔或程式檔所附隨的資料檔，必要時可將附件之稽核資料註明，置於圓括弧內。如：

　　　1件資料檔（3000個邏輯記錄）＋1件程式檔（400條敍述，COBOL）

　　　1件程式檔（300條敍述，COBOL）＋1件資料檔（2000個邏輯記錄）＋字碼（24面；25公分）

　　　1件資料檔（3000個邏輯記錄）＋使用手冊（100面；21公分）＋1件程式檔（200條敍述，FORTRAN IV）＋字碼表（24面；21公分）

　　其他必要資料均可註明附註項中。

第六章　中文圖書分類編目
的將來：代結論

第一節　編目機械化問題

　　自第二次世界大戰以來，全世界的科技發展進入新紀元，我們正面臨一項新的大改變：資訊革命。圖書館界面對這種大量的資訊，也紛紛運用電腦來處理圖書資料業務，這項作業的過程通常稱爲圖書館自動化作業，也稱爲圖書館機械化作業。乃是利用機械（電腦）來處理書目資料的儲存、排檢、書刊訂購、期刊控制、目片印製、書目的彙編、圖書出納、典藏控制、編製索引、檢索等圖書館作業，應用模控術（Cybernetics）以達到這些作業的規格化、速度化，在自動控制的生產方式下，大量生產以增加效率，提高品質，降低生產成本。在我國一般人均習稱爲圖書館自動化作業。

　　由於一般人習稱自動化作業，於是產生望文生義的誤解，以爲圖書館作業自動化以後，一切圖書館作業就可以交給電子計算機，它就會「自動」的將所有作業處理妥當。其實，大謬不然，例如圖書館作業最基本的編目作業，仍需經由人工將書目各項款目逐一鍵入電子計算機裏面，所以有人認爲應正名爲機械化作業。從個別作業的觀點來看，這種方式所花費的人力及物力，決不

亞於傳統的人工作業，但如果多數圖書館組成連線作業網來合作
編目，透過合作無間的資訊網，一家圖書館的書目資料，可以爲
其他廣大的圖書館所分享，套一句坊間的廣告詞，可謂「一家烤
肉，萬家香」，則其投入產出的效益是絕對可以肯定的。

　　國內圖書館機械化作業，比歐美國家圖書館發展較晚，早期
的機械化進行方式，與歐美相似，均由各圖書館資料單位各自發
展，規模僅爲局部性，其系統也只適用於其本單位。如民國六十
二年行政院國家科學委員會科學技術資料中心，利用電算機編印
「全國西文科學期刊聯合目錄」。民國六十三年國防部中山科學
研究院利用美國國會圖書館的機讀編目磁帶，印製西文圖書目片
。民國六十七年國立臺灣師範大學圖書館建立中文的「教育資料
庫」，爲國內第一個中文資料庫，翌年編印「教育論文摘要」。
民國六十八年國立中央圖書館期刊股自行以電算機編印「中華民
國中文期刊聯合目錄」。同年，國字整理小組完成中文資訊交換
號碼（又稱全漢字標準交換碼），供圖書館及漢學研究使用。

　　民國六十九年夏季，國立中央圖書館會同中國圖書館學會擬
定「圖書館自動化作業計劃」，報請教育部核定後實施，於是才
有全國性的圖書館機械化作業計劃。這項計劃主要目標爲：

　　一、發展中文機讀編目格式，以收目錄控制之效，並作爲國
內外圖書館電腦處理圖書資料之規範。

　　二、統一規劃圖書資料自動化作業系統，以改進圖書資料處
理程式及圖書館服務形態，兼收合作統籌之效。

　　三、建立中文資料庫並引進國外資料庫，以應各方資料查詢
的需要。

　　四、成立全國資訊服務中心，建立全國資訊網，以配合國家
建設的需求，並促進學術的研究與發展。

　　國立中央圖書館為推行這項計劃，曾與中國圖書館學會合組
「圖書館自動化作業規劃委員會」，下分三個工作小組：中國機讀
編目格式工作小組，中國編目規則研訂小組，及中文圖書標題總
目工作小組，分別進行各項研究工作，完成出版中國機讀編目格
式(民71年)、中國編目規則（民72年）、中文圖書標題總目初稿
(民73年)。其間將民國七十年以後出版的新書加以測試，結果令
小組成員滿意，國立中央圖書館於民國七十三年二月正式實施機
械化編目作業，同時正式改用中國編目規則，民國七十四年四月
起根據中文圖書標題總目初稿編製標題目錄，總計自民國七十年
至七十三年初，近三年共測試一萬四千筆中文書目資料，自七十
三年二月至七十五年二月，二年間共鍵入二萬六千筆，並以之編
印中華民國出版圖書目錄（月刊本，年刊本），此書目檔亦稱中
華民國出版圖書目錄檔。該館並訂定「國立中央圖書館電腦產品
推廣辦法」，發行機讀磁帶及電腦印刷卡片。電腦印刷卡片已供
應國內各縣市文化中心及各大學圖書館，機讀磁帶則因該館與美
國俄亥俄州線上資訊圖書館中心（OCLC）簽約，行將與之交換
西文機讀磁帶，由於計劃與OCLC交換書目資料，因此中華民國
出版圖書目錄檔同時鍵入中文資料之中西文編目資料。

　　國立中央圖書館原先所發展的中文期刊聯合目錄，係聯合臺
灣地區一百七十多所圖書館的館藏期刊資料建檔，但由於未按中
國機讀編目格式及中國編目規則，故未能發揮很大效果，正計劃
重新予以建檔。

　　國內的編目機械化作業發展至今 ， 成果已令當初計劃者滿意 ， 爲求編目機械化作業更健全發展 ， 尚需克服當前面臨的問題，列舉於下：

　　一、確立國字標準字體和資訊交換碼 ， 以利書目資料的交換 ， 國內現行採用的交換碼有兩套 ， 一爲「通用漢字標準交換碼」，適合工商業使用。一爲「全漢字標準交換碼」，供圖書館資料單位使用。兩套交換碼自民國七十二年十月底公布試用二年後，至今仍未決定那一套爲正式標準，阻礙了中文電腦的發展。

　　二、繼續修訂「中國機讀編目格式」、「中國編目規則」以及「中文標題總目」的工作，使編目機械化作業更趨國際標準化。

　　三、積極推動編目機械化作業，朝向合作編目的方向發展，建立全臺灣區完整的資訊網。

　　四、繼續發展書目查詢系統，因書目查詢是編目建檔的主要目的之一。爲擴大編目機械化作業的成果，爭取全國圖書館員和讀者的支持，發展書目查詢系統，早日供讀者使用，最具說服力。

　　五、爭取經費支援，從事舊目錄資料進行回溯性建檔工作，建立完整的中文書目資料檔。

　　六、充分應用模控術，減少新計劃測試的時間，降低編目機械化作業的成本，提高品質與效益，並實施計劃評核術，有效執行各項機械化作業發展計劃。

　　七、積極推動圖書館的公共宣傳，爭取政府的支持，及學術界的全力配合，協助繼續發展編目機械化作業計劃。

　　八、最重要的，要糾正一般人的觀念，卽單就圖書館編目機械化作業本身而言，它不是省時、省錢的工作方式，應瞭解其眞

正效益在於透過電腦連線作業，處理大量資料，分享編目成果時，才能節省各自編目作業的麻煩。

第二節　合作編目

由於圖書資料的膨脹，使圖書館作業快速化、標準化和經濟化的需求，更趨迫切。於是產生了館際合作，如分工採訪、合作編目、館際互借等。由於我國圖書館及資料單位限於法令的規定，本位觀念的作祟，幾乎使館際合作，始終無法開展，即使有龐大組織的中華民國科技圖書館及資料單位館際合作組織，人文社會圖書館及資料單位館際合作組織等，其合作項目僅止於代客複印資料而已，姑不論其作法是否適法（如著作權法問題），單以其堂皇的組織名稱，與其實際合作項目的貧乏相比，實不能相稱。

其實館際合作的項目，最易達成，也是最基本的合作項目，當是合作編目，它所產生的效益也最顯著。合作編目是由一些圖書館協同工作，分擔編目所需的人力和經費，避免重複作業的浪費。它可以如同一個總館集中編目，然後將分館所需要的目片，分發給分館使用一樣。或指定一地區上規模宏大的圖書館擔任基本的編目工作，將所編製目片，以印售複製的目片，或以線上作業方式，及印售縮影目錄，供全地區甚至其他各地圖書館分享編目的成果，以及互相補充書目資料，做為館際互借的基礎。進行的方式也可以採用編輯聯合目錄的方式，各館將自行編目的目片，寄往合作的編目中心，供他館的參考及彙編聯合目錄之用。

　　在國內最適合擔任合作編目的中心圖書館，當推國立中央圖書館，特別是該館近年來根據中國編目規則，採用電子計算機建檔的編目作業，使印售目片供國內各級圖書館使用的工作，變得輕而易舉。將來配合臺灣區資訊網的建立，更可以藉線上連線作業的方式，進行真正的合作編目，而且基於該館輔導全國圖書館事業發展的責任，該館也應負起全國編目中心的重擔。

　　除國立中央圖書館以外，其他各級圖書館如臺灣省立臺中圖書館、臺北市立圖書館、高雄市立圖書館，也應該擔任各該行政區內各級圖書館合作編目的中心。各縣市立文化中心圖書館則為該縣市內各級圖書館的編目中心。如此，層層負起輔導編目的責任，建立起各區域內各項業務合作的體系及基礎。

　　另外，透過合作編目的工作，可以促進編目的標準化，提高目錄的品質，減少各自重複編目的浪費。

第三節　編目標準化

　　在決定圖書館的編目政策時，儘管要考慮到各館的收藏的重點以及利用的方向，但是在編目作業過程當中，所採用的編目專業技術方法，卻應予規格化，達到超越時空條件的一致性。

　　編目作業的標準化，不外乎採用一貫的分類法，標準的編目規則，再加上擇善固執的敬業精神。國內中文圖書編目作業的標準化已有相當程度的成果，例如根據英美編目規則第二版（AA-CR Ⅱ）編訂的中國編目規則，於民國七十二年八月出版以來，國內各圖書館紛紛放棄原來使用的國立中央圖書館中文圖書編目

規則，改採了中國規則，使中文編目已因編目規則的改進，更接近國際標準化的水準。而且由於中國機讀編目格式的制定，實現了編目的機械化，更提高中文編目的品質，甚至可與外國資訊系統交換書目資料。如民國七十四年七月國立中央圖書館與美國線上資訊圖書館中心（OCLC）簽約交換書目資料。至於採用統一的分類法，由於國內圖書館採用賴永祥氏中國圖書分類法來類分中文圖書資料，使中文圖書的主題編目也漸趨統一。況且自民國七十三年三月底國立中央圖書館出版了中文圖書標題總目初稿，又提供了可用的另一個主題編目方式。將來如果普遍推廣，或可以逐漸代替分類目錄，成為主題檢索的主流。可避免各館採用不同分類法的缺點。雖然這些有關中文編目的標準規則，仍存在有待改善之處，但是它們確為中文編目的標準化，提供了相當有利的契機，是值得繼續推動的。

　　在邁向標準化的蛻變過程中，免不了要改變現成的編目產品，造成各種新舊目錄的紛歧與不調，尤其是分類法一旦改變，所引起的變動影響最大。這些都要靠最大的智慧和寬宏的耐心，來加以調適，切忌急躁，短視而盲目的趕時髦作秀。到底任何改變，是要事先衡量本身的人力物力條件，並且評估其效益，謀而後定，才不致產生不必要的困擾，影響讀者服務的品質。

　　但是如果決定要改採新的編目作業標準，就應事先計劃周詳，在能力範圍內，儘量迅速進行，以免造成讀者使用時的長期不便。

附錄一

國際標準書目著錄規則（單行本）

第一標準版之中譯文*

前　言

本書——國際標準書目著錄規則（單行本），簡稱 ISBD(M)
——第一標準版係根據 1971 年公布的條文修正後，委由國際圖
書館協會聯盟（IFLA）執行部出版。

本規則 ISBD(M) 之目的在提供一種國際通用的體制，將單
行本圖書（非連續性）之編目資料記載在目錄記錄上。這種記錄
在國際使用時，將可合乎三項要求：第一，任何一國所編製的目
錄，不論用何種文字著錄，都可以讓其他國家或使用其他文字的
人輕易的瞭解；第二，每一個國家所編製的目錄，可以讓其他國
家毫無困難的用來編排各種目錄；第三，這種目錄從手寫或印刷

*譯註：本文譯自 International Standard Bibliographic Descrip-
　　　 tion for Monographic Publications-ISBD(M)，1974；原
　　　 載教育資料科學月刊 14:2-4。

的資料轉換成電腦可識別的資料，其費用減少到最低限度。

為了達到這些要求，必須找出一個方法，將各種不同基項整理出一種用肉眼及機器均能辨認的記錄，而不必去了解其內容，也就是說，採用一規定之標點制度。在目錄上每一個主要項目，都由一定的標點符號來表示該項目的性質，這種符號所代表的意義和通常的用法或不相同，它一方面將字或片語分隔開來，同時也說明它們之間的特殊關係。因為這個原因，要區別為數可觀的項目，所以要用一些與平常之標點符號不同用法的符號，置於前頭。 ISBD(M) 的標點符號常以不常見的形態出現。要記住的是 ISBD(M) 的標點符號在後述的正文中所使用者，卽使僅僅一絲關連，亦為一極正式的用法，以表示一種特殊技術性目的。

ISBD(M) 可以視為是完成世界書目控制長期方案中不可或缺的手段，其要點曾在 IFLA 編目委員會於哥本哈根召開之1969年國際編目專家會議〔International Meeting of Cataloguing Experts (IMCE)〕中，詳加討論，並已獲得下面的結論：

「應致力於創制一項制度，在各會員國建置一中心，以處理每一種出版品標準編目的工作，以利資料之國際交換……，此項制度的功效全賴目錄著錄形式及項目，極度之標準化。」❶

於是國際記述標準的可行性，首次由 IMCE 提出，並立卽交由執行部起草，才產生了這種標準。

經過多次討論及修改三次草案， ISBD(M) 條文才在 1971

---

❶ Report of the International Meeting of Cataloguing Experts, Copenhagen, 1969. Libri, Vol. 20, 1970; No. 1, pp. 115-116.

年由執行部具體公開發表,該書曾寄給世界七十多個國家編目中心或編目單位,請其提供意見,書上的序言也公開的請使用者批評指教。一年之間, ISBD(M) 獲得了不少國家編目單位的採用。另外, 1973 年也有一些國家採用或考慮採用,原來的英文版翻譯成各種語文, ISBD(M) 也導致很多國家編目委員會重擬其編目規則 ❷。

從 IFLA 編目委員會收到各單位提供的意見顯示,執行部所草擬 ISBD(M) 的條文,其意旨及結構已獲得了普遍接受,條文中有些語意不清,或無法解決的困難,也遭到使用者的指正,經過翻譯後,各國目錄所使用的款目也有差異。因此,有必要邀請採用 ISBD(M) 單位的代表,來集會討論或提出意見,以便在會議上討論修正和議決修正條文。於是在 IFLA 大會之前, IFLA 編目委員會於 1973 年 8 月 23 日到 24 日在法國哥諾伯(Grenoble)先召開了 ISBD(M)修訂會議。

修訂會議上將收到的意見交由一個編輯小組整理,修訂會議卽根據原條文及整理過的修正意見,逐項討論。

議決的修正條文,與原條文並沒有什麼根本上的差異,但字面上做了若干修正,以使意義更清楚、更嚴謹。新條文敍述較詳細,減少編目中心的自行斟酌,這次會議主要的建議在此。這是

---

❷ 使用 ISBD(M) 之單位及翻譯 或 提供意見之單位及詳細情形見 "ISBD(M) Checklist",載於 International Cataloguing, Vol. 2, 1973, No. 3; 及(追加)UNESCO Bulletin for Libraries, Vol. 28, 1974, No. 1.

和執行部原意只提供大綱，不做詳細的條文敍述有點距離的。修訂會議也議決 ISBD(M) 在記述特殊圖書時，可隨意處理，而不具體說明，對書上以外的著者記述，不置於主要款目內，而只記在附註中。也決定正文中多予附擧範例，包括各種語文的範例。最後的條文編輯和選擇範例工作，委由擴大的編輯小組來擔任。

修訂會議使用的是英語，而且出版的正式條文也是用英語，正文中的範例，則視所擧範例出版品語文而定。本 ISBD(M) 所載的基本要項「在目錄中心使用語文及記述時」（4，6 及 7 段見原文第 6 頁），均採用英語，翻譯 ISBD(M) 時，這些基本要項請用翻譯的語文，同樣的，請將在原文第 33 頁所擧各式各樣的英文範例，代以譯文的類似圖書做爲範例。希望將來能夠把各種語文的範例，都彙集起來出版。

至於 ISBD(M) 的縮寫，建議大家做爲標準寫法的參考，請視同專有名詞，在內文中儘量使用，請在翻譯爲其他語文時，也保留這個縮寫，當作國際共同的書名。在初版之後，加註(M)，乃是用來區別本書和國際標準連續性刊物記述規則——ISBD(S)，該書現已交由 IFLA 編目委員會及連續性刊物委員會的聯合工作小組出版。二者將來都要以其他圖書館資料的形態出版。

倫　敦　1973年12月　　　　　　張伯林(A. H. Chaplin)
　　　　　　　　　　　　　　　　IFLA 編目委員會召集人

1973年8月23—24日修訂會議參加國家及國家編目委員會名單〔略〕。

國際標準書目著錄規則(單行本)ISBD(M)

緒　　論

一、範圍與目的

　　範圍　國際圖書著錄標準——以下簡稱 ISBD(M)——乃專用於著錄出版單行本圖書——以下簡稱圖書——安排其著錄各基項的順序，及確定其著錄所用符號的系統。

　　舊書　ISBD(M) 主要目的是處理新書，並不準備用來處理舊書的特殊問題。

　　目的　ISBD(M) 主要的目的在促進國際間書目資訊的交流，其途徑有三：(1)將可供交換的各種資料做成記錄；(2)超越語言的障礙，協助記錄的解釋；(3)將書目記錄轉換成機械可識別的形式。

二、使　　用

　　ISBD(M) 主要在提供書目性工作上所需要的著錄資料，因此它包括了這項工作時，可能必需的若干基項，但不是全部。希望各國的國家書目中心負責將每一種出版物（圖書）做一完整的著錄。除了自行決定是否可省略的基項外，應包括 ISBD(M) 所

列之各基項。

其他編目中心在著錄時，選擇若干基項錄著卽可，並根據 ISBD(M) 所規定的順序和標點參酌使用。

利用 ISBD(M) 著錄並不經常單獨使用，通常的情形是只構成一完整的目錄或書目中的一部分。ISBD(M) 也不用來規定一目錄中組織上要素（標題等）的排列問題。

三、定　義

以下所列 ISBD(M) 的術語都有其特定的情況或許多普通用法中之特殊用法。至於普通目錄所用的術語，則以下不予說明：

別書名（Alternative title）：當書名恰好由二部分組成（每一部分都可當作書名），用「或」（or）字或其他語文同義字連接，則第二部分卽稱爲別書名。

段（Area）：爲書目著錄的主要部分，由一特殊款目或一組款目資料組成。

書名著錄（Bibliographic description）：記錄及識別一出版品的一組書目資料。

書末頁（Colophon）：出版品的末尾，提供有關出版或印刷的資料，有時亦還有其他資料者。

版（Edition）：指以同一形式出版或根據相同原版（Master copy）所製作的所有圖書製本。（一版可以有幾次印刷或發行，其中可能有些微小的差別。）

版本記載（Edition statement）：表示出版品所屬的版次或

印刷次的記載。常使用出版品內的用語，必要時由目錄中心補記。

基項（Element）：表示書目資料的清楚概念，並構成目錄著錄各段（Area）的一部分中，一個字或片語或一段文字。

複刻版（Facimile reprint）：一出版品之主要內容，完全由前版本重爲印刷者。

插圖（Illustration）：圖表、繪畫或其他圖版見於出版品內者。

印刷（Impression）：某一版本在同時或同一件製作之總部數。

單行本（Monographic publication）：非連續性出版品，其正文或顯著之插圖，以一册或一定册數內刊載完畢者。

多册書（Multi-volume publication）：一出版品在形式上分成數個部分，但在概念上或出版時，被當成一體。其各部分可能有單獨書名及著者記載。

其他書名（Other title）：除正書名及其並列書名以外之書名。

其他書名資料（Other title information）：在前置部分除書名、著者記載或版本記載以外，關於圖書之性質內容，或製作本意及原因之任何說明文字。

並列書名（Parallel title）：以另一種文字或其他一種記載之正書名。

圖版（Plate）：在某頁中之插圖，不論是否附說明文字，而不佔全部或主要正文之連續頁數者。

　　前置部分（Preliminaries）：一出版品之書名頁或各書名頁，包括各書名頁反面及其前面各面均屬之。

　　叢書（Series）：一些各自獨立的圖書，除了各有本身之正書名外，尚具有全部圖書共同總書名之關連關係，各單獨圖書或有編號或無。此種定義不含多冊書。

　　叢書記載（Series statement）：該圖書所屬之叢書名與副叢書名，以及其叢書與副叢書內之編號或字母。

　　著者之記載（Statement of authorship）：記載與創作知識或藝術內容圖書有關之人或團體事項等。

　　書名（Title）：在出版品所見之字或句，做為該圖書或作品之名稱者。

　　正書名（Title proper）：一圖書之主要書名。正書名含別書名，但不含並列書名，及其他書名。

　　書名頁（Title page）：通常在圖書前端一面，記載完整書名資料，以及著者記載，及全部或部分印刷記載。如無此面標記完整正書名時，則書上任何標記完整正書名者，可視為書名頁，若書名頁上之各基項分印在同一方向之兩面，則兩面合起來視為書名頁。

四、基項順序大綱

　　下列大綱表示 ISBD(M) 各基項之順序。斜體字之基項可視情況取捨（見正文）。

1.書名及著者記載段

1.1 正書名

1.2 並列書名，其他書名及其他書名資料

1.3 著者記載

2.版本段

2.1 版本記載

2.2 與版本有關之著者記載

3.出版段

3.1 出版地

3.2 出版者名稱

3.3 出版時

3.4 （印刷地）

3.5 （印刷者名稱）

4.稽核段

4.1 面數及／或冊數

4.2 插圖記載

4.3 大小

4.4 附件

5.叢書段

5.1 叢書記載

5.2 副叢書記載

5.3 叢書內編號

5.4 國際標準叢書編號（ISSN）

6.附註段

7. 國際標準圖書編號（ISBN）、裝訂及價格段

7.1 ISBN

7.2 （裝訂）

7.3 （價格）

五、符　號

ISBD(M) 之基項（除了第 1 段的第 1 個基項外），都加有規定標點。這些標點符號均規定加在 ISBD(M) 各段前面。規定之標點符號前後均空一格，但圓點（·）及逗點（，）只須後面空一格。（括弧爲一項規定符號，因此括弧前空一格，括弧後也空一格）其他目錄中心所使用之標點，只依平常留空格卽可。若已用其他標點，卽使形成標點重複現象，仍要使用規定之標點。下列兩種標點符號用於全部或大部分各段中：

　　a. 方括弧（〔〕）用以表示該段資料從基本資料來源以外獲得。（見書目資料來源第一優先資料來源）

　　b. 刪節號（…）用以表示某段之基項被省略部分。

ISBD(M) 中特別規定之符號爲平常標點外，再加上等號（＝）、斜撇（／）以及及號（ampersand ＆）。等號（＝）爲用於並列書名或並列叢書名前面。斜撇（／）用於第一著者記載前面。及號（ampersand ＆）（見 4.4.2 及 4.4.3）用於附件記載前面。

　　圓點，空格，短橫，空格（·—）用來區別各段與下一段。當以分段、印刷字體或縮格可以清楚的與前面一段區分開來時，

則中間之圓點、空格、短橫線、空格可以省略，或者在前段之後用圓點代替。

六、基項及規定標點表

（有*記號者，表示如需要可以重複）

書名段

　　正書名

*　＝　並列書名

*　：　其他書名或其他書名資料

　　／　第一著者記載

*　；　第二以下之著者記載

版本段

　．—　版本記載

　　／　有關版本之第一著者記載

*　；　有關版本之第二以下之著者記載

出版段

　．—　第一出版地

*　；　第二以下出版地

*　：　出版者

　　，　出版時

　　　（印刷地

*　；　第二以下印刷地

*　：　印刷者）

稽核段

．—　面數及／或冊數

：　插圖記載

；　大小

&　附件（附屬資料之記載）

叢書段

*　．—　（叢書記載

*　：　副叢書記載

*　；　叢書或副叢書內之編號

*　　ISSN）

附註

ISBN，裝訂及價格段

．—　ISBN

　　裝訂

：　價格

在 ISBD(M) 每一段之基項前端所用之標點形式及範例，常以基項及標點一併列出。

七、資料來源

用以記載出版物之資料，均依規定之優先記載順序，從特定之資料上摘錄下來。如第一個來源之資料無價值，則採用第二個來源；如第二個來源也沒有價值，則採用第三個來源；第三個來源沒有價值，則採用第四個來源。應注意限制採用資料來源數目

之各條（如：1.3.2，5.1）。

資料來源之優先順序

1.書名頁（如一出版物有一個以上書名頁，則記載正書名之該書名頁爲第一優先資料來源）。

2.其他前部（如：簡略書名頁，書名頁反面）及版權頁。

3.出版物其他部分。

4.出版物以外資料來源。

八、第一優先之資料來源

每一段均指定有一定之資料來源爲「第一優先資料來源」，從各段第一優先資料來源以外得到之資料，須記載時，須以方括弧（〔〕）括之。

段　別	第一優先之資料來源
1.書名及著者記載	書名頁
2.版本	書名頁，其他前部及版權頁
3.出版	書名頁，其他前部及版權頁
4.稽核	出版物本身
5.叢書	出版物本身
6.附註	任何地方均可
7.ISBN，裝訂及價格	任何地方均可

同段中如有連續數個基項從第一優先之資料來源以外記載下來，統以一方括弧括起來或各自以方括弧括起來均可。

記載用詞與寫法

第 1，2，3 及 5 各段之各目，通常只從出版物轉記。因此，用詞及寫法都不變。在第 1，2，3 及 5 各段補記者，則照其前後之用詞及寫法。第 4，6 及 7 段及編目中心所加之資料，則用中心之用詞及寫法。

縮　寫

ISBD(M) 規定使用之羅馬字縮寫如下列：

第1，2段　et al.　＝　et alii（等等）

第 3 段　s. l.　＝　sine loco（出版或印刷地不詳）

　　　　s. n.　＝　sine nomine（出版者或印刷者不詳）

第 4 段　ill.　＝　illustrations（插圖）

　　　　cm　＝　centimetres（公分）

其他在範例出現之縮寫，不屬於規定而只做舉例。若各編目中心欲使用標準縮寫，可參考國際標準組織出版品第 ISO/R/832 號。

大　寫

通常 ISBD(M) 每一段第一個字之第一個字母都要大寫（例如：正書名、叢書或附註之第一個字）。其他大寫須視所記載文字之用法（第 1，2，3 及 5 段）或編目中心使用之文字（第 4，6 及 7 段）而定。

範　例

ISBD(M) 內所舉之範例，均屬舉例而非規定，但如緊跟在

該條文之後之範例則爲例外。*

誤　印

記載誤印時，後面可加"〔sic〕" 或 "〔!〕" 或在方括弧內改正。

例：Chansons créés et interperétés 〔sic〕

The world in 〔d〕anger.

Looser 〔i.e. Loser〕 takes all.

* ISBD(M) 英文版中，第 4，6 及 7 段所舉範例均爲英文，在翻譯時，可用譯文之文字代替。

各基項之詳細內容

一、書名及著者記載段

目次 1.1 正書名

1.2 並列書名，其他書名及其他書名資料

1.3 著者記載

標點形式 A. 每一並列書名前面用等號（＝）

B. 每一其他書名或其他書名說明前面用冒號（：）

C. 任何書名後之第一個著者記載前面用斜撇（／）

D. 第二個著者和輔助著者記載前面用分號（；）卽使和前面的記載用連接字或片語連在一起亦然。

E. 出版品內不同著者的各自作品正書名用圓點（·）分開，除非其間用連接字或片語連在一起。

> F. 出版品內同著者的各作品正書名用分號(；)分開，
>
> 　除非其間用連接字或片語連在一起。

例如：

正書名＝並列書名＝並列書名／著者記載

正書名：其他書名或其他書名資料：其他書名或其他書名資
料／著者記載

正書名：其他書名或其他書名資料＝並列書名：其他書名或
其他書名資料／著者記載

正書名／著者記載＝並列書名／著者記載

正書名／著者記載；第二著者記載；第三著者記載

正書名

1.1 正書名

1.1.1 書名及著者記載項第一個基項爲正書名。

1.1.2 正書名由書名頁著錄，除大小字體和標點外應照樣著錄，
　　　但正書名在中間或末尾可以節略（只有正書名太長才可節
　　　略）。

1.1.3 出版品每一作品有一個以上的書名，特別是都是並列書
　　　名，須決定一個爲正書名。

1.1.3.1 當出版品只有一書名頁，應在該書名頁根據書名排版的
　　　順序或視實際出版品主要內容的語文或寫法選擇一個當正
　　　書名（並列書名及其他書名見1.2）。

1.1.3.2 若出版品有數個書名頁（如多種語文或多種字體出版品
　　　上雖只有一書名頁，但有各種語文或字體)以與出版品主要
　　　部分相同的語言或字體的書名，或如這項標準仍不適用，則

以面對面書名頁〔譯按：指橫跨兩頁的書名頁〕的右邊一頁（或習慣位置一頁），或兩個以上書名頁第一個習慣位置一頁的書名爲正書名。

1.1.4 正書名是著錄的第一個基項，卽使在書名頁上前面有著者記載，其他書名、叢書書名或其他資料。

1.1.5 著者記載，出版者名稱或其他說明，爲正書名語言的必要部分，其著錄方法如下：（關於這一點由於各種語文上不同，不可能設計一適合所有語文的規則，因此，各種語文的編目中心應負責設計一適合該國語文編目的政策。）

例：Marlowe's plays

Revai Nagy lexicona

Newcomb-Engelmann's populäre Astronomie

Report of the Expert Group on Special Care for Babies

The sermons of John Donne

Lettres inédites d'Anatole France a Paul Grunebaum-
Ballin

Lettere edite ed inedite di Felice Orsini, Giuseppe
Mazzini, Giuseppe Garibaldi e Francesco Domenico
Guerrazzi intorno alle cose d'Italia

Pocket volume of selections from the poetical works
of Robert Browning

1.1.6 出版品上除了著者名字外，沒有其他書名，則以著者名爲正書名。

例：Sophocles

The British Museum

Kongres geografa Jugoslavije, Rijeka-Pula-Gorica, 3-8.
X. 1949.

1.1.7 出版品的書名頁上有兩個以上的作品，沒有整個出版品的正書名，則各作品的書名依書名頁上的順序或排版順序，全部予以著錄。

例：The double-dealer; Love for love; The way of the
world; The mourning bride/by William Congreve

Flash and filigree and, The magic Christian/by Terry
Southern

1.1.8 如書名頁載有共同的正書名，而出版品內各自有單獨書名，則各單獨書名應在附註項中註明。

例：Three plays of the 60s

Note: Contents: The homecoming/by Harold Pinted.
Chips with everything/by Arnold Wesker. Marching
song/by John Whiting.

1.1.9 別書名視爲正書名的一部分。

例：Eric, or, Little by little

"Le Tiers des étoiles" ou On ne sait pas quel ange

譯註：中文可用「又名」連接正書名與別書名。如：才子古文，又名，天下才子必讀書。

1.2 並列書名，其他書名及其他書名資料

1.2.1 書名及著者記載項的第二基項是著錄書名頁上的並列書名，其他書名和其他書名資料，除大小字體及標點符號外均照樣著錄。但其他書名和其他書名資料可以節略。通

常不記在書名頁的並列書名，其他書名及其他書名資料，在附註中註明（見 6.1.2）。

1.2.2 **並列書名依在書名頁上記載或印明，接著著錄。**

Einführung in die Blutmorphologie＝Introduction to the morphology of blood

1.2.3 書名頁上記載或印明接著要著錄的是其他書名。

1.2.4 其他書名資料著錄在正書名、並列書名，或其他書名之後（參見 1.3.5，1.3.10 及 1.3.11）。

Horrorman: the life of Boris Karloff: with an appendix of the films in which he appeared.

1.2.5 其他書名和其他書名資料在書名頁上寫在正書名之前，若合於文法或其他情形著錄時，仍應記於正書名之後，否則將其記在附註中（見 6.1.2）。

Je roule sans accident!/rédigé par Albert Leroy

At head of title-page: Un professionnel de l'auto-vous dit…

1.2.6 當出版品上的書名頁包括二個或二個以上作品的書名時，而沒有一整個出版品的總書名，則各根據書名頁上載明或印明各作品書名的順序著錄（見 1.1.7）。

Teorija kredita: skripta/〔autor〕Milutin Ciroviĕ. Teorija dopunskog Kredita : skripta/〔autor〕Vjeko-slav Meichsner

當這種出版品之書名頁有一普通其他書名，則此其他書名

記於每一作品之書名和著者資料之後，如果普通其他書名和各作品書名間關係不太清楚的話，可加一些說明字或詞。

1.2.7 當書上包括原文或討論原文，或當書名頁上原書名寫在主要書名之前時，書名頁出現的原書名，當並列書名處理。

Twenty love poems and a song of despair＝20 poemas de amor y una canción desesperada/Pablo Neruda

Note: Contains parallel Spanish text and English translation.

另外一種情形時，原書名可以省略或在附註中註明。（見6.1.1.1）

Die Geschichte von Frau Tiggywinkle/von Beatrix Potter.

Note: Translation of: The story of Mrs. Tiggywinkle

Balada o smutné kavárne/Carson McCullersová; dramatizace Edward Albee; z anglického originalu prelozili Luba a Rudolf Pellarovi.

Note: Translation of: The ballad of the sad cafe.

編者註：書名頁上原書名寫在「Originalu」字之後。

1.2.8 若並列書名或其他書名包含著者項記載，出版者或其他附屬於其他記述項目之資料，以及因語言或其他原因，為其他書名不可缺少的一部分，則應視為並列書名或其他書名

的一部分著錄。

> The psychology of second language learning: papers from the Second International Conference of Applied Linguistics, Cambridge, 8-12 September 1969

> In search of light: the broadcasts of Edward R. Murrow 1938-1961

> Towards a total housing system: report of the Computer Panel of LAMSAC

編者註：參見 1.3.4 下之舉例

1.3 著者記載

1.3.1 書名和著者記載項後之第三個基本項目是著者記載，它們可能是有關的一些人或團體，也可能是創造知識或藝術作品的有關人（如：正文的著者、編者、繪圖者、修訂者等等）。

1.3.2 著者記載是指在出版品之書名頁或其他部分所載者，若一著者記載不是取自書名頁而是取自出版品其他部分，則應加方括弧。

> An introducion to statistical science in agriculture/ by D. J. Finney

> Bears/〔written and planned by Jennifer Vaughan〕

> *Note:* Author statement taken from title-page verso

> A man's mistake/by the author of "St. Olave's"

> The education of children from the standpoint of theosophy/by Rudolf Steiner; translated by W. S.

1.3.3 著者記載取自出版品以外，均不包括在書名及著者項內，若此記載屬必要，則記在附註項（見 6.1）。

1.3.4 名詞和名詞片語連在著者記載後面，平常仍視為其他書名或其他書名的一部分。

> Underwater acoustics; a report/by the Notional Environment Research Council Working Group.

編者按：參見 1.2.8 節下第 3 例。

若名詞或名詞片語說明著者的功能大於出版品的內容，則視為著者記載的部分。

> A centenary exhibition of the work of David Octavius Hill, 1802-1870, and Robert Adamson, 1821-1848/ selection and catalogue by Katherine Michaelson.

1.3.5 著者記載是指一人或團體，則抄錄該記載時，應照其所題抄錄為著者記載。

> The eternal smile and other stories/by Par Lagerkvist; translated from the Swedish.
>
> Drei Männer im Schnee/Erich Kästner; fur den Gebrauch in dänischen Schulen vereinfacht.

1.3.6 若著者的名字是屬於正書名，並列書名或其他書名的一部分，或當做正書名或其他書名，且已照此方法著錄（見 1.1.6,1.1.7 及 1.2.8），則不再做有關著者之記載。

1.3.7 當著者敍述不止一個時，著錄時必須照書名頁上所印之順序。如不是取自書名頁，其著錄順序也應照合理順序。

> The essentials of education/〔by〕 Rudolf Steiner;

〔translated by Lady Maitland-Heriot; edited by H.
Collison〕

Atlante atomico/〔di〕 Mihajlo Velimirovic; 〔traduzione
in lingua italiana a cura del prof. Mario Sintich;
revisione scientifica a cura del prof. Protogene
Veronesi〕; illustrazioni di Branimir Ganovic

1.3.8 如一著者記載與書名之間的關係不清，應加以說明以使其
關係清楚。

Phaedra; Racine's Phedre/〔verse translation by〕
Robert Lowell

L'Equipe de France: anthologie des textes sportifs
de la littérature francaise/〔choisis et présentés
par〕 Gilbert Prouteau.

當著作人在著者記載中和書名沒有文句關連，則可用書名
頁上文字之一適當的字或短片語以連接書名和著者記載。

Heil Harris!: a novel based on the television series
"The Avengers"/by John Garforth.

如沒有字或片語可用，則個人的名字直接跟在斜撇之後。

Le Pére Goriot/Honoré de Balzac

Rzeka graniczna/Jozef Lobodowski.

合作著者之記載與書名沒有文法上的關連，則不必再加，
除非有明確的理由。

Statistics of homelessness/Home Office

Adroddial ar ddiweithdra/Swyddfa Gymreig

> Research in human geography/by Michael Chisholm;
> 〔for the〕Social Service Research Council.

合作的團體為實際出版品的負責單位且在書名頁列名，若有適當字或短語表示其責任和出版品的關係，則應列入著者記載中，如不能包括在著者記載中也未在叢書記載中列名則記於附註中（見 6.1.3）。

1.3.9 如數個人或合作的團體擔任相同任務，著者的記載只採用一個，著錄著者的數目（除第一個外）由編目中心自行裁定，省略號要顯示出來。

> Tellurium and the tellurides/by D. M. Chizhikov
> and V. P. Shchastlivyi
>
> The world of the lion/by Samuel Devend…〔et al〕
>
> Industrielle Kastenrechnung/Dieter Ahlert, Klaus
> Peter Franz.

1.3.10 書名頁上之說明與著者無關，且不組成其他書名資料（見 1.2.4）者予以省略。這些說明包括如題辭、獻辭，資助說明和可以記在稽核項的資料等（如「有33葉彩圖」），如果需要，這些說明可記在附註項。像「附著者33幅素描」則為著者記載。

1.3.11 增補的細目和其他補篇資料如在書名頁上記載可著錄為著者記載，這些記載跟在與一個出版品或其主要部分有關的著者記載後（增補之單獨版本見 2.2.3）。

> Die Handschriften des Benediktinerklosters S. Petri
> zu Erfurt : ein bibliotheksgeschichtlicher Rekon-

struktionsversuch/von Joseph Theels; mit einem Beitrag "Die Buchbinderei des Petersklosters" von Paul Schwenke

Van Erfurt na die Kaap: grepe uit die Geskiedenis van die Beyers-Familie/deur Annie Hofmeyr; en'n geslagregister deur Joh. van der Bijl

1.3.12書名頁上題一些並列書名，但著者記載只有一種文字或字體，則著者記載跟在所有並列書名之後。

Bibliotecas＝Libraries＝Bibliothêques/Ernest Malaga

書名頁上所題之並列書名和著者記載，不只一種文字或字體，則每一著者記載跟在相應之主要書名或並列書名之後。

National accounts statistics, 1950-1968/Organisation for Economic Co-operation and Development＝ Statistique des comptes nationaux, 1950-1968/ Organisation de coopération et de développement économiques

每一書名之後不可能跟着適當之著者記載時，則著者記載一起跟在最後的並列書名之後。

Communications scientifiques et techniques＝Scientific and technical communications＝Wissenschaftiche und technische Vortrage/IXᵉ Congres international du verre, International Congress on Glass, Internationlaer Glaskongress, Versailles, 27 septembre-2 octobre 1971

.3.13一出版品包括一種以上的作品，而這些作品的著者記載與
它有關，則每一個人或合作團體與作品的關係應記載清
楚。

The white devil; The duchess of Malfi/by J. Webster.
The atheist's tragedy; The revenger's tragedy/by
Tourneur; 〔all〕 edited with an introduction and
notes by J. A. Symonds

Smrt Smail-age Cengica; Stihovi; Proza/〔autor〕 Ivan
Mazuranic, Pogled u Bosnu/〔autor〕 Matija
Mazuranic; 〔priredio Ivo Franges; graficka oprema
Majstorska radionica Krste Hegedusica〕

Note: Editor and illustration statements apply to
whole publication.

編者註：在本例中無法用文字在書名和著者記載項內說
明，因此寫在附註。

二、版本段

目次　2.1 版本記載

　　2.2 有關版本之著者記載

標點形式　A.版本項之前一點、空格、橫線、空格（．一）

　　B.有關版本之第一個著者記載前是一斜線（／）

　　C.有關版本之第二個和其每一附屬著者記載之前是一

分號（；）

例．—版本記載

．—版本記載／著者記載

．—版本記載／著者記載；第二著者記載；第三著
者記載

2.1 版本記載

2.1.1 版本段之第一個基項是版本記載，決定記載是否版本的
記載，通常要看「版」字（或其同義字）其記載就是版本
記載。

The vision of hell/Dante; translated by Harry Cary.-
New ed.

The complete dramatic and poetic works of William
Shakesperare.-Red letter ed.

2.1.2 版本記載採用出版品中所用字，用標準簡寫方法，數目用
阿拉伯字。

4th revised ed.

編者註：書名頁記第四修正版

3. Aufl.

Nuova ed.

Sehr veranderte Aufl.

Abridged ed., 2nd ed.

2.1.3 一出版品確知與原出版的版本有顯著改變時，雖在出版品
內未說明，得以書名頁的文字作一適當敍述，並以方括弧
括起來。

〔New ed.〕

〔3rd ed.〕

2.1.4 每版次之印刷次數不需表示，但如果要寫，印刷記載得跟
在版本記載之後。

4th ed., 3rd impr.

Orig. Ausg., 24-30Tsd.

2.2 有關版本之著者記載

2.2.1 版本段之第二基項包括各該版本而非所有版本有關之人或
合作團體記載，這些人或團體包括諸如新版之修訂者，新
版之繪圖者，新版寫序者，著者記載係指一人或團體，此
亦各跟在其相關記載之後。

3e éd./illustré par Jean Lefort

4e éd./illustré par Jean Lefort

3rd ed./〔by〕 Alexander J. Schaffer, Mary Ellen Avery
 Note: Previous ed./by Alexander J. Schaffer

Connaissance de l'Est/Paul Claudel.-Ed. critique/avec
introduetion, variantes et commentaire par Gilbert
Gadoffre

2.2.2 一人或合作團體與作品之某一或若干版本關係不清楚時，
則其記載記在書名和著者記載項內（見 1.3）。

2.2.3 各版而非所有版本之書名頁載有附屬細節和補充資料，其
著者記載應跟其相關版本記載。

2.2.4 一出版品有版本記載或有關版本之著者記載，不只一種文
字或字體時，版本項中只著錄佔出版品主要部分文字或字

體或寫在前面第一個之記載，其餘則予省略。

Handbook on the international exchange of publica-
tions.＝Manuel des échanges internationaux de
publications.＝Manual del canje internacional de
publicaciones.

—3rd ed./edited and revised by Gisela von Busse

2.2.5 書名頁上題該出版品中某一個或兩個以上作品的書名，而
沒有這個出版品的總書名，而且這些書名中有一個或一個
以上書名跟著版本記載，則其版本記載著錄在書名和著者
記載項中，跟在相關之書名和著者記載之後。

Le Western/textes rassembles et présentés par Henri
Agel, Nouvelle éd. 〔et〕 Evolution et renouveau
du weatern (1962-1968)/par Jean A. Gili.

三、出版段

目次　3.1 出版地

3.2 出版者名稱

3.3 出版時

3.4 印刷地

3.5 印刷者名稱

標點形式　A.出版段前面用一點，空一格，橫線，空一格（．
— ）。

B.第二個或其後的出版地前面用一分號（；）。

C.每一出版者名稱前面用冒號（：）。

D.時期前面用逗點（，）。

E.印刷地和印刷者名稱均用圓括弧括起來，第二個和其
後之印刷地在同一圓括弧內，其間之符號與出版地和
出版者名稱所用者一樣（見上述 B 及 C 項）。

例如：

- ——出版地：出版者名稱，出版時（印刷地：印刷者名
稱）

- ——出版地：出版地：出版者名稱，出版時

- ——出版地：出版者名稱，出版時

- ——出版地：出版者名稱；出版地；出版者名稱，出版
時

3.1 出版地

3.1.1 出版段第一個基項是出版地。

3.1.2 出版地指出版物上所載出版者辦公地點之城鎮或地區。若
出版品上所記有誤，可將正確者加上，括在方括弧內或在
附註中注明。

London 〔i.e. Maidenhead〕

Dublin

Note: Known to be published in Belfast

3.1.3 較小的出版者，編目中心得自行決定在城市名稱後加記其
詳細地址。地址若取自出版項所載資料來源，則用圓括弧
（），其他情形則用方括弧 〔〕。

London 〔37 Pond Street, N. W. 3〕

3.1.4 出版地用出版品上所載正確拼法及文法正確形式著錄。

V. Praze

若認爲需要，可加該地其他名稱，以方括弧括之。

Christiania 〔Oslo〕

Lerpwl 〔Liverpool〕

3.1.5 如認爲需要寫明或和其他同地名區別，可在出版地跟着其
國名、州名或明顯記號。

Cambridge, Mass.

Santiago, 〔Chile〕

London, 〔Ontario〕

Frankurt a. M.

3.1.6 若一出版者在各地設營業所，並在出版品上記載其地名，
則按印刷字體或其他方式決定其重要者加以著錄；若無法
決定則只著錄第一個地名。編目中心若認爲其他地名也重
要，亦可著錄（如第二個或其他地名適在該編目中心之本
國）。若出版品之地名重要性相同，只著錄一個地名，其
他省略者可用 "〔etc.〕" 或其同義字表示。

Berlin; Köln; Frankurt am Main

Wien 〔etc.〕

Mockba 〔N Ap.〕

3.1.7 若出版品的出版地不能確定，則著錄可能之地名而用方括
弧括起來並加一問號。

〔Amsterdam?〕

若出版者沒有營業所之地名或其地區名稱不詳，則以可能
的出版地著錄，以方括弧括起來，若無可能之出版地可著

錄，可以州名、省名或國名當做出版地著錄。

〔Canada〕

〔Surrey〕

若沒有地名可著錄，則用縮寫 "S. l." (Sine loco)，或非
羅馬字之同義字代表，並以方括弧號括起來。

〔S. l.〕

〔b. M.〕

3.2 出版者名稱

3.2.1 出版段第二個基項是出版者的名稱。

3.2.2 出版者之名稱可以簡稱著錄，惟以其明確甚至國際性亦不
含糊不清爲限。

Bietti (*not:* Casa editrice Bietti)

若出版者爲個人或合作團體，其名字已全在書名和著者記
載項中載明，則出版者名稱應在出版項中再予著錄，但出
版者可用縮寫或主要片語著錄。

Shadow dance/by Henry Clive Mackeson.-London:
H. Mackeson, 1971.-

Health today/issued by the World Health
Organization.-Geneva; London: WHO, 1970.-

De quelques asqects du livre/Lycée technique
Estienne.-Paris: Le Lycée, 1970.-

3.2.3 若出版品有一個以上出版者，依印刷字體或其他方式決定
著錄主要出版者；若無法決定時，著錄第一個出版者。其他
出版者或協助者（包括 State publishing houses）及其地

名，如編目中心認為需要亦得著錄。

London: W. H. Allen: Macmillan

London: Nauwelaerts; Freigurg; Herder

Geneva: WHO; London: distributed by H. M. S. O.

若所列出版者與已被著錄的出版者之重要性相等，得予省略。此省略可用 "etc." 或其同義字表示。

London: Evans [etc.]

3.2.4 若出版者名稱不詳，以縮寫字 s.n. (sine nomine) 或非羅馬語系的同義字表示，並用方括弧括起來。

Paris: [s. n.]

[S. l.: s. n.] 或 [S. l.]: [s. n.]

3.2.5 印刷地和印刷者不得於出版者之地點和名稱不詳時，代替出版者著錄（見 3.4.2, 3.5.2）。

[S. l.]: [s. n.], 1971 (London: Wiggs)

但若印刷者亦即出版者，則可當出版者著錄。

Paris: Imprimerie nationale

Dublin: Cuala Press

3.2.6 在著錄複寫或其他照片複印時，將其複印出版者之地點與名稱以及翻印時期，載在出版項。所複製的原版本載於附註（見 6.2）。

New York:Johnson Reprint Corp., 1971

Note: Frcsimile reprint. Originally published, Boston;

Houghton, Mifflin, 1881.

3.3 出版期

3.3.1 出版段的第三個基項是各版或出版的年份。

3.3.2 西元紀元年份用阿拉伯數字著錄，出版品所載若非西元紀元之年份，則將相當西元紀元年份加在其後面，用方括弧括起來。

  1969

  5730〔1969 or 1970〕

3.3.3 若出版品上所載年份顯然誤題，照原題著錄，並將正確年份加於其後。

  1697〔i. e. 1967〕

3.3.4 若出版品內沒有載明出版年份，則可用版權登記年份或印刷年份代替。版權登記年份及印刷年份可分別表示如下：

  cop. 1969

  1969 或 1969 printing

若編目中心認為重要，版權登記年份和印刷年份得加在該版或該印刷之出版年份後。

  1969, 1971 printing

  1969, cop. 1937

  1969, cop. 1967, 1970 printing

3.3.5 若無出版年份，版權登記年份，或印刷年份，得根據出版品著錄一可能的年份。

  〔ca 1835〕

  〔1969?〕

  〔196-?〕

3.3.6 在著錄一套數冊而其出版跨過數年，則記第一冊和最後一

册出版年份，中間用短橫線連起來。

Stuttgart: Fischer, 1968-1973

在著錄一套數册，而其全部册數尚未收到，則著錄其第一
册出版年份，後跟一短橫線。

Stuttgart: Fischer, 1968-

3.4 印刷地

3.5 印刷者

3.4.1
3.5.1 　出版段的第四個和第五個基項是印刷地（國家）和印刷者。

3.4.2
3.5.2 　若已著錄出版地和出版者，是否附帶著錄印刷地（國家）
和印刷者，可隨意決定。若出版地和出版者不詳，則必須
著錄出版品中所載之印刷地（國家）和印刷者。

Stuttgart; Zürich: Delphin Verlag, 1973 （printed in
Yugoslavia 〔i. e. Zagreb: Graficki zavod Hrvatske〕）

3.4.3
3.5.3 　若一連串著錄印刷地和印刷者時，其方法與著錄一連串出
版地和出版者相同（見3.1及3.2）。

（Budapest: Kossuth ny; Debrecen: Alföldi ny）

四、稽核段

目次　4.1 面數及／或册數

4.2 插圖記載

4.3 大小

4.4 附件記載

標點形式　A.稽核段前面是圓點，空格，短橫線，空格（．— ）

　　　　　　B.插圖記載前面是冒號（：）

　　　　　　C.大小前面是分號（；）

　　　　　　D.附件記載前面是一附連號（&），在手寫體附連號
　　　　　　　不用，而以其他適當符號代替。

　　例如：

- 一冊數：插圖記載；大小

- 一面數：插圖記載；大小

- 一面數；大小 & 附件記載

4.1 面數及或冊數

4.1.1 稽核段之第一個基項是出版品的面數的記載，或者若在一
　　　冊以上則為冊數的記載。

4.1.2 單冊出版品

4.1.2.1 單冊出版品著錄其面數，頁數及／或欄數。

4.1.2.2 出版品內每頁兩面均有面數，則著錄其面數，若只印一
　　　　面，則應在附註中註明。

　　例：註：*每頁背面空白* (*note:* Versos of leaves blank)
　　　　若出版品每頁只一面標有數字，則著錄其頁數，若每頁
　　　　兩面都印刷，則應在附註中註明。

　　例：註：*每頁兩面均印* (*note:* leaves printed on both)

4.1.2.3 出版品每面印一欄以上，而以欄數代替面數，則著錄其
　　　　欄數。

　　例：831 Colums.

4.1.2.4 各摺頁，橫寬頁、單張和單卷均著錄於稽核項。

例：1 folden（6p.）

4.1.2.5 著錄以最後一面、頁或欄所載數字為準，用阿拉伯和羅馬數字著錄，若面數或頁數用字母來計數，則著錄第一字和最後字，前面並加表示面的字或縮寫字。

　　329p.

　　iv, 329p.

　　15 leaves, 329p.

　　329p., 52 columns

　　p. a-k

　　p. A-K

4.1.2.6 若最後面數、頁數或欄數錯誤，照出版品上所載著錄，而將正確者記在方括弧內。

　　xiv, 923〔i. e. 329〕p.

4.1.2.7 未標數字的面或頁不予著錄，除非這組數字組成出版品的全部或大部分(本項不適用於圖版頁數，見4.1.2.10)，若著錄未標數字者以阿拉伯數字記在方括弧內。

　　例：——出版品中有8面未標面數，有329面標1至329數字者，其著錄方法如下：

　　329p.

　　——出版品有4面標 i 至 iv 數字，100 面未標數字，其著錄方法如下：

　　iv,〔100〕p.

4.1.2.8 若一出版品包含三組以上標明面數、頁數或欄數，或標明面數但有一組或更多組未標面數，則用下面幾種方法之

一。

　A.各種面數加起來，著錄其總數並註明（面數龐雜）“in various pagings”。

例：1000p. in various pagings（而非：48, 53, 99, 300, 410, 90p.）

　B.若一組明顯是主要的一組，則著錄該組的面數，後面再著錄其他各組總面數，記在方括弧內。

例：400, 〔98〕p.（而非：400, 18, 60, 20p.）

　C.作品得簡單著錄如下：

　　1 册（面數龐雜）1 vol. (Various in pagings)

　　1 夾＝1 portfolio.

　缺頁出版品見 6.4

4.1.2.9　若出版品的面數、頁數或欄數所標數字是一大組數字的一部分（例如一套數册出版當中一册，一叢書中出版之單册），則著錄其起訖面數、頁數或欄，在這種情形，在數字之前應用表示面數、頁數或欄數的字或縮體字。

例：頁 81-93 (leaves 81-93)

　　p. 713-797

　若出版品既標有本身數字亦標一大組數字的部分數字，則著錄本身數字，將大組數字的部分數字記在附註中(見6.4)。

例：81p.

　註：(面數亦標321-401)Pages also numbered 321-401

4.1.2.10圖版的面數或頁數著錄在面數之後，不論它是在一起或分散全書各處或甚至只有一圖版。

246p., 24 leaves of plates

x, 32, 73p., [1] leaf of plates

246p., 12p. of plates

246p., 38 leaves of plates, 24p. of plates

4.1.3 多冊圖書（參見第八節）。

4.1.3.1 若一出版品印成一個以上單獨冊，則其冊數用阿拉伯字
　　　著錄，增補和附件不包括在此數內（見4.4及第八節）。

　　　例：3 vol. （3冊）

4.1.3.2 若不適用「冊」字，則用其他適當的字，如「函」，這
　　　些字儘量從出版品上轉錄下來。

　　　例：2 portfolios （2函）

4.1.3.3 若出版品上所標的冊數與實際所裝的冊數不同，則應將
　　　此原題冊數在附註中註明，除非此情況在內容中已註明。

　　　例：5 冊 （5 vol.）

　　　註：冊數分別為　1, 2A, 2B, 2C, 3. （上卷，中卷上、中、
　　　下，下卷）

4.1.3.4 若一多冊圖書，有連續面數，則其面數加在冊數之後，
　　　用圓括弧括起來。

　　　例：8 vol. （894p.）

　　　若每冊書在連續面數前各有一些前言，並各標面數，則這
　　　些數目加起來以其總數記於方括弧內。

　　　例：8 vol. （[47], 894p.）

4.1.3.5 若一多冊圖書沒有連續的面數，編目中心認為必要，可
　　　將各冊面數記載加記於冊數記載之後。

例：5 vol. (31, 33, 49, 37, 18p.)

例：3 vol. (v, 31; vi, 32; iii, 49p.)

例：2 vol. (x, 210p.) (v, 310p.)

　　若不將出版品當一整體（如面數記載），宜將有關單冊之
資料照 8.1 及 8.2 所列方法著錄在第二層次。

4.2 插圖記載

4.2.1 稽核段的第二個基項是出版品上插圖記載及／或插圖的著
　　　錄。

4.2.2 若一出版品有插圖，則在面數記載之後著錄縮寫字" ill"
　　　（或其同義字），不重要的插圖可以不予理會。

　　例：8 vol.: ill.

　　例：492p.: ill.

4.2.3 特殊形式的插圖（如：地圖、藍圖、相片、樂譜）可特別
　　　加在縮寫字 "ill" 或其同義字之後。

　　例：492p.: ill., maps

4.2.4 若出版品只有特殊形式的插圖，則可只著錄這些特別形式
　　　插圖而不用縮寫字 ill。

　　例：492p.: maps, plans.

4.2.5 插圖或特殊形式插圖的數目亦可著錄。

　　例：31 ill.

　　　　ill., 17 fasc.

　　　　12 maps.

4.2.6 插圖的部分或全部爲彩色，亦得註明。

　　例：col. ill.

ill., 31 col. maps.

4.2.7 若出版品主要或全部爲插圖，應在插圖記載中註明。

例：500面：全部爲圖 (500p.: All ill.)

　　500面：主要爲圖 (500p.: Chiefly ill.)

若在表示出版品正文和其插圖，不易表示清楚時，則在面數記載中，得記其插圖形式，分別著錄正文和插圖。

例：14p., 38p. of maps (非 14, 38p.: Chiefly maps)

　　14p., 38 leaves of plates (maps) (非 14p., 38 leaves of plates: maps)

4.3 大小

4.3.1 稽核段的第三個基項是出版品的大小。

4.3.2 外表高度卽量書脊的相等高度，用公分 (cm) 著錄，零數均進爲整數。

例：——出版品量出爲17.2公分則著錄爲：

18公分

4.3.3 若出版品的寬度或形狀特殊（如寬度大於高度），其寬度可以著錄在高度之後。

例：21×30cm

　　28cm 摺成 10cm (28cm folding in 10cm)

4.4 附件（資料）記載

4.4.1 稽核項的第四個基項是出版品上載明的附件著錄，這些附件有與出版品同時出版（或打算出版）並且意欲與出版品一起使用，而在外表上亦與出版品有所關連者。

4.4.2 附件資料用一表示該性質之字或片語著錄。

例：271p.: ill.; 21cm & price list.

4.4.3 一小節描述附件資料得著錄在表示資料性質的字或片語之後，記於圓括弧內。

例：271p.: ill.; 21cm & atlas (37p., 19 leaves of col. maps; 37cm)

271面：圖；21公分 & 地圖集（37 面，19幅彩地圖；37公分）

271p.: ill.; 21cm & phonodisc (2s. 30cm $33\frac{1}{3}$ r.p.m.)

271面：圖；21公分 & 唱片（2 面30公分33⅓轉）

4.4.4 附件資料爲書本形式（如補篇，地圖集）得單獨編目，或用多册書的第二層次方法編目（見8.2）。

五、叢書段*

目次 5.1 叢書名
5.2 副叢書記載
5.3 叢書和副叢書編號
5.4 論文集叢書
5.5 國際標準叢書編號 (ISSN)
5.6 一個以上叢書

標點形式 A.叢書段前面爲一點，空格，短橫線，空格（. —）
B.並列叢書名前面爲一等號（＝）
C.副叢書記載前面爲一冒號（：）
D.叢書和副叢書編號前面爲（；）

E. ISSN 前面空一格

F.每一叢書括在圓括弧內（　）

G.第二個和每一個其他叢書記載前面空一格

例如：

- —　（叢書名＝並列叢書名）

- —　（叢書名：叢書內的 ISSN）

- —　（叢書名：副叢書記載；副叢書內的 ISSN）

- —　（叢書名：叢書編號：副叢書記載；副叢書編號）

- —　（叢書名：副叢書記載＝並列叢書名 ：副叢書記載；副叢書內的 ISSN）

- —　（叢書名；ISSN）；（第二叢書名；ISSN）

＊：本段之組織與 ISBD（S）不同；這是兩個標準易於區別的地方。

5.1 叢書名

5.1.1 叢書名依出版品上所載著錄，除非是叢書名的必要部分，叢書副書名（非副叢書名）省略；除非是構成叢書名所不可少的部分，編者名稱也省略。

（Machines at work）

（English linguistics, 1500-1800, a collection of facsimile reprints）

5.1.2 若出版品所載之叢書名用一種以上語文，則當並列叢書名著錄。

（Suomalais-ugrilaisen Seuran Toimituksia＝Memoires de la Societe finno-ougrienne）

5.2 副叢書名

若一叢書區分爲若干副叢書（組，套等），則總叢書名著錄在前，後面跟着副叢書記載。

(Kryptogamenflora von Europa: Deutschland)

(World history series: section 3, Europe)

5.3 叢書內編號

若有叢書或副叢書內編號卽予著錄，號碼前面照出版品上所載用字著錄。所用數目字均用阿拉伯數字。

(Cambridge University monographs; 7)

(History and theory; vol. 1, no. 1)

(Informationsdienst fur den Leiter im Gaststatten-wesen: Reihe C; 12)

(Arte, moderma straniera; n. 8: serie C,Disegnatori; n. 1)

5.4 論文集叢書

若一論文由大學印成論文叢刊的一部分，則論文記載視爲叢書，其他論文記載（若不打算在書名段中著錄）則著錄在附註中（見 6.6.1）。

(These: Med: Nancy; 1967, no. 28)

5.5 國際標準叢書編號 (ISSN)

若一出版品包含有關叢書的國際標準叢書編號（ISSN），則 ISSN 著錄在叢書記載的最後一段。其前面空一格及 ISSN 四個字母，並在第四和第五位數中間用--連字符號 (hyphen)。

(The critical idiom; 24 ISSN 0000-0000)

5.6 一個以上叢書

若一出版品同時爲一個以上叢書的一部分，所有叢書記載均予著錄，每一叢書名自成一段記於圓括弧內。

(Norwegian monographs on medical science) (Scandi-navian university books)

(Indogermanische Bibliothek: Abt. 1, Reihe 1; Bd. 11)

(Sammlung slavischer Lehr-und Handbücher: Reihe 1, Grammatiken; Bd. 3)

六、附註段

目次　附註之著錄視規則著錄有增有減，故不一定包含幾項，只要能說明出版品或其內容卽可。除了其他說明外，其著錄順序可自由決定。

附註依其性質不能全部列舉，但在 ISBD（M）的各段中可確定其項目。在所加有關各項的附註中，著錄有關出版品的某些附註與 ISBD（M）各段並不必相配合。

標點形式　每一附註之間用一點，空格，短橫線，空格（．—）隔開，若每一附註各起一行，符號可以省略，或者只用一點代替。

值得鼓勵的是在附註當中，也採用 1 至 5 項所專用的標點。例如：書名與著者記載用一斜線（／）分開。

6.1 書名與著者記載段附註

6.1.1 正書名的註

6.1.1.1 翻譯書名註

在著錄一翻譯作品第一個注必須是翻譯書名註，這應是所翻譯作品的正式書名，若翻譯書已知爲一作品特別版次的翻譯本，而有其自己書名，則此書名最先著錄或者後面跟著原作品翻譯書名。

Translation of: La muerta de Artemio Cruz

Translation of: Tajna Ostrva Kirin. Originally published as: Five on Kirrin Island again.

6.1.1.2 其他的正書名註

包括書名的來源和變體及音譯書名的附註。

Cover title.

Spine title: Oliver!

Title romanized: Zolotoi telenok

Title translated: Food guide for foreign workers

6.1.2 關於並列書名和其他書名以及出版品性質、範圍、體裁或語文的附註。

例：並列書名、其他書名或其他書名資料若特別長的話，可全部著錄爲一條附註（見 1.2.1 及 1.2.5）。

Sub-title:...

Second title-pages reads:...

German text

Parallel Spanish text and English translation

Play in 3 acts

6.1.3 著者記載的附註

包括從出版品以外著錄的著者記載（見 1.3.2），各種名稱的注與作品有關的人或合作團體名稱而不方便採入款目主體中（例如因為其功用不能確定，見 1.3.8），及與各版次，但不是本版次有關之個人和合作團體的附註。

Attributed to Jonathan Swift

Drawings by Gordon Davey

Translated from the author's unpublished manuscript

Full name of author: Mignon Good Eberhart

Author statement taken from title-page verso

Previously published under the name Marion Watkyns

At head of title: Dept. of Defence

Previous editions by Norman Smythe

6.2 版次和出版品書目歷史附註

包括與其他出版品和其他版本有關資料，包括重印出版品的各項資料。

Second edition, London: Macmillan, 1938

Originally published, London: Collins, 1967

Previously published as: The players of Null-A, London: Dobson, 1970; originally published as: The pawns of Null-A, New York: Street and Smith, 1948

Offprint from: Physical review; 2nd series, vol. 70, no. 5-6, September 1 & 15, 1946

Facsimile reprint. Originally published, Boston: Houghton, Mifflin, 1881

Facsimile reprint of 4th edition, Amsterdam: s. n. 1670. Vol. 1, 2nd ed.Vol. 2. 3rd ed. Vol. 3, 2nd ed.

6.3 出版段附註

例如包括出版品的其他出版者資料的附註。

Also published in Colombo by Ceylon University Press

Original imprint covered by label which reads: Humanitas-Verlag, Zürich

6.4 稽核段附註

包括加注有關出版品形式上的著錄時，補充說明正式稽核項記載，及有關特殊的形式的特性。

例如：每頁背面空白 (Versos of leaves blank)

每頁兩面印刷 (leaves printed on both sides)

冊數題第 1，2上，2中，2下，3冊(Volumes numbered: 1, 2A, 2B, 2C, 3)

面數亦標321—401面 (Pages also numbered 321-401)

活頁，每年補充 (Loose-leaf, updated annually)

地圖印在襯紙 (Map on lining paper)

用手工彩繪 (Illustrations coloured by hand)

印於無酸紙上 (Printed on acid-free paper)

最初25本精裝 (First 25 copies bound in leather)

6.5 叢書段附註

包括有關已出版叢書之出版品資料和叢書編者的附註。

Editor of the series:...

6.6 有關1至5段以外之附註

6.6.1 論文附註

若出版品非當做論文叢書的一部分，或資料未著錄在正書名或其他書名內時，應做此種附註。

Thesis (M. A.)-Johns Hopkins University

Previously issued as the author's Ph. D. thesis, University of Birmingham

（原為著者之伯明罕大學博士論文）

6.6.2 表示發行數量

例如：印行250本（250 copies printed）

20本簽名編號限定版（Limited edition of 20 signed and numbered copies.）

6.6.3 內容和附加內容的附註

6.6.3.1 內容附註

例如：Contents：A midsummer night's dream. Henry IV

Contents: The homecoming/by Harold Pinter Chips with everything/by Arnold Wesker. Marching song/by John Whiting.

Includes the text of the Gaming Act 1913.

（多冊出版品參見第八段）

6.6.3.2 附加內容的附註

包括書目、概要、索引等等的附註。

例如：Bibliography: p. 291

List of films: p. 323-327

Summary in English: p. 143-146

Includes index.

七、ISBN、裝訂及定價段

目次　7.1 國際標準圖書編號（ISBN）

　　　　7.2 裝訂記號

　　　　7.3 定價

標點形式　A. ISBN、裝訂及定價段前面為一圓點，空格，短橫線，空格（．—）

　　　　　B.第二及各組 ISBN，裝訂及定價記載前面為一圓點（·）

　　　　　C.裝訂記載前面為一空格

　　　　　D.定價前面為一冒號（：）

．— ISBN 裝訂：定價

．— ISBN 裝訂：定價·ISBN 裝訂：定價

．— ISBN ：定價

．— 裝訂：定價

7.1 國際標準圖書編號（ISBN）

7.1.1 本段的第一個基項是 ISBN。

7.1.2 ISBN 前面要寫 ISBN 等字，著錄時應根據國際標準局
　　　(ISO 2108)之規定用短線（Hyphens）記於各組數字中間
　　　例：ISBN 0-7131-1646-3
　　　　　ISBN 87-13-01633-4

7.1.3 若知道 ISBN 就必須著錄。

7.1.4 若出版品上所載 ISBN 不正確，則應著錄正確的 ISBN
　　　並在後面圓括弧內記 "corrected" 或其他語言的同義字。
　　　例：ISBN 0-340-16427-1（corrected）

7.2 裝訂記載

7.2.1 本段第二個基項是出版品印行時裝訂形態的簡略記載。編
　　　目中心可用標準縮寫字。

7.2.2 著錄裝訂記載與否可隨意決定。

7.2.3 著錄時，裝訂應跟在相關的 ISBN 之後。
　　　例：ISBN 0-85020-025-3 布面精裝
　　　　　ISBN 0-85020-024-5 紙面裝

7.3 定價

7.3.1 本段第三個基項是出版品的定價，著錄時在數目後跟着貨
　　　幣的符號，且應使用官方的貨幣符號。
　　　例：ISBN 2-214-30608-0：90F

7.3.2 著錄定價與否不可隨意決定。

7.3.3 附加的定價記於圓括弧內。
　　　例：ISBN 0-85417-431-1 Paperback：£1.00（£0.50 to
　　　members）

7.4 一個以上的 ISBN

若一出版品以一種以上形式或一個以上出版者印行且有一
個以上 ISBN 時，應著錄每一個 ISBN ，後面跟著相關
的裝訂和定價或出版者名稱，每一段記載用一圓點和空格
分開。

例：ISBN 3-16-132561-3 Prosch: DM 13.00. ISBN 3-16-
132561-1 Hlw.: DM 17.00.

ISBN 91-7052-105-0 (Fritzes hovbohandel) hf.: sv.
kr. 4:90. ISBN 87-503-1408-4 (Statens Trykningsk-
ontor) hf.: d. kr. 6, 90.

八、多册出版品

8.1 二層著錄

這是根據著錄的資料區分爲二種標準，第一個標準是包括
出版品所有册數的普通資料，第二標準只包括各單册有關
資料而已。

二種標準著錄的基項與單册出版品時一樣，同樣的順序和
相同符號，若一册之書名前爲一册號，則二基項中間用一
冒號分開（：）。

例如：

基項	全 套 標 準	單册出版標準
1.1 正書名	The politics of Change in Venezuela	Vol. 1: A strategy of research.
1.2 其他書名	:a joint study	
1.3 著者記載	/edited by Frank	/illustrated by Joan

	Bonilla	Rice
2.1 版本記載	.-3rd ed.	
3.1 出版地	.-Cambridge, Mass., London	
3.2 出版者	:M. I. T. Press	
3.3 出版期	,1967-*	.-1967
3.4 印刷地	(Kingsport	
3.5 印刷者	:Kingsport Press)	
4.1 册或面數	**	.-xx, 394p.
4.2 插圖		:ill., maps.
4.3 大小	.-24cm	
5 叢書	.-(Social change series)***	
6 附註	.	Contains index
7.1 ISBN	ISBN 0-091-32214-8	ISBN 0-091-32213-x
7.2 裝訂		Cased
7.3 定價		:£7.00

上述分析著錄結果如下：

△The politics of Change in Venezuela: a joint study/
　edited by Frank Bonilla.-3rd ed.-Cambridge, Mass.;
　London: M. I. T. Press, 1967-　(Kingsport:
　Kingspor Press).-24cm.-(Social change series).-
　ISBN 0-091-32214-8.

△Vol. 1: A strategy of research/illustrated by Joan

Rice.-1967.-xx, 394p.: ill., maps.-Contains index.-
ISBN 0-091-32212-x Cased: £7.00.

* 以後的時間俟完全出版時填上。

** 冊數不寫，除非完全出版。

*** 在著錄叢書當中一單冊，則叢書記載著錄在第二層。

8.2 附件裝訂成冊，任擇其中一種著錄方法

附件裝訂成冊（如補充本、地圖集等見 4.4），可用類似二層著錄法，在這種情形，有關主要出版品資料著錄於第一層，而有關附件資料，著錄在第二層。

例：Solid geometry/by P.A. Caine.-London: Chatto and
Windus, 1972.-5, 35p.: ill.; 21cm.-(Patterns in
mathematics).-ISBN 0-7010-0480-0 Pbk: £0.55.
Teacher's book.-1972.-v, 9p.: ill.; 20cm.-ISBN 0-7010-
0481-9 sd: £0.30.

若附件裝訂成冊，沒有本出版品，則將二者普通資料用第一層方法著錄。

例：Solid geometry/by P. A. Caine.-London:Chatto and
Windus.-(Patterns in mathematics)
Teacher's book.-1972.-v, 9p.: ill.; 20cm.-ISBN 0-7010-
0481-9 sd: £0.30.

8.3 多層出版品

若出版品有二層以上，得採下列方法之一。

(1)資料分別按適當層次著錄。

例：Sylloge of coins of the British Isles/British Academy.-Londen: Oxford University Press.

18: Royal Collection of coins and medals, National
Museum Copenhagen.

Part 4: Anglo-Saxon coins from Norman I and Anglo-
Norman coins/by Georg Galster.-1972.-xviii, 116p.:
ill.; 26cm.-Includes index.-ISBN 0-19-725927-8
Cloth: 6.60.

(2)全部均當做單冊採用第一層法。

8.4 開口款目

著錄一多冊出版品只用一層方法，若各冊分別著錄，著錄
的確定款目必須預爲空格直到全冊出齊，再將期間及冊數
補全，一冊有關基項只能根據呈現的形態著錄在附註中，
上述所分析出版品 (8.1)用開口款目方法，其結果如下：

The politics of Change in Venezuela: a joint study/
edited by Frank Bonilla. -3rd ed.-Camdridge, Mass.;
London: M. I. T. Press, 1967.- (Kingsport: Kings-
port Press).-24cm.-(Social Change series)

Contents: Vol. 1: A strategy for research/illustrated
by Joan Rice.-Includes index.-ISBN 0-091-32214-8
Cased.

上面著錄中之部分項目，若知第二和第三冊，應隨時補記
進入。

中文圖書著錄範例

1. 寫作指導／王甘明編.--臺南：大成出版社，民國65.-- 2 冊；
   20公分
   ISBN:　　　　　　　　　　NT$ 50.00

2. 人口問題與研究／國立臺灣大學人口研究中心編.--增訂版.--
   〔臺北〕：編者，民國65.-- 8 ，377面；22公分
   中國農村復興聯合委員會資助出版

3. 曉風殘月：〔宋詞賞析〕／謝碧霞，劉漢初選注；吳宏一主編
   校訂.--臺北：長橋出版社，民國65.--223 面：圖；19公分.--
   （中國古典文學精選叢書；第 1 輯）
   ISBN:　　　　　　　　　　NT$ 42.00

4. 傳記學／王元著.--臺北：牧童出版社，民國66.-- 4 ， 3 ，
   151面；19公分.--（牧童叢刊；19）
   封底題英文書名：Biography.
   據民國37年（序）版重印
   書目：148～151面
   ISBN:　　　　　　　　　　NT$35.00

5. 孝的故事＝The stories of filial piety bilingual edition.／
   〔正大印書館編輯部編著〕.--臺 1 版.--臺北縣三重市：正大
   印書館，民國63.-- 2 ，48面：彩圖；22公分
   中英對照

6. 資治通鑑選論，又名，讀通鑑札記／魯立剛著；〔瘂弦主編〕

.--臺北：幼獅，民國65.--2，2，2，224面；20公分.--
（幼獅期刊叢書；105）

ISBN:　　　　　　　　　　NT$　65.00

7.蝴蝶飛舞：洪建全教育文化基金會第二屆兒童文學創作佳作選
　／景翔編選；趙國宗設計.--臺北：該會：書評書目總經銷，
　民國65.--55面，圖；22公分.--（書評書目叢書；4204）

　正文國語注音

ISBN:　　　　　　　　　　NT$　30.00

8.明史　332卷，目錄4卷／（清）張廷玉等奉敕修.--臺北：藝
　文，民國63.-- 5 冊：27公分.--（二十五史；46～50）

　第五冊後附國史考異6卷／潘稼章撰

ISBN:　　　　　　　　　　NT$　500.00

9.宋藏遺珍敘目／〔蔣唯心著〕；金藏目錄校釋／〔蔡運辰著〕；
　蔡念生編.--合刊 .--臺北：新文豐，民國65.--43，162，〔33〕
　面；22公分

　封面書名；含兩種重印本

ISBN:　　　　　　　　　　NT$　120.00

10.中華民國出版圖書目錄彙編三輯 ／ 國立中央圖書館編·.--臺
　北：該館，民國64.-- 2 冊（ 5 ，2116面）；26公分

　本書收錄自民國57年 7 月至63年12月止

　內容：上冊：正文；下冊：書名索引，著者索引

ISBN:　　　　　　一套精裝 NT$800.00；平裝 NT$700.00

英文圖書著錄範例

1. Playback / Ronald   Hayman .- London: Davis-Poynter, 1973.—167p.; 23cm
   ISBN 0 7067 0076 7: £2.50

2. Recreational problems in geometric dissections and how to solve them/Harry Lindgren.-Revised and enlarged 〔ed.〕 /by Greg Frederickson.-New York: Dover   Publications; London: Constable, 1972.-viii, 184p.: ill.; 22cm Previous ed. published as: 'Geometric dissections'. Princeton; London: Van Nostrand, 1964
   ISBN 0 486 22878 9 Paperback: £1.00

3, Tennis-up to tournament standard/Ellwanger; 〔translated from the German by Wendy Gill〕.-Wakefield: E.P. Publishing, 1973.-119p.: ill., ports; 21cm.-(E.P. Sport) Translation of: 'Tennis-bis zum Turnierspieler'. München: BLV Verlagsgesellschaft, 1971.
   ISBN 0 7158 05797: £1.75

4. Industrial steam locomotives of Germany and Austria= Dampfloks auf Industriebahnen der BRD, DDR, und Österreich/Complied by Brian Rumary; German transla- tions by M. Spellan.-2nd ed.-〔Crewe〕〔42 Yew Tree Rd, Wisaston, Crewe, Cheshire CW2 9 BW〕: Industrial Railway

Society, 1973.-36p.: ill.; 21cm.-(Pocket books. GA)

English and German text.-Previous ed. 1972

ISBN 0 091096 16 4 sd: £0.40

5. Special syllabuses: a report on the Board's development of special syllabus examinations Angust 1972/the Associated Examining Board for the General Certificate of Education.-Aaldershot (Wellington House, Aldershot, Hants): the Board, 1972.-58p.; 21cm.

ISBN 0 901893 01 3 Sd: £0.25

6. Apostolic constitution (Paenitemini) of His Holiness Pope Poul VI promulgating the penitential discipine of the Church/〔translated from the Latin〕with an introduction by Brian Newns.-London: Catholic Truth Society, 1973.- 16p.; 18cm.

Cover title: Penitence.-This tronslation originally published in 'The Jurist', Vol. 26, No.2, Aptil 1966

ISBN 0 85183 078 1 Sd: £0.05

7. A treatise of indulgences, 1623/Clement Rayner. A treatise of modesty and silence, 1632/Alfonso Rodriguez.-Menston: Scolar Press, 1973.-271, 76p.: 20cm.-(English recusant literature, 1558-1640; Vol. 139)

Facsimile reprints.-'A treatise of indulgences' originally published, St Omer: For John Heigham, 1623. 'A treatise of modesty and silence' originally published 〔s. l.〕: 〔s.

n.], 1632.

ISBN 0 85417 945 3: £1850.00 for the series

8. Godly contemplations for the unlearned, 1575; A letter of a Catholike man beyond the seas, 1610/Thomas Owen. The conviction of noveltie, 1632/R. B.-Menston: Scolar Press, 1973.-49,166p., [71] leaves: ill.; 20cm.-(English recusant literature, 1558-1640; Vol. 138)

Facsimile reprints.-'Godly contemplations...' originally published. [s. l.]: [s. n.], 1575 'A letter...' orginally published, St Omer: [s. n.], 1610. 'The conviction...' originally published, [s. l.]: [s.n.], 1632

ISBN 0 85417 9445: £1,850,000 for the series

9. Assessment of climatic conditions in Scotland/Soil Survey of Scotland.-Aberdeen (Craigiebuckler, Aberdeen AB9 2QJ): Macaulay Institute for Soil Research

3: The Bioclimatic subregions: map and explanatory pamplet/by E. L. Bitse. -1971. -12P.: col. map; 24cm

Map and overlay grid in pocket.-Bibliography p. 10

ISBN 0 902701 03 7 sd: £0.75

10. Seventh meeting/Federation of European Biochemical Societies, Varna (Bulgaria), September 1971.-London: Academic Press.

Virus-cell interactions and viral antimetabolites/edited by D. Shugar.-1972.-viii, 231p.: ill.; 24cm.-([Publications]; vol. 23)

Includes bibliography and index

ISBN 0 12 640866 1: £4.00

附錄二

中文圖書編目簡則

黃淵泉撰

第一章　通　則

1.1 本編所訂簡則適用於中小學圖書館及中小型公共圖書館。

1.2 編目以簡明，便於讀者檢索所需資料爲原則。

1.3 圖書須編製書名目錄、著者目錄及主題目錄（分類目錄）三
　　種。

1.4 目錄應記載之基本事項與順序及其資料來源優先順序如下：

　　(1) 書名與著者段——書名頁，版權頁，書背，封面。

　　(2) 版本段——書名頁，版權頁，書背，封面。

　　(3) 出版段（出版地，出版者，出版年）——書名頁，版
　　　　權頁，書背，封面。

　　(4) 稽核段（頁數或册數，圖表）——該書。

　　(5) 叢書名段——該書。

　　(6) 附註段——任何地方均可。

　　(7) 其他段（函套，裝訂，定價）——該書。

　　(8) 書碼（分類號及著者號）——該書及其他地方。

　　由上述資料來源以外獲得之資料，著錄時應加方括弧

（〔〕）。

1.5 目片的基本格式及標點符號用法如 9.1。

第二章　書名及著者段

2.1 書名

2.1.1 凡正書名均照書名頁等所題書名之原樣式著錄，若書名分二行以上記載或字體大小不同時，原則上均改以一行及同字體著錄。

2.1.2 若書名頁等所題書名不同時，著錄其多數相同書名，或依資料來源之優先順序決定其正書名，而將其他書名於附註項中說明之。

2.1.3 除中文正書名外，如正文為中外文對照或部分為外文，則其外文書名，或翻譯書之原書名即為並列書名，著錄於正書名之後，以等號連接。如正文無外文，則此書名在附註段中註明。如：英文書名：…；譯自：…。

2.1.4 凡書名冠以叢書名，或類似叢書名稱，均可予以省略，但須於叢書名項著錄之。

2.1.5 凡續編，補遺，索引之書名與正編之書名不同時，以續編等之書名著錄，而將正編之書名在附註項中說明。

2.1.6 凡合訂之書有總書名者，以總書名為正書名，其他書名（篇名）記於附註段。若無總書名，則以各書名分別為正書名著錄，第二個正書名以後各正書名，應另立分析片。

2.1.7 凡副書名及多冊之各冊書名，可著錄於正書名之後，或於

附註段中註明之。

2.1.8 卷册次，屆次，年度次應記在書名之後。

　　例：臺灣省工商普查總報告．七十四年度。

2.2 著者

2.2.1 凡著者均照書名頁等所題著者著錄，後面並按其著作種類
　　　（著，合著，刻，書，繪，攝影，曲等）著錄。次要之著
　　　者（編者，輯者，注疏者，校訂者，譯者等）著錄於其
　　　後。

2.2.2 二個以上著者（含次要著者）之著錄順序，原則上依書名
　　　頁等所題順序，並應配合該書著作過程之合理順序。

　　例：海明威（Hemingway, Gregory）著；余光中譯。

2.2.3 凡由三人以下合著，應題某某，某某合著；其為四人以上
　　　者，宜依其所題第一人著錄，後加一「等」字。

　　例：我們的榜樣／晏祖，何凡編；中東專輯／黃天中等輯

2.2.4 凡合集或叢書依主編者著錄，須於「內容註」註明各子目
　　　個別書名（篇名）及著者，並另立分析片。

2.2.5 凡個人著者之頭銜，團體名稱冠有財團法人，私立等字樣
　　　時，可省略不予著錄。

第三章　　版本段

3.1 凡版經修改增補者，謂之另版，其版次照該書所載「改訂新
　　版」，「第2版」，「增訂」等字樣著錄之。其初版可不
　　著錄，其稱「再版」「三版」等，而實非改訂或增訂者，

視同初版，不予著錄。某版之刷次亦不著錄。

3.3 凡與某一特定版本有關之著者，應著錄於該版次之後。

第四章　出版段

4.1 出版地

4.1.1 出版地以出版者所在之縣市，鄉鎮名著錄，其為院轄市，省縣轄市可逕著錄其名，並可省略「市」字。

例：臺北縣中和市：帕米爾

4.1.2 若同一出版者有二個以上出版地，只著錄書名頁等所題第一個出版地。

4.1.3 出版地不詳，亦無法推定者，則在其位置記「〔出版地不詳〕」等字樣。

4.2 出版者

4.2.1 出版者係指發行者而言，稱「某某印行」，如無混淆情形，「印行」二字可省略不記。

4.2.2 若同書並題有發行者及出版者，以發行者著錄，而將所題「出版者」在附註項中註明：某某出版。

4.2.3 凡一書有二個以上出版者，著錄其主要出版者，如無法辨明，則著錄書上所題第一個出版者。

4.2.4 凡出版者名稱過長者，得予簡化。

例：臺北：臺灣商務（原題：臺灣商務印書館股份有限公司）

4.2.5 凡出版者與著者相同時，出版者得省稱「著者印行」，「編者印行」。「印行」二字仍可省略。

4.2.6 凡經銷地，經銷者、製版地，製版者、印刷地，印刷者等均不予著錄，但如出版地，出版者不詳時，可代替其位置，稱：某某地，某某經銷。

4.3 出版年

4.3.1 凡現代出版之圖書，以其發行年份為出版年。

4.3.2 凡書名頁等所題出版年有不同時，以其最後年份為出版年。

4.3.3 凡一書數冊，而其出版年份不同時，須著錄其最初及最後之年份；若只一部分出版時，其最後之出版年應用鉛筆書寫，以便修改。

4.3.4 凡一書出版年不詳，可以著作權登記，印刷，序跋等之年份代書。若以上年份均不詳時，編目人員可憑經驗推定之。

　　　例：〔民國59年？〕；〔民國60年頃〕

第五章　稽核段

5.1 面數或冊數

5.1.1 凡一書之全部僅一冊者，著錄其面或頁數(二面為一頁)；凡書在一冊以上，著錄其冊數。

5.1.2 凡書中之頁數分二個以上部分，應分開著錄，但至多分成前部、正文及後部三部分，各部分之面數如未標出或合計之頁數，應以方括弧括起來。

　　　例：〔22〕457,64面。

5.1.3 若書中頁數繁雜或未標頁數，可著錄「1冊」。

5.2 插圖

凡插圖，於著錄時，但稱「圖」，凡插圖兩色以上者，著錄爲「彩圖」、「冠彩圖」等，圖像及地圖等亦同。

5.3 大小

5.3.1 大小以封面之高度著錄，以公分爲單位整數記載之。如18.2公分，記爲「19」公分。

5.3.2 其爲特殊長本，或橫本，則其封面之高廣均著錄之，中間以「×」連接。如12×25公分；如爲卷軸以紙輻之高計；如摺裝應著錄其展開之高廣。

第六章　叢書名段

6.1 叢書名

凡叢書名均記於圓括弧內，有二個以上叢書名，分別著錄。

6.2 副叢書名

凡一書除有叢書名外，尙有副叢書名，則將副叢書名著錄在該叢書名之後。

6.3 叢書編號

凡一書屬該叢書之編號，亦著錄在叢書名之後。

例：露營／魏寬毅譯.--臺北：徐氏基金會，民66.--（科學圖書大庫：童子軍科學叢書；第4輯第一冊）。

6.4 編者

書名頁等題有叢書之編者，得著錄在附註項中。

第七章　附註段

7.1 附註

凡編目員認為對於目錄各項有說明必要者，得為附註說明之。其著錄順序同上述各段，分段記載。

7.2 內容註及附錄註

內容註及附錄註著錄於各項註之後，此二種註之書名（或篇名）及著者敘述順序同第二章。

第八章　其他段

8.1 定價

定價記在裝訂之前，如有定價、特價（實價）等，只著錄定價。

例：新臺幣12元（精裝）.--新臺幣80元（平裝）

8.2 裝訂。

凡一書之裝訂依下列裝訂形式著錄之。

(1) 平裝：書葉摺疊釘合之後，外加書皮紙，緊包書背，稱平裝。

(2) 精裝：書葉摺疊裝合成圓背，外加厚紙，或皮或布者，稱精裝。

(3) 散葉：書葉不訂合，置於盒或袋中者。

第九章　目片之記載方法

9.1 基本格式

凡目片均使用標準卡片（7.5×12.5公分），其格式如下：

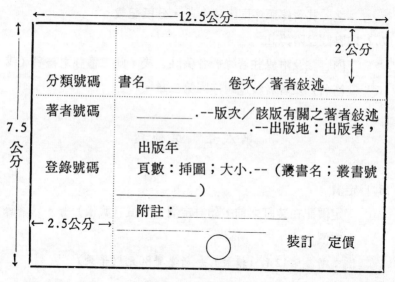

圖 1.　基本格式

續片之格式：

（主體書之） 分類號碼	分析著者□分析書名
著者號碼 （册次號）	（在某某叢書或某書內）

図 6.　著者分析片

第十章　書　碼

10.1　分類號碼

分類號碼根據圖書主題，於圖書館所採用之分類表找出號碼，記於目片之左上角。

10.2　著者號碼

著者號碼採用四角號碼者，可取姓之左上角與右上角；及名字各取其左上角之號碼。如 ^{8}曾^{06}國^{04}藩^{4}爲8064，胡適爲4730。

著者號碼採用其他方法者從其辦法。

著者號碼記於目片左上角分類號碼之下一行。

10.3　册次號

凡多册書之册次號碼可記於左邊中行登錄號之後。分析片則可記於著者號碼之下一行。

第十一章　目片排列法

11.1 書名片、著者片

書名片與著者片可採用逐字筆畫排列，同筆畫再依、一｜ノ丶筆順排，同書名再依著者排；同著者則再依書名排。

書名片與著者片可分櫃排列，亦可混合排列。

分析片亦同。

11.2 分類片依照分類號碼數序排列，同號碼再依著者號碼、冊次號排列。

附錄三　中文圖書分類簡表[*]
Table of the 1000 Sections

總　類

000 特藏
001 善本
002 稿本
003 精鈔本
004 紀念藏
005 國民革命文庫
007 鄉土文庫
008 畢業論文
009 禁書
010 目錄學
011 圖書學
012 總目錄
013 國別目錄
014 特種目錄
015 其他特種目錄
016 學科目錄
017 個人目錄

018 收藏目錄
019 讀書法
020 圖書館學
021 建築及設備
022 行政
023 管理
024 特種圖書館
025 專門圖書館
026 普通圖書館，公共圖書館
027 圖書館教育
028 資料中心
029 私家藏書
030 國學
031 古籍源流
032 古籍讀法及研究
033-037 各國漢學研究
038 漢學會議
039 漢學家傳記
040 類書；百科全書

---

*：摘錄自中國圖書分類法／賴永祥編訂.--增訂七版.--民78.--面7-20。

041 分類類書
042 摘錦類書
043 韻目類書
044 歲時類書
045 檢字類書
046 雜錄
047 兒童百科全書
049 各國百科全書
050 普通期刊
051 學術紀要；學刊
052 調查研究報告
053 機關雜誌
054 民眾娛樂雜誌
055 婦女家庭雜誌
056 青少年雜誌
057 普通畫報
058 普通年鑑
059 普通報紙
060 普通會社
061 國際性普通會社
062 中國普通會社
063-067 各國普通會社
068 基金會
069 博物院
070 普通論叢
071 雜考
072 雜說
073 雜講
074 雜品
075 雜纂
077 西學雜論
078 中國現代論集
079 各國普通論叢
080 普通叢書
081 前代叢書
082 近代叢書
083 現代叢書
084 輯逸叢書
085 外國叢書
086 郡邑叢書
087 翻譯叢書；西學叢書
088 族姓叢書
089 自著叢書
090 羣經
091 易
092 書
093 詩
094 禮
095 春秋
096 孝經
097 四書
098 群經總義
099 小學及樂類

哲學類

100 哲學總論
110 思想
120 中國哲學
121 先秦哲學
122 漢代哲學
123 魏晉六朝哲學
124 唐代哲學
125 宋元哲學
126 明代哲學
127 清代哲學
128 現代哲學
130 東方哲學
131 日本哲學
132 韓國哲學
133 猶太哲學
134 阿拉伯哲學
135 波斯哲學
136 中東各國哲學
137 印度哲學
138 東南亞各國哲學
140 西洋哲學
141 古代哲學
142 中世紀哲學
143 近世哲學
144 英國哲學

145 美國哲學
146 法國哲學
147 德奧哲學
148 意大利哲學
149 其他各國哲學
150 論理學
151 演繹
152 歸納
153 科學方法論
154 辯證邏輯
156 數理及象徵
157 機率；或然論
158 專業論理
159 論理各論
160 形而上學；玄學
161 認識論
162 方法論
163 宇宙論
164 本體論
165 價值論
166 眞理論
169 形而上學問題各論
170 心理學
171 實驗心理
172 生理心理
173 一般心理
174 比較心理

175 變態心理；超意識心理

176 心理學各論

177 應用心理

178 臨床心理

179 心理測驗

180 美學

181 美意識

182 美與感覺

183 美之形式

184 美之內容

185 美之感情

186 美之判斷

188 各派美學

190 倫理學

191 人生哲學

192 個人倫理；修身

193 家庭倫理

194 性倫理；婚姻

195 社會倫理

196 國家倫理

197 道德運動

198 職業倫理

199 道德各論

宗教類

200 宗教總論

201 宗教政策

203 宗教教育

209 宗教史

210 比較宗教學

211 宗教哲學

212 宗教道德

213 宗教行爲及組織

214 宗教文化

215 原始宗教

216 自然神學

217 各宗教比較論

219 宗教學史

220 佛教

221 經典

222 論疏

223 規律

224 儀注

225 佈教及信仰生活

226 宗派

227 寺院

228 教化流行史

229 傳記

230 道教

231 道藏

233 規律

234 儀注

235 修鍊

236 宗派

237 教會及組織
238 教化流行史
239 傳記
240 基督教
241 聖經
242 神學
243 教義文獻
244 實際神學
245 佈道
246 宗派
247 教會及其事業
248 教化流行史
249 傳記
250 回教
251 經典
252 論疏
253 規律
254 儀注
255 佈教
256 宗派
257 教會及組織
258 教化流行史
259 傳記
260 猶太教
261 經典
262 教義
263 規律

264 儀注
265 佈教
266 宗派
267 教會
268 教化流行史
269 傳記
270 群小諸宗教
271 中國其他各教
272 祠祀
273 神道
274 婆羅門教；印度教
275 祆教
276 其他東方諸宗教
277 希臘羅馬之宗教
278 條頓系及北歐宗教
279 其他
280 神話
290 術數；迷信
291 陰陽五行
292 占卜
293 命相
294 堪輿
295 巫祝；巫醫；符咒
296 通感術
297 異象；奇聞
298 迷信；禁忌
299 各國迷信

自然科學類

300 自然科學總論
308 科學叢書
309 科學史
310 數學
311 古算經
312 算術
313 代數
314 分析
315 拓樸
316 幾何
317 三角
318 解析幾何
319 應用數學
320 天文
321 理論天文學
322 實踐天文學
323 天象
324 天文地理
325 月球
326 太空科學
327 歲時；曆法
328 氣象
329 超高層大氣學
330 物理
331 理論物理學

332 力學
333 物質
334 聲；音響
335 熱
336 光
337 電；電子
338 磁學
339 現代物理
340 化學
341 分析化學
342 定性分析
343 定量分析
344 理論化學
345 無機化學
346 有機化學
347 實驗設備及實驗化學
348 物理化學
349 結晶學
350 地質
351 地形學、地文學
352 歷史地質學（地層學）
353 結構地質學
354 動力地質學
355 經濟地質學
356 地質調查（區域地質）
357 礦物學
358 岩石學

359 古生物學

360 生命科學

361 普通生物學

362 演化論

363 遺傳學

364 細胞論

365 經濟生物學

366 生物之分佈；生物地理

367 生態學

368 生物學技術

369 微生物學

370 植物

371 植物形態

372 植物解剖

373 植物生理

374 應用植物學；經濟植物學

375 植物之分佈；植物地理

376 種子植物

377 單子葉綱

378 孢子植物

379 同節植物

380 動物

381 動物形態

382 動物解剖

383 動物生理

384 應用動物學

385 動物之分佈；動物地理

386 無脊椎動物

387 節肢動物

388 脊椎動物

389 哺乳類

390 人類學

391 自然人類學

392 人種學；人類之分佈

394 解剖學

395 組織學，顯微解剖學

396 胎生學

397 生理學

398 各部生理

399 生化學，醫化學

應用科學類

400 應用科學總論

410 醫學

411 衛生學

412 公共衛生

413 ·中國醫藥

414 中國醫方；本草

415 西法醫學

416 外科

417 婦產科；老幼科

418 藥物及治療

419 醫療設施；醫師及護理

420 家事

421 家庭經濟；家庭管理

422 家屋及其設備

423 衣飾

424 美容

426 家庭手藝

427 飲食；烹飪

428 育兒

429 家庭衛生

430 農業

431 農業經營

432 農藝

433 農業災害

434 農作物

435 園藝

436 森林

437 畜牧；漁獵；家畜

438 蠶桑；蜂；蠟

439 農產製造

440 工程

441 土木工程

442 道路；鐵道

443 水利工程

444 船舶工程

445 市政及衛生工程

446 機械工程

447 陸空交通器具工程

448 電氣工程

449 核子工程

450 礦冶

451 礦業經濟

452 探礦；選礦；採礦

453 金屬礦

454 冶金；合金

456 煤礦

457 石油礦及石油工業

458-459 非金屬礦物礦

460 應用化學；化學工藝

461 化學藥品

462 爆炸品；燃燒；照明

463 食品化學；營養化學

464 陶磁；窯業

465 染料；顏料；塗料

466 油脂工業

467 高分子化學工業

468 電氣化學工業

469 其他化學工藝

470 製造

471 精密機械工藝

472 金屬工藝

473 石工

474 木工

475 皮革工藝

476 造紙工藝

477 印刷術

478 纖維工藝

479 雜工藝

480 商業；各種營業

481 食糧營業

482 其他農產品營業

483 畜牧水產品業；飲食等業

484 工業品營業

485 化學工藝品營業

486 礦產品業

487 製產品業

488 紡織品及衣料業

489 其他各種營業

490 商學；經營學

491 商業地理

492 商政

493 商業實踐

494 企業管理

495 會計

496 商品學；市場學

497 廣告

498 商店

499 各公司行號誌

社會科學類

500 社會科學總論

509 社會思想史

510 統計

511 統計學各論

512 統計資料之處理

513 統計機關

514 各國統計

515 人口統計

516 生命統計

517 國民所得統計

518 應用統計學

519 各科統計

520 教育

521 教育心理及教學

522 教師及師範教育

523 初等教育

524 中等教育

525 高等教育

526 教育行政

527 管理；訓育；輔導

528 各種教育

529 特殊人教育

530 禮俗

531 禮經

532 通禮

533 邦禮

534 家禮

535 民族學

536 民族誌

537 原始風俗

538 民俗學；各國風俗
539 謠俗；傳說
540 社會
541 社會學各論
542 社會問題
543 社會調查報告；社會計劃
544 家庭，族制
545 社區
546 社會群及團體
547 社會工作
548 社會病理及緩和
549 社會改革論
550 經濟
551 經濟學各論
552 經濟史地
553 生產、企業及政策
554 土地問題
555 實業；工業
556 勞工問題
557 交通及運輸
558 貿易
559 合作
560 財政
561 貨幣、金融
562 銀行
563 金融各論
564 公共理財

565 各國財政狀況
566 地方財政
567 賦稅
568 關稅
570 政治
571 國家論
572 行政制度
573 中國行政制度
574 各國政治
575 地方制度
576 政黨
577 移民及殖民
578 國際關係
579 國際法
580 法律
581 憲法
582 中國法規彙編
583 各國法規
584 民法
585 刑法
586 訴訟法
587 商法
588 行政法
589 司法及司法行政
590 軍事
591 軍政
592 兵法；作戰

593 訓練及教育

594 後勤；軍人生活

595 軍事技術

596 陸軍

597 海軍

598 空軍

599 國防；防務

史 地 類

600 史地總論

601 歷史學

602 年表

603 史學研究法

604 史學辭書

605 史學期刊

606 史地學會；史學會議

607 史地雜著

608 史地叢書

609 地理學

610-620 中國史地

610 中國通史

621-628 中國斷代史

621 先秦史

622 漢及三國史

623 晉及南北朝史

624 唐及五代史

625 宋及遼金元史

626 明史

627 清史

628 民國史

630 中國文化史

631-638 斷代文化史

639 民族史

640 中國外交史

641 前代中國外交史

642 現代中國外交史

643 中國與亞洲

644 中國與歐洲

645 中國與美洲

646 中國與非洲

647 中國與澳洲及其他

648 中國與國際機構

649 中國各地方外交史

650 史料

651 詔令

652 奏議公牘

653 起居注

654 實錄

655 檔案

656 族檔

657 公報

658 史料叢刊

659 雜史料

660 地理總志

661-668 各代地理志
669 歷史地理
670 方志
671-676 各省方志
677 臺灣志
679 方隅史
680 類志
681 都城；疆域
682 水
683 山
684 名勝古蹟
685 人文地理
686 經濟地理
687 人物
688 文獻
689 雜記
690 中國遊記
710 世界史地
711 世界通史
712 斷代史
713 文化史
714 外交史
715 史料
716 地理
717 區域
718 類志
719 遊記

720 海洋
721 太平洋
722 北太平洋
723 南太平洋
724 印度洋
725 大西洋
726 地中海
727 北極海
728 南極海
729 航海記彙編
730 東洋史地
731-739 亞洲各國
740 西洋史地
741-749 歐洲各國
750-759 美洲各國
760-769 非洲各國
770-779 澳洲及其他各國
780 傳記
781 世界名人合傳
782 中國人傳記
783 東方各國人傳記
784-787 西洋各國人傳記
788 各科名人合傳
789 譜系
790 古物；考古
791 古物彙考
792 甲骨

793 金

794 石

795 古書畫・古文書

796 磚瓦陶及雜器

797 中國古物志

798 各國古物志

799 系統考古學；史前古物

語文類

800 語言文字學

801 比較語言學

802 中國語言文字

803 東方語言文字

804 西方語言文字；印歐語系

805 日耳曼語系

806 斯拉夫語系

807 其他印歐語言

808 美非澳洲語等語言

809 人為語

810 文學

811 寫作，翻譯及演說術

812 文藝批評

813 總集

815 特種文藝

819 比較文學

820 中國文學

821 詩論

822 賦及其他韻文論

823 詞論、詞話

824 戲曲論

825 散文論

826 函牘及雜著評論

827 小說論

828 語體文論；新文學論

829 文學批評史

830 總集

831 詩總集

832 辭賦及韻文總集

833 詞總集

834 戲曲總集

835 散文總集

836 國文課本

837 語體文總集

838 婦女作品總集

839 各地藝文總集

840 別集

850 特種文藝

851 詩

852 詞

853 曲

854 劇本

855 散文：隨筆、日記

856 函牘及雜著

857 小說

858 民間文學
859 兒童文學
860 **東方文學**
861 日本文學
862 韓國文學
863 遠東各地文學
864 中東文學
865 阿拉伯文學
866 波斯文學
867 印度文學
868 東南亞各國文學
870 **西洋文學**
871 古代西洋文學
872 近代文學
873 英國文學
874 美國文學
875 德國文學
876 法國文學
877 意國文學
878 西班牙文學
879 葡萄牙文學
880 俄國文學
881 北歐各國文學
882 中歐各國文學
883 東歐各國文學
885 美洲各國文學
886 非洲各國文學

887 澳洲及其他各地文學
889 西洋小說
890 **新聞學**
891 政策及法規
892 組織
893 編輯
894 新聞營業
895 採訪及寫作
896 通訊社
898 中國新聞業
899 各國新聞業

美術類

900 **美術總論**
901 美術理論
902 美術圖譜
909 美術史
910 **音樂**
911 樂理及音樂技巧
912 合奏及樂團
913 聲樂；歌曲
914 舞樂
915 劇樂
916 絃樂
917 鍵盤樂器
918 管樂；簧樂
919 機械樂

920 建築美術

921 建築美術設計

922 中國建築

923 各國建築

924 宮殿及城廓

925 道路及橋樑

926 公共美術建築物

927 宗教建築物

928 民屋；住宅建築

929 風景建築；造園

930 彫塑

931 篆刻；刻印

932 彫塑方法

933 木彫

934 石彫

935 金銅彫

936 象牙彫；角彫；骨彫等

937 版畫

938 陶磁（窯業美術）

939 塑像

940 書畫

941 書畫目

942 書法

943 法帖

944 畫法

945 畫冊

946 東洋畫

947 西洋畫

948 各種西洋畫法

949 西洋畫各派

950 攝影

951 材料用品攝影器材設備

952 攝影技術、方法

953 拍攝藝術

954 特殊攝影

955 攝影術之應用

956 攝影作品論

957 專題攝影集

958 普通攝影集

959 攝影業；攝影師

960 圖案；裝飾

961 圖案與紋樣

962 工業意匠

963 色彩及配色

964 商業意匠

965 裝飾文字

966 地毯美術

967 室內裝飾

968 玻璃美術

969 美術傢俱

970 技藝

971 花道、插花

972 紙藝

973 香道

974 茶道
976 舞蹈，跳舞
980 戲劇
981 戲院；演出；演技
982 中國戲劇
983 東洋戲劇
984 西洋戲劇
985 學校演劇
986 木偶戲
987 電影
989 其他各種戲劇

990 遊藝；娛樂；休閒
991 公共娛樂
992 旅行觀光
993 戶外遊戲
994 水上遊戲
995 戶內遊戲
996 兒童遊戲
997 智力遊戲
998 博戲
999 業餘遊玩

附表一　總論複分表
－01　理論，方法
－02　綱要；表解
－03　教育及研究
－04　辭典；類書
－05　期刊；雜誌
－06　會社；機關；團體
－07　雜文演講錄
－08　叢書
－09　歷史及現況

附表二　中國時代表
－1　先秦
－2　漢及三國
－3　晉及南北朝
－4　唐及五代
－5　宋及遼金元
－6　明
－7　清
－8　現代民國

附錄四
編目用品與傢俱

1. 運書車

三層運書車　H1060×L830×W430

二層運書車　H920×L760×W430

2.卡片、書後卡、到期單、書後袋、導卡

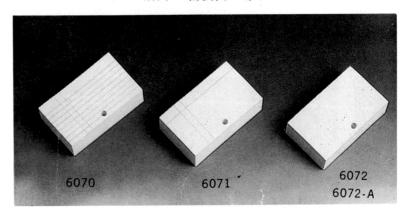

6070　　　6071　　　6072
　　　　　　　　　　　　6072-A

6072-A影印專用卡，卡面光
滑平整，觸感好，密度高，印
後字跡清晰，是最上乘的卡片

■ **6070**　雙色線卡　■ **6072**　白卡片
■ **6071**　單色線卡　■ **6072-A**　影印專用卡

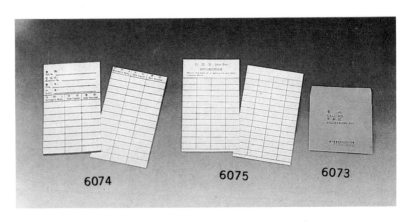

6074　　　6075　　　6073

■ **6074**　書後卡
■ **6075**　到期單
■ **6073**　書後袋

卡片規格12.5cm×7.5cm
包裝：每壹仟張一包

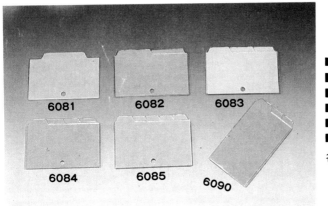

膠套導卡
（採用不褪色，日製原色卡）

■ **6081**　全分
■ **6082**　二分
■ **6083**　三分
■ **6084**　四分
■ **6085**　五分
■ **6090**　三分日期導卡

各種分數均有
　米黃色、淺藍色、粉紅色
三種顏色

3. 電筆（寫索書號用）

■ **6094** 自動恆溫控制式電筆

4. 書標

書標式樣表

顏色式樣表

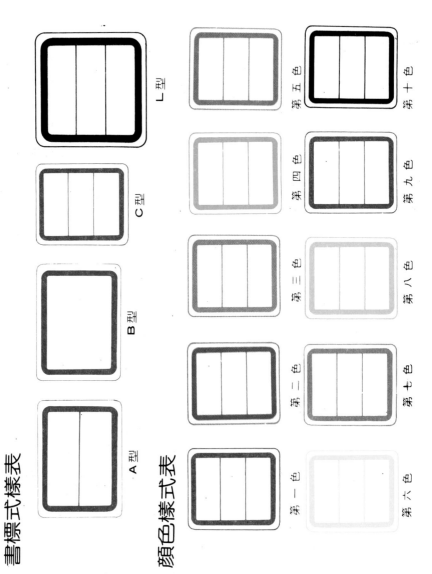

5.排片匣

■6093 中英兩用壓克利製傾斜式排卡盤

■6093-A 中英兩用木製傾斜式排卡盤

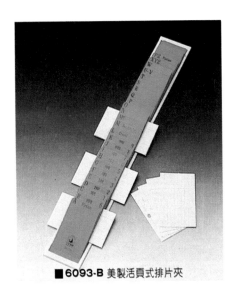

■6093-B 美製活頁式排片夾

■ **1060-A (PX)** H1510×L1040×D450　落地型

6. 目錄櫃及抽屜

PS型抽爬

ABS塑鋼製是P型抽爬的改良型
新型全隱藏式心軸彈出裝置爲最進步之目錄櫃由於心
軸木再凸出於抽爬表面，故更增加表面之美感

附錄五　　主要參考資料

論　文

1. 三種常用中文檢字法之檢討與應用及中文電腦排檢系統之現況／陳茵著．--民68年7月．--面87-101；26公分．--（圖書館學刊〔輔大〕；8）

2. 中文圖書編目概述／鄭美珠著．--民71．--面 36-42；26公分．--（知新集；16）

3. 中國編目規則研訂經過及其預期的效果／藍乾章著．--民71年12月．--面36-41；26公分．--（國立中央圖書館館刊；新15卷1-2期）

4. 中國圖書分類法、中國圖書十進分類法之比較研究／王錫璋著．--民69年4月．--面1-86；21公分．--（圖書與圖書館論述集）

5. 中國機讀編目格式之發展及其應用／中國機讀編目格式工作小組著．--民71年12月．--面6-27：圖；26公分．--（國立中央圖書館館刊；新15卷1-2期）

6. 我國圖書館自動化作業之現況及展望／王振鵠著．--民71年12月．--面1-5；26公分．--（國立中央圖書館館刊；新15卷1-2期）

7. 近年來中文分類編目的新措施／黃淵泉著．--民61年7月．--面111-116：圖；21公分．--（第一次全國圖書館業務會議記要）

8. 楷書筆順研究／顧大我著．--民67年6月．--面25-36；21

公分 .‑‑（敎學研究專題報告. 第二輯／臺北市立女子師專編）

9. 論中文分析編目／李志鍾著 .‑‑民 61 年 7 月.‑‑面 95‑102：圖；21公分.‑‑（第一次全國圖書館業務會議記要）

10. 圖書館工作自動化問題／沈寶環著.‑‑民 60 年 6 月.‑‑面 311‑328：圖；26公分.‑‑（圖書館學報；11）

單行本

1. 中文圖書分類編目實務 ／ 熊逸民編著 .‑‑臺北市： 編著者，民56.‑‑8,230面：圖；21公分

2. 中文圖書標題總目初稿／圖書館自動化作業規劃委員會中文圖書標題總目研訂小組編訂.‑‑臺北市： 國立中央圖書館，民73.‑‑14,198 面；26公分

3. 中外圖書統一分類法／王雲五編.‑‑臺二版.‑‑臺北市：臺灣商務，民58.‑‑105,79,69面；19公分.‑‑（人人文庫；254‑255）

4. 中國圖書十進分類法 ＝Chinese decimal classification／何日章編.‑‑四版.‑‑臺北市：編者，民61.‑‑535面；21公分

5. 中國圖書分類法／國立金陵大學編 ；熊逸民增補.‑‑增補版.‑‑臺北市：增補者，民47.‑‑235面；21公分

6. 中國圖書分類法／賴永祥編訂.‑‑增訂七版.‑‑臺北市：編訂者，民78.‑‑12,825面：圖；21公分.‑‑（現代圖書館學叢刊；1）

7. 中國圖書分類法索引／賴永祥編訂 .‑‑臺北市：編訂者，民53.‑‑2,271面；21公分.‑‑（現代圖書館學叢刊；2）

8. 中國編目規則／圖書館自動化作業規劃委員會中國編目規

則研訂小組編訂．--臺北市：國立中央圖書館，民72.--8,199 面；21公分

9.中國機讀編目格式／圖書館自動化作業規劃委員會中國機讀編目格式研訂小組編.--第二版.--臺北市：國立中央圖書館，民73.-- 2冊；26公分

10.中華民國出版圖書目錄 ／ 國立中央圖書館編目組編輯.--臺北市：編輯者，民60— 　　．--　　冊；26公分.--（月刊本、年刊本、五年彙編本）

11.目錄學／姚名達著 .-- 臺一版 .-- 臺北市：臺灣商務，民60.--〔17〕,244面；19公分.--（人人文庫；1652-1653）

12.次常用國字標準字體表／教育部社會教育司編 ， --臺北市：正中，民71.--318,220面；21公分

13.西文圖書分類與編目／梁津南著.--臺北市：著者，民74.-- 2冊；21公分.--（圖書館學叢書；18-19）

14.現代圖書館系統綜論／黃世雄著.--臺北市： 臺灣學生，民74.--〔10〕,495面：圖；21公分.--（圖書館學與資訊科學叢書）

15.常用國字標準字體表／教育部部編 .-- 臺修一版 .-- 臺北市：臺灣學生，民71.--9,250面；21公分

16.國立中央圖書館中文圖書編目規則／國立中央圖書館編訂.--增訂修正版.--臺北市：編訂者，民48.--6,139面：格式；19公分

17.國際標準書目著錄發展史研究／方仁著 .-- 臺北市：文史哲，民74.--〔16〕,252面；21公分

18.參考資訊服務／胡歐蘭著.--臺北市：臺灣學生，民72.--

382面：圖；21公分．--（圖書館學與資訊科學叢書）

19.圖書分類法導論／王省吾編著．--再版．--臺北市：中華文化出版事業社，民53．--179面；19 公分．--（現代國民基本知識叢書第三輯）

20.圖書排架工作／傑西（William A. Jesse）著；黃時樞譯．--臺北縣中和鄉：旋風，民47．--19,79面：圖；19 公分．--（圖書館學叢刊；1）

21.圖書與圖書館利用法／吳哲夫、鄭恆雄、雷叔雲著．--臺北市：行政院文建會，民73．--30,221面：圖；21公分．--（文化設施叢書；2）

22.圖書館經營法／藍乾章編著．--增訂四版．--臺北市：編著者，民67．--〔11〕,315面：圖；21公分．--（中國圖書館學會叢刊；2）

23.圖書館學／中國圖書館學會出版委員會編．-- 臺北市：臺灣學生，民63．--6,565面：圖；21公分

24.圖書館學名詞解釋／倪寶坤譯註．--臺北市：中國圖書館學會，民50．--11面：圖；26公分

25.圖書館學要旨／〔劉國鈞著〕．--臺北市：臺灣中華，民47．--162面：圖；19公分

26.圖書館學辭典＝Dictionary library science／楊若雲主編．--臺北市：五洲，民73．--421面；21公分

27.圖書學大辭典／盧震京著．--修訂臺一版．--臺北市：臺灣商務，民60．--〔69〕,595,〔237〕面：圖；19公分

28.UDC: a brief introduction/Geoffrey Robbinson.--Hague, Netherland: FID, 1979.--8p.; 21 cm

29.Anglo-American cataloging rules/ed. by Michase Gorman, Paul W. Winkler.--2nd ed.--Chicago: ALA, 1978.--17,620p.; 26 cm.

30.國際十進分類法／日本ドクメンテーション協會編 .-- 日本語中間版第二版.--日本東京：編者，1980.-- 2 冊；27公分

附錄六 索 引

二 畫

七志／（南北朝）王儉 47,236

七略 235

七錄／（南北朝）阮孝緒 47,
236

人名標目 162

三 畫

工具書 44

于鏡宇 52

小册子 6,15

凡例 23

文淵閣書目 48

四 畫

（南北朝）王儉 47

天祿琳瑯書目 49

比例尺 375

不定期刊 366

互見 46

（宋）尤袤 47

中文資訊交換碼 見 全漢標
準交換碼 194,396

中文圖書標題總目初稿
50-51,397

中文圖書編目條例草案／劉國
鈞 50

中文檢字法 322

　部首檢字法 322

　四角號碼法 322

　拼音音序法 323

　筆畫筆順法 324

中外圖書統一分類法／王雲五
50,246

中國十進分類法／皮高品 247

中國圖書十進分類法／何日章
51,247

中國圖書分類法 269

中國圖書分類法／賴永祥

51,270,401

中國圖書分類法／劉國鈞
　50,246

中國圖書館學會　50-52,191,
　396

中國編目規則　43,52-55,
　397,400

中國機讀編目格式　51-52-
　192,193,398

中華民國中文期刊聯合目錄
　396

中華民國出版圖書目錄　33,
　34,36,38,39,43

中經新簿　46,237

內容註　142,179

分列式目錄　29

分析　46

分析片　178

分析書名　148,157

分析款目　5,59,178

分析著者　148,161

分析編目　178

　叢書　178

　多册書　178

內容註子目　179

　在分析　181

分類　225

分類工作目標　296

分類工作程序　299

分類目錄　28,45

分類目錄排列法　332

分類法　7,43,225-320

　基本條件　230

分類規則　304

分類排架法　319

分類號　58,301

公共目錄　見　讀者目錄　27

公務目錄　5,26

幻燈片　16

五　畫

主要著錄來源　7,61

立體資料　64,390

主題目錄　見　標題目錄　28

正文　23

正書名　75,137,150

古越藏書樓書目　243

卡片目錄　7,31,49

目片格式 172,174

目次 23

目錄 7,26,56,57

　種類與功能 26

　公務目錄 26

　讀者目錄 27

　書名目錄 27

　著者目錄 28

　分類目錄 28

　標題目錄 28

　字典式目錄 28

　分列式目錄 29

　總目錄 30

　聯合目錄 30

　部門目錄 31

　書本目錄 32

　活頁目錄 33

　縮影目錄 33

　機讀目錄 33

目錄使用說明 344

目錄排列法 321

目錄組織工作 321

目錄維護 348

目錄學 29,40

目錄檢查 348

四分法　見　四部分類法 46

四角號碼法 322

四角號碼著者號碼法 311

四庫分類法 49,239

四庫全書總目 239

四庫全書總目提要 48

四部分類法 47,237

出版日期 10,116,117

出版地 106,109,111

出版年 106,116

　版權年 118

　印製年 119

　序跋年 120

出版者 11,106,112,113　參見

　發行者 6,107,112,114

出版項 10,54,58,106

冊次號 316

冊數 125

外文目錄排列法 335

外國著者譯名 98

六　畫

字典式目錄 9,28

字順目錄 4

交替書目　見　別書名　78

地名標目　171

地圖資料　63

地圖資料著錄法　374

西洋人名標目　162,168

在分析　181

在版編目　7

年代號　見　版次號　315

多冊書　118,136,178,351,355

多冊書著錄法　355

多層次出版品　84

多層編目　185

仿杜威書目十類法／沈祖榮，
　胡慶生　244

印次　102

印刷卡片　50,51

印製年　119

印製事項　115

行政院國家科學委員會科學技
　術資料中心　396

全部出版　4

全國西文科學期刊聯合目錄
　396

全漢字標準交換碼　396

合作編目　8,399

合訂本　6

合訂書名　見　總書名　8,81

合著者　10,160

七　畫

完全著錄　7,362,363

序言　22

序言日期　10

序跋年　120

技術服務　1

杜氏分類法／杜定友　245

杜威十進分類法　50,248

形式複分　9

改編書　4

（南北朝）阮孝緒　47

見法　11

「見」參照　337

別書名　5,78,150

私家藏書目錄　48

八　畫

定價　147

刻本　105

卷期　360

卷軸　16,18

卷端書名　7

卷數　86

並列書名　80

長本　129

東方人名標目　162

其他書名　150

其他語文書名　83

拓片　64,388

到期單　190

附件　4,130

附註項　58,136

附錄　5,24

明史藝文志／（清）張廷玉
　48

非書資料　13

版本　102

版本叙述　103

版本叙述（善本）　369

版本項　54,57,102

版本學　40

版次　9,102,315

版次號　315

版式　17,20

版框　369

版權年　8,118

版權頁　22

金陵大學圖書館　246

九　畫

活頁　126

活頁目錄　33

帝王廟號標目　166

冠圖　22

美國國會圖書館　43

美國國會圖書館機讀編目格式
　（LC MARC）　191

前置部分　22

　簡略書名頁　22,23

　冠圖　22

　書名頁　22

　版權頁　22

　謝辭頁　22

　獻辭頁　22

　題辭頁　22

　序言　22

目次　23

插圖　23

導言　23

凡例　23

封面題名　8

政府出版品　110

政長首長著者　160

政府機關團體標目　170,172

拼音音序法　323

桃園縣立文化中心圖書館目錄

　使用法　346

南洋中學書目　244

面數　121

英美編目規則（AACR）

　5,51

重印本　117

後附部分　24

　補遺　24

　附錄　24

　跋　24

　索引　24

　參考書目　24

　書末頁　24

十　畫

高廣　129

索引　24

索書號　7,308

校讎通義　39

原書名　82,150

原著者　159

書末頁　8,24　參見　版權頁

　22

書本目錄　6,32

書卡　187

書目　56

書目記述　6

書目控制　6

書目單元　6

書目答問／（清）張之洞

　49,242

書目資料　6

書名　12,74

書名及著者敘述項　54,74

書名分析片　180

書名目錄　27

書名目錄排列法　325

書名頁　12,22

書名款目　12

書名項　57,74

書名著錄法　74

書名檢索款目　150

書袋　6,189

書標　186

書號　6

展覽會名稱標目　160,170,172

（晉）荀勖　46,238

特殊著錄項目　58,68

　　分類號　58

　　追尋項　59

　　分析款目　59

　　館藏記載　59

個人著者　92

追尋項　12,59,101,148

　　標題　148

　　檢索款目　148

十一畫

（清）章學誠　39

部分書名　10

部門目錄　31

部首檢字法　322

旋風裝　17,18

視聽資料　5,16

　　錄音資料　16

　　錄影資料　16

　　靜畫資料　16

教育資料庫　396

教育論文摘要　396

連續性出版品　8,14,62,118,
　　351

副書名　12,78

副書名頁　4

副書名頁題名　4

副款目　4

副叢書名　133

基本著錄格式　69,172

基本著錄項目　56-58,68

　　書名項　57

　　著者項　57

　　版本項　57

　　出版項　58

　　稽核項　58

　　叢書項　58

　　附註項　58

標準號碼及其他必要記載
　　項　58

接續片　9

排架目錄　11,27,318

排架說明　320

匿名經典　5

通志　48

唱片　16,63,381,384

國立中央圖書館　33,37,50-
　　53,87,191,396

國立中央圖書館中文圖書編目規
　　則　43,50,5-1,53,400

國立中央圖書館卡片目錄使用說
　　明　345

國立中央圖書館善本書目　242

國立中央圖書館著者號碼編製規
　　則　313

國立中央圖書館電腦產品推廣辦
　　法　37,397

國立中央圖書館編目組　352

國立北平圖書館　50,51

國立臺灣師範大學圖書館　396

國家藏書目錄　45-48

（美國）國家聯合目錄　43

國語注音音序法　323

國際十進分類法　261

國際圖書館協會聯盟 (IFLA)
　　51

國際標準書號　54,132,146

　　國際標準圖書號碼　146

　　國際標準叢刊號碼　132,146

國際標準著錄規則 (ISBD)
　　47,51,184

國際標準圖書號碼　146

國際標準叢刊號碼　132,146

國際機讀編目格式
　　(UNIMARC)　55,193

崇文總目　47

第一著錄層次　60

第一縮格　9,172

第二著錄層次　60

號二縮格　11,172

第三著錄層次　61

第三縮格　12,173

透明圖片　16

停刊處理　見　完全著錄　7,362,363

假名　10

參考書　14

參考書目 24

「參見」參照 9,339

參見法 1J

參照 11

善本圖書 63,368

十二畫

補三史藝文志／（清）金門詔
48

補元史藝文志／（清）錢大昕
48

補遼金元藝文志／（清）盧文弨
48

補遺 24

款目 9,55

期刊 10,351,356

期刊論文索引 367

插圖 10,23,126

登錄號碼 4,319,335

發行者 6,107,112,114

隋書經籍志 47,238

著者 158

著者目錄 28

著者目錄排列法 328

著者分析片 180

著者叙述 90

著者款目 5

著者項 57

著錄項目 56

　基本著錄項目 56

　特殊著錄項目 56,58

　圖書館業務註記 56,59

著者號21,310

著者檢索款目 158

著錄 5.5

著錄法 73

著錄來源 22,61

　圖書 61

　連續性出版品 62,357

　善本圖書 63,368

　地圖資料 63,371

　樂譜 63

　錄音資料 63,381

　電影片及錄影資料 63,384

　靜畫資料 64,371

　立體資料 64,390

　拓片 64,389

　縮影資料 64,397

　機讀資料檔 64,392

著錄格式　68

著錄詳簡層次　54,60

　第一著錄層次　60

　第二著錄層次　60

　第三著錄層次　61

跋　24

單元卡制　12,179

單行本　10

創刊號　360

創作者　見　著者　158

筆名　97,167

筆畫筆順法　324

集中編目制　7

集叢項　叢書項　54,58,131

十三畫

新簿　46

資料類型標示　54,72

遂初堂書目　48

電影片　16,63,384

萬象圖書分類法　45

解題目錄　46

會議名稱標目　160,170,172

經摺裝　17,18

十四畫

漢志　見　漢書藝文志　45,235

漢書　39,235

漢書藝文志　45,235

說明書　6

說明參照　340

複本　4

複本處理　103

複本號　8,317

複印本　64

劃一書名　8,152

團體著者　92,160

團體標目　169

圖片　15,16,371　參見　靜畫

　資料　16

圖版　121

圖書　61

圖書分類　6,225

圖書分類法　見　分類法

　43,225-320

圖書分類標準　227

圖書目錄學／杜定友　50

圖書形制　16

圖書著錄法 46

圖書資料 13

圖書館自動化作業 見 圖書
館機械化作業 395

圖書館自動化作業計畫
52,396

圖書館自動化作業規劃委員會
52,191

圖書館作業 1

圖書館業務註記 59,68

種次號 315

僧尼法名標目 165,166

十五畫

寫本 105

論文索引 184

（宋）鄭樵 48

（三國）鄭默 46

增補書名 5

搨本 105

橫本 129

標目 10,55,148,149

標記 10

標準號碼 見 國際標準書號

54,132,146

標準號碼及其他必要記載項
58,146

標點符號 65

標題 11,148

標題分析片 181

標題片 11

標題目錄 28

標題目錄排列法 330

標題法 227

標題表 43

影印本 110

蝴蝶裝 17,19

稽核項 7,47,54,58,121

　面數／册數 121

　插圖 126

　高廣 129

　附件 130

樂譜 63,386

（漢）劉向 39,235

（漢）劉歆 45

線裝 17,20

編目工作手册 42

編目工作目標 42

編目自動化作業　見
　編目機械化作業　37,395
編目法　42-224,351-393
編目規則　7,43,49,56
編目標準化　400
編目機械化作業　37,395
編次項　89
編者　9
（美國俄亥俄州）線上資訊圖
　書館中心（OCLC）　397

十六畫

導片　9,341
導言　23
靜畫資料　16,64,371
輯者　8
機關團體款目　8
機讀目錄　37
機讀資料　15
機讀資料檔　64,390
機讀編目　191
機讀編目格式（MARC）　191
館藏記載　59,145
錄音帶　16,63,381,384

錄音資料　16,63,381,384
　唱片　16,63,381,384
　錄音帶　16,63,381,384
錄影帶　16,63,384
錄影資料　16,63,384,
　電影片　16,6,384
　錄影帶　16,63,384

十七畫

謝辭頁　22
聯合目錄　30
檢字目錄　見　字典式目錄
　9,28
檢字表　43
檢索款目　148
檢索點　4
縮影目錄　33
縮影資料　15,64,378
總目錄　28　參見　聯合目錄
　28
總書名　8

十八畫

藏書目錄　41

題辭頁　22

叢刊　11,351

　叢書　11,178,351

　連續性出版品　351

叢書　11,179,351

叢書分類單本編目　352

叢書名　132,156

叢書並列書名　133

叢書款目　11

叢書項　54,58,131,351

　叢書名　132

　副叢書名　133

　叢書並列書名　133

　叢書號　134

叢書號　134

簡略書名　9

簡略書名頁　22

歸類　301

十九畫

關係版本著者叙述　102

獻辭頁　22

羅馬拼音音序法　323

二十一畫以上

續片　8,70,175

續卷　4

續編號　315

讀者目錄　27

權威記錄　5

權威檔　43,162

中文圖書分類編目學／黃淵泉著.--臺北市：臺
灣學生，民 75
　　8,515面：圖，格式；21公分.--（圖書館學與資訊
科學叢書）
　　附錄：1.國際標準書目著錄規則（單行本），第一
標準版之中譯文等4種；2.主要參考資料；3.索引
　　ISBN 957-15-0243-X（精裝）
　　ISBN 957-15-0244-8（平裝）

1.編目-中國語言 2.圖書分類法-中國語言 I.黃淵泉著
023.41/8349

中文圖書分類編目學（全一冊）

著 作 者：黃　　　　淵　　　　泉
出 版 者：臺　灣　學　生　書　局
本書局登
記證字號：行政院新聞局局版臺業字第一一〇〇號
發 行 人：丁　　　文　　　治
發 行 所：臺　灣　學　生　書　局
　　　　　臺北市和平東路一段一九八號
　　　　　郵政劃撥帳號00024668
　　　　　電　話：3634156
　　　　　FAX:(0 2) 3636334
印 刷 所：淵　明　印　刷　公　司
　　　　　地　址：永和市成功路一段43巷五號
　　　　　電　話：9287145

　　定價　精裝新台幣四六〇元
　　　　　平裝新台幣三八〇元

中 華 民 國 七 十 五 年 九 月 初 版
中 華 民 國 八 十 五 年 四 月 修 訂 五 刷

ISBN 957-15-0243-X（精裝）
ISBN 957-15-0244-8（平裝）

臺灣 **學生書局** 出版

圖書館學與資訊科學叢書

①中國圖書館事業論集	張　錦　郎　著
②圖書・圖書館・圖書館學	沈　寶　環　著
③圖書館學論叢	王　振　鵠　著
④西文參考資料	沈　寶　環　著
⑤圖書館學與圖書館事業	沈　寶　環　編　著
⑥國際重要圖書館的歷史和現況	黃　端　儀　著
⑦西洋圖書館史	Elmer D. Johnson 著　尹　定　國　譯
⑧圖書館採訪學	顧　　　敏　著
⑨國民中小學圖書館之經營	蘇　國　榮　著
⑩醫學參考資料選粹	范　豪　英　著
⑪大學圖書館之經營理念	楊　美　華　著
⑫中文圖書分類編目學	黃　淵　泉　著
⑬參考資訊服務	胡　歐　蘭　著
⑭中文參考資料	鄭　恆　雄　著
⑮期刊管理及利用	戴　國　瑜　著
⑯兒童圖書館理論／實務	鄭　雪　玫　著
⑰現代圖書館系統綜論	黃　世　雄　著
⑱資訊時代的兒童圖書館	鄭　雪　玫　著
⑲現代圖書館學探討	顧　　　敏　著
⑳專門圖書館管理理論與實際	莊　芳　榮　著
㉑圖書館推廣業務概論	許　璧　珍　著

㉒線上資訊檢索——理論與應用　　　　　　　蔡　明　月　著
㉓現代資訊科技與圖書館　　　　　　　　　　薛　理　桂　著
㉔知識之鑰——圖書館利用教育　　　　　　　蘇　國　榮　著
㉕圖書館管理定律之研究　　　　　　　　　　廖　又　生　著
㉖外文醫學參考工具書舉要　　　　　　　　　顏　澤　湛　編　著
　　　　　　　　　　　　　　　　　　　　　沈　寶　環　校　正
㉗圖書館讀者服務　　　　　　　　　　　　　沈　寶　環　主　編
㉘臺灣鄉鎮圖書館空間配置　　　　　　　　　林　金　枝　著
㉙圖書館事業何去何從　　　　　　　　　　　沈　寶　環　著
㉚參考工作與參考資料—英文—般性參考工具書指南　沈　寶　環　編　著
㉛比較圖書館學導論　　　　　　　　　　　　薛　理　桂　主　編